대통령 노무현의 2년

대통령 노무현의 2년

민주주의 최후의 보루는
깨어있는 시민의 조직된 힘입니다

편집부 엮음

더휴먼

차례

대통령 2년의 기록

2004. 2 ~ 2005. 1

2월

3월

5월

6월

7월

8월

9월

10월

11월

12월

대통령
2년의 기록

2004. 2 ~ 2005. 1

2월

전경련 신춘포럼 초청 연설

2004년 2월 4일

여러분, 대단히 반갑습니다. 초청해 주셔서 감사합니다. 저는 지금 매우 영광스럽지만, 다소 불안한 마음으로 이 자리에 섰습니다.

경제는 여러분이 저보다 훨씬 더 잘 아시고 또 더 잘하고 계십니다. 게다가 정부의 역할과 책임에 대해서 많은 지적이 있는 시기에 정부를 대표하는 제가 이 자리에 와서 좋은 소리를 들을 수 있을까 하는 걱정도 있습니다. 그리고 또한 전에 없던 일입니다. 대통령이 한 시간씩 시간을 잡아서, 그것도 어떤 질문이 나올지 모르는 불확실한 상황 속에서 여러분께 말씀드리고, 또 질문을 받는다는 것은 아주 이례적인 일이고 다소 위험부담이 있습니다. 그러나 저는 이 위험부담을 무릅쓰고 여러분 앞에 왔습니다.

새로운 대통령의 활달하고 변화된 이미지를 만들기 위해서 온 것이 아닙니다. 저는 오늘 이 자리에서 여러분과 희망에 관해서 함께 이야기하고 싶습니다. 그리고 우리의 미래에 대한 믿음을 함께 나누고 싶습니다.

정부의 책임을 이야기하겠습니다. 아울러 여러 경제주체들의 책임을 함께 얘기하고, 협력에 관해서도 말씀드리고 싶습니다. 여기에서 우리가 서로 의견이 잘 맞고 또 믿음이 생기면 희망이 있는 것이고, 나는 기회만 보고 책임은 남에게 미루는 그런 상황이 된다면 어려울 것입니다.

우선 정부가 무엇을 어떻게 해 왔으며 앞으로 어떻게 하겠다는 것을 말씀드리겠습니다. 저는 우리 정부가 믿을 수 있는 정부라는 점을 최대한 강조하고 싶습니다. 그리고 여러분이 그 문제에 관해서 지적하거나 질문하시면 성실히 답변드리고, '아닌 것은 아니다.', '생각이 다른 것은 다르다.'는 식으로 논쟁도 좀 하고 싶습니다. 그렇게 해서 우리가 과연 희망이 있는지 없는지 한 번 확인해 보자, 적어도 참여정부 남은 4년 동안 우리 기업인들이, 우리 노동자들이, 우리 국민들이 믿고 투자하고 일하고 생활해도 좋겠는가 한 번 확인해 보자, 그것이 저의 바람입니다.

제일 먼저 관심을 가진 것이 경기입니다. 경기에 대해서 정부는 지난 1년 동안 아주 조심스럽게, 그러나 대단히 적극적으로 대응하고 관리해 왔다고 생각합니다.

과거에는 경기진작을 위해서 결국 다시 돌이킬 수밖에 없는 규제를 풀거나, 시중에 통화가 많이 풀리게 하거나, 물가가 오르더라도 우선 경기부터 살리고 보자며 뒷날 경제에 주름과 부담을 줄 수 있는 정책들을 많이 써 왔습니다.

그러나 참여정부는 그 점에 있어서 매우 조심스럽게 대처해 왔습니다. 경기부양책을 적극적으로 쓴다고 썼습니다. 작년 한 해 동안 7조 5,000억원의 재정투자를 했습니다. 정부의 판단과 함께 가면서도 한국은행은 독자적으로 주의 깊게 금리·통화 정책을 운용한 것으로 평가를 합니다. 저는 어려운 상황에도 불구하고 흔들리지 않고 원칙을 지켜 왔다는 점에 대해서 아직은 옳았다는 생각을 가지고 있습니다.

처음부터 상황이 매우 나빴던 것은 사실입니다. 경제가 나쁘면 정부가 욕을 먹게 되어 있습니다. 그것은 감수하겠습니다. 그러나 엄밀하게 논리적인 분석을 통해서, 또는 실증적인 분석을 통해서 참여정부의 경기 정책에 '큰 과오는 없었다.' 저는 그렇게 생각합니다. '경기가 나쁜 것이 참여정부의 책임만은 아니다.' 그렇게 생각합니다. 책임이 아니므로 아무 것도 안하겠다는 뜻은 결코 아닙니다. 최선을 다하되, 원인과 책임을 분명히 하고 대처해 나가자는 것입니다.

경기변동은 항상 있게 마련입니다. 그리고 그 이전의 경기대책에 무리가 있으면 그 이후 경기 하강기의 진폭은 매우 커질 수밖에 없는 것입니다. 우리는 약 370조원이 넘는 가계부채로 매우 불안한 상황에서 출발했습니다. 특히 카드채라고 하는 특수한 상황과 약 300만명의 신용 불량자가 있었습니다. 그로 인해서 금융 시스템에 불안이 온다, 금융위기가 온다고 했습니다. 거기에 북핵문제로 언제 혹시 전쟁이 있을지 모르는 상황에서 출발했습니다. 이라크 전쟁, 그로 인한 고유가, 사스(SARS) 등등의 사태가 이어졌습니다. 외부적으로 매우 어려운 상황이었습니다.

정부는 금융위기를 대처하는 데 최선을 다해 왔습니다. '시장질서에 맡겨야 된다.'는 분들도 있었습니다. 시장질서에 맡겼더라면 약 90조 원에 이른 카드 관련 채무가 일거에 터졌을 것입니다. 그리고 지금 카드사를 매개로 해서 일어나고 있는 가맹점 거래, 카드 대출, 카드사에 돈 빌려준 사람들, 이 모든 것이 일거에 붕괴될 수도 있었을 것입니다. '경제가 어려울 때 안정된 경기대책을 쓰면 경기는 살아나게 되어 있지만, 그것이 너무 심각하면 장차에 있어서 잠재적 성장동력을 훼손하고 경제의 체질 자체가 취약해지거나 붕괴될 수 있다.' 저는 이런 경고를 받아들였습니다.

작년 4월에 카드 회사에 관련된 채권·채무 관계를 2개월간 동결하는 권고적 조치를 통해서 위기를 모면했을 때, '정부가 왜 개입하느냐.'고 비판하는 견해들이 있었습니다. 카드채 문제는 시장의 실패에 해당되는 부분입니다. 그로 인해서 시장이라는 메커니즘이 붕괴될 수도 있는 상황이었습니다. 정부가 그것을 내버려 두고 보아야 합니까? 시장의 시스템을 관리하는 것은 정부의 책임입니다. 그래서 권고적 개입을 했습니다.

관치경제에 대한 사회의 여러 가지 견제가 없었더라면, 과거의 경험에서 비롯되는 불안이나 문제제기가 없었다면 좀더 과감한 수단을 썼을지 모르겠습니다. 그러나 새롭게 정립되어 가는 우리 시장질서에 나쁜 선례를 남길 수 있다는 고려 때문에 조심스럽게 그 정도의 조치를 한 것입니다. 비판을 받더라도, 막상 같은 상황이 되풀이됐을 때 아마 비슷한 선택을 또 하게 되지 않을까 저는 그렇게 생각합니다.

연말에 와서 LG 문제에 대해 다시 정부가 나섰습니다. 유동성 위기, 여기에 대한 시장의 신뢰를 확보한 것인가, 지금 면밀히 주시하면서 대응해 나가고 있습니다만, 아직 조금 더 기다려 봐야 된다고 생각합니다. 제가 지금까지 경제정책 책임자들에게 점검해 본 결과로는 '시장의 신뢰에 대해서 아직 확고한 믿음을 갖기에는 불안이 없는 것은 아니지만, 이대로 가면 시장이 심각한 위험에는 빠지지 않을 것 같다. 앞으로 수익성은 2~3년의 조정과정을 거쳐야 할 것이고, 그 이후에 여러 가지 상황을 종합해서 판단할 때 전문가들은 카드 시장은 수익성이 있는 사업이라고 판단된다.'는 것이었습니다. 이 과도기를 어떻게 관리해 나갈 것인가? 같은 값이면 영리적 금융업을 전문으로 하는 금융기관이 하는 것이 좀 더 낫지 않을까 하는 그런 평가가 있는데, 이것은 이미 정부가 시장에게 강요할 방법이 없습니다. 개별 금융기관이 스스로 선택하는 것입니다. 정부가 할 수 있는 일은 그나마 국책은행인 산업은행으로 하여금 과도기를 관리해 나가는 것입니다.

분명한 것은 금융시장이 붕괴할 조짐이 있으면 그 위험을 결코 정부는 방치하지 않을 것이라는 사실입니다. 경제에 심각한 타격이 오고 경제가 붕괴하는 수준까지, 시장 자율의 원칙만 내세워서 팔짱 끼고 구경하는 그런 방관자적인 태도로 그냥 있지는 않을 것입니다. 시스템의 붕괴는 반드시 정부가 책임지고 안정시켜 나가겠습니다.

경기에 대해서 여러 가지 전망이 있습니다만, 가장 걱정하는 것은 신용불량자 사태입니다. 과거의 불경기에는 없었던 새로운 상황입니다. 소비가 살아나야 하는데 어떻게 소비를 살릴 것인가, 수출해서 국민들 호주머니에 어지간히 돈이 간 것 같은데 왜 소비가 살아나지 않는가, 1년쯤 지났으면 살아날 때도 됐는데 더딥니다.

신용불량자 사태를 생각해 보면 소비가 살아나지 않는 것이 어쩌면 아주 당연할지도 모르겠습니다. 돈이 생기면 먼저 빚을 갚아야 될 형편이니 소비하기가 어렵지 않겠습니까? 연체에 걸려 버리면 지금까지 가지고 있던 가계운용의 계획을 가지고는 도저히 감당할 수가 없게 되고 쫓기기 시작합니다. 개인 가계가 쫓기기 시작하니까 이 문제가 풀리기 전에 소비가 살아날 방법이 있겠습니까? 제가 각료들에게 '이 문제 어떻게 풀 거냐?'고 끊임없이 질문을 반복합니다. 이렇게 재촉해서 질문하면 우리 경제 각료들은 매우 조심스럽게 대답을 합니다. 일반적인 경제 원리 그 이외에 조그마한 변칙이라도 도입하게 되면 급작스럽게 돈을 빌린 사람들의 도덕적 해이가 폭발하게 되고, 그렇게 됐을 때 연체가 하루아침에 눈덩이처럼 쌓이게 되면서 어떤 상황에 이르게 될지 모른다는 우려 때문에, 신용불량자 대책에 관해서는 갓난아이 다루는 것보다 훨씬 더 조심스럽게 우리 경제팀이 관리해 가고 있습니다.

제가 더 이상 깊이 개입하기가 어렵습니다. 정치적 관점으로, 또는 총선을 앞둔 정치적 이해관계를 가진 대통령이 이처럼 민감한 문제에 대해서 자기의 주장을 강하게 했을 때 우리 경제팀이 얼마나 부담을 느끼겠습니까? 그래서 경제팀이 이 문제를 시급히 해결하기 위해서 무리한 정책을 썼을 때 생길 수 있는 상황 때문에 이 문제에 관한 한 주의를 환기시키고 경각심을 가지고 대처하라는 수준으로 자주 질문하는 것이지, 그 이상 정책에 대해서 대통령의 적극적인 의지를 보이지 않고 관리해 가고 있습니다. 신용불량자 문제를 얘기하면서 누구도 어느 영역에서도 딱 부러진 대책을 제안하는 곳은 없습니다. 대개 이렇게 관리해 가는 것이 맞다는 것인지 방책이 없어서인지 모르겠습니다.

어떻든 우리 금융당국, 각 금융기관, 정부 모두가 사태가 악화되지 않도록 예의주시하는 가운데 도덕적 해이를 불러올 수도 있는 위험한 정책을 쓰지 않고, 그러면서 빚을 갚아야 되는 사람들이 안정된 직장을 가지고 예측된 프로그램에 따라 빚을 갚을 수 있는 여건을 조성하는 데 힘을 모아야 할 것입니다.

이 문제에 관해서는 앞으로도 계속해서 경제팀에게 맡기되, 대통령이 지속적으로 상황이 더 나빠지지 않도록 관리해 나가겠습니다. 신용불량자의 구성과 개개인의 변제 능력, 그 다음에 각 계층별 신용불량의 형태가 기업·가계·부동산 가격 등등에 끼치는 영향들을 하나하나 분석해서 데이터를 가지고 접근해 나가고 있습니다. 저는 우리 금융기관을 운영하고 있는 금융계의 지도자들과 정책 당국이 잘 협력하면 이 문제도 큰 무리 없이 관리해 나갈 것으로 생각합니다.

지적한 것 이외에도 몇 가지의 금융부실이 남아 있습니다. 빨리 해소하라는 요구가 있는 것도 잘 알고 있습니다. 이 부분은 경기 관리와 함께, 경제에 일거 큰 충격을 주지 않는 범위에서 반드시 해소해 나가겠습니다. 한 마디로 경제 시스템이 정상적으로 운영되는 방향으로 정부가 계속해서 관리해 나갈 생각입니다.

투자가 일어나야 한다고 합니다. 소비는 이와 같은 어려움이 있고, 신용불량자 문제는 잘 대처를 하면 되겠습니다만 핵심은 투자라고 합니다. 기업하기 좋은 환경을 만들도록 하겠습니다. 우리 기업에 대해서 적어도 정부가 할 수 있는 한 기업하기 좋은 환경을 조성하겠습니다. 외국

기업이 전략적으로 투자할 수 있도록 환경을 조성하는 일에도 최선을 다하고 있습니다.

아마 이 얘기를 하면 규제문제가 따라 나옵니다. 규제, 풀 것은 과감하게 풀겠습니다. 풀어 나가고 있습니다. 그런데 규제를 푸는 데 시간이 좀 걸립니다. 정부에서 문제의식을 가지고 공론을 만들고, 정책을 입안하고, 입법예고하고, 국무회의를 거쳐 국회로 보내고, 국회에서 토론하는 과정을 거치다 보니까 1년이라는 세월이 결코 길지가 않습니다. 그러나 최선을 다해서 규제를 완화해 나가고 있습니다.

경제자유구역을 활성화해서 그곳에서 경제적 성공을 거두고, 성공적인 경제 모델을 전국으로 확산시켜 나가는 방향으로 하고 있습니다. 주로 이것을 동북아 경제중심 전략이라는 이름으로 하고 있는데, 여기에 도입되어야 하는 몇 가지 규제에 대해서 반대가 완강합니다.

특히 의료 부문에 있어서 그렇습니다. 병원·의료, 이것은 이미 정부 내의 합의를 가지고 추진해 가고 있고, 또한 한국에서 의료업을 운영하고 있는 사람들이 단독으로 또는 세계적인 병원들과 손잡고 경제자유구역에서 사업을 한 번 벌이도록 그렇게 정책적인 권고들을 해 나가고 있습니다. 이것이 성공하면 우리가 가진 높은 수준의 의료기술이, 그야말로 동북아시아 차원에서의 의료산업이 성공을 거둘 수 있는 계기가 될 수도 있을 것입니다.

다음은 학교 문제입니다. 이것은 외국인 근무 편의를 위한 교육 인프라를 갖추어 주어야 한다는 문제의식에서 출발했습니다. 한국의 대학은 경쟁해야 합니다. 그런 의미에서도 우선 경제자유구역에서 대학 교육의 자율을 대폭 확대하고 거기에서 경쟁이 일어나도록 하겠습니다. 나아가 대학 교육 일반에 경쟁의 원리를 도입해서 대학 교육이 세계 일류 수준으로 성장할 수 있도록 환경을 조성해 나가겠습니다.

우리나라 정책 중에서 가장 어려운 것이 교육정책입니다. 정말 어렵습니다. 여러 가지 상호 관계를 가지고 있기 때문에, 그물처럼 얽혀 있어서 코 하나를 건드리면 그물 전체가 흔들리기 때문에 교육정책은 건드리기 어려운 데다가 교육에 종사하고 있는 사람들의 저항이 완강합니다.

교육계에는 크게 두 가지의 흐름이 있습니다. 더 빠른 개혁을 원하는 흐름이 있고, 빠른 개혁에 대해서 부정적인 견해를 가지고 있는 흐름이 있습니다. 그러나 어느 집단도 교육계가 현재 가지고 있는 기득권을 흔들거나 또는 그들에게 새로운 불편, 불안을 주는 개혁에는 반대합니다. 그래서 지난 1년 동안 교육개혁에 대해서 특별한 것을 내놓지 못했습니다만, 그동안에 여러 가지 준비를 갖추어 가고 있습니다. 어려움이 있더라도 우리의 교육이 세계적인 경쟁력을 가질 수 있도록 반드시 개혁해 나가겠습니다.

먼저 대학 교육부터 그렇게 하겠습니다. 경제자유구역에 외국 자본, 외국의 경영자 또는 직장인들이 들어와서 경제활동을 하는 데 아무 지장이 없도록 우선 교육 인프라를 먼저 갖추어 나가는 쪽으로 풀어 나가겠습니다. 이와 관련된 규제는 과감하게 개혁해 나가겠습니다.

그러나 풀 수 없는 규제를 풀어서는 안 됩니다. 잘못 풀어 버리면 사람의 안전에 심각한 위해를 줄 수 있고, 결국 앞으로는 남고 뒤로는 밑지는 엄청난 경제적 손실이 생길 수도 있습니다. 사람의 생명과 신체의 안전을 보호하기 위한 규제, 이것은 지나치지 않을 만큼 적어도 우리의 경제가 감당할 수 있을 만큼은 규제를 그냥 유지해 나갈 것입니다.

한국은 땅이 비좁습니다. 물도 부족할 수 있는 국가라고 합니다. 그리고 국민들의 환경에 대한 요구는 점차 높아져 가고 있기 때문에 환경을 함부로 훼손하는 그런 규제완화는 매우 주의 깊게 해나가야 합니다. 지킬 건 지키겠습니다.

한 1년 동안 여러 가지 토론을 해 본 결과 규제가 많아서도 탈이지만, 더 중요한 것은 규제가 불명확하다는 것입니다. 사업을 계획하는 사람이 이게 되는 일인지, 이곳에 공장을 짓는 것이 가능한지 아닌지 모호해서 사업하기 어렵다는 것이 하나 있습니다. 두 번째로는 결국은 도장을 찍기는 다 찍는데, 도장의 개수가 많고 돈과 시간이 너무 많이 든다는 것입니다. 투자를 하는 사람에게 있어서는 시간이 바로 경쟁력 아니겠습니까? 그래서 앞으로는 불명료한 것을 하나하나 점검해서 명확하게 규정을 고치겠습니다. 법만 보면 되는 것 안 되는 것 다 알 수 있게 하고, 또한 선례를 축적하고 공개함으로써 되는 것, 안 되는 것을 쉽게 이해할 수 있도록 하고, 그 다음에 그것을 확인하는 절차도 아주 단축시켜 나가겠습니다. 이제는 규제 그 자체를 완화하는 것보다 규제를 통과하는 데 드는 시간과 노력·비용을 획기적으로 줄이는 방향으로 가자, 이렇게 방향을 잡았습니다.

여러분께 부탁드리고 싶은 것은 기업 경영과정에서 개별적인 문제해결에 각기 노력하시겠지만, 이 문제가 시스템으로서 다른 사람에게도 함께 적용되어야 되는 문제라면 그것을 소위 제도개선 과제로 반드시 제기해 주십시오. 그러면 규정을 바꾸든 원-스톱 서비스를 하든 또는 민원대행이나 지원팀을 만들든지 해서 시간을 최대한 단축시켜 드리겠습니다. 이것은 올해부터 새롭게 가는 규제 극복의 전략으로 정부가 반드시 채택해서 밀고 나가겠습니다.

모든 것은 수요자로부터 출발합니다. 기업하시는 분들이 문제 제기를 해 주셔야 우리도 그 문제를 이해하게 되고, 극복하는 방향을 찾을 수 있습니다. 주문해 주십시오. 그러면 해결해 드리겠습니다.

얼마 전에도 어느 경제단체 대표 한 분이 골프장 하나 짓는 데 780개 도장을 찍어야 된다고 하셨습니다. 그 780개 도장 중에는 반드시 유지해야 되는 규제도 많이 있을 것입니다만, 적어도 정부·지자체 등 공공부문에서 발목 잡는 일은 없도록 하고, 또한 일을 풀어 나가는 데 있어서 민간 간의 갈등에 대해서도 빨리 해소하는 정부의 적극적 지원 같은 것을 해나가겠습니다.

그 다음에 사회적으로 가치에 대한 판단이 서로 충돌하는 경우가 있습니다. 이 문제에 관해서는 새로운 시각을 도입하는 방향으로 정부가 민첩하게 대응해 나가겠습니다. 예를 하나 든다면, 지금까지 골프·관광·위락 이런 데 대해서는 그것이 마치 사치성 소비이고 불건전한 산업인 것 같은 인식이 있었던 것도 사실입니다. 그러나 지금 우리 경제의 구조가 변화해서 아무리 제조업부문에서, 또 금융부문에서 부가가치를 많이 높이더라도 서비스업을 통해서 고용을 늘려 나가고 그 고용을 통해서 소득을 분배하지 않으면 우리 경제가 또 다른 심각한 문제에 부닥칠 수밖에 없기 때문에, 서비스업에 대한 우리의 인식을 빨리 바꿀 수 있도록 대통령이 앞장서겠습니다.

아무리 발전시켜도 제조업의 고용은 줄어들 수밖에 없습니다. 아직도 우리는 제조업 고용 비율이 선진국과 약 20~30% 차이가 나고 있습니다. 한국은 서비스업이 늘어날 수밖에 없습니다. 이런 점을 저희도 잘 이해하고 제대로 대응해 나가겠습니다. 서비스업의 육성에 각별한 노력을 기울일 생각입니다. 전력 요금에서나 또는 조세에서나 그 밖에 여러 가지 규제와 지원에 있어서 서비스업이 차별받는 것이 있다면 여러분이 잘 다듬어서 지적해 주시면 하나하나 풀어 나가겠습니다. 이렇게 해서 투자에 걸림돌이 되는 것은 해소해 드리겠습니다.

노사문제, 여러 차례 반복해서 강조했습니다. 대화와 타협이 제일 좋습니다. 그러나 거기에만 맡겨 놓지는 않겠습니다. 법과 원칙을 반드시 단호하게 적용해 나가겠습니다. 그렇게 하면 노사문제는 점차 좋아질 것입니다. 정부의 정책이 어느 방향으로 가는지 모든 사람이 예측할 수 있게 하면 기업도 노동자들도 그 정책 방향에 맞추어서 자기 행동을 조절하게 되어 있습니다.

작년 한 해에는 노동조직에서 정부의 정책을 자기들에게 유리하게 하기 위해서 실제로 필요한 것보다 조금 더 강하게 밀고 나온 경향이 있지 않았는가 생각합니다. 이에 대해 많은 사람들이 '노무현이 친노(親勞) 정권이기 때문에 노동자들이 기대를 많이 가지고 무리한 요구를 하고 많은 분규를 일으켰다. 그래서 사회가 어지러웠다.' 이렇게 해석하고 있습니다만, 저는 그렇게 보지 않습니다. 친노 정권이 아니더라도 정권이 바뀌면 정책이 가다듬어져 가는 초기에 기선을 잡기 위한 싸움은 언제나 있게 마련이라고 생각합니다.

결과에 있어서 작년에 노사분규로 인한 노동손실일수는 그 전년도보다 18%가 줄었지 않았습니까? 불법파업은 60%가 줄었습니다. 노사조정이 성공한 건수는 50%가 늘었습니다. 노동운동의 흐름을, 노사관계의 흐름을 좌우하고자 하는 선도적 투쟁의 선봉에 서 있는 집단만이 그렇게 전략적으로 투쟁을 앞서서 이끌었을 뿐, 대체적으로 일반적인 사업장에서는 이미 작년 한 해 동안에 상당히 안정된 노사관계가 실현된 것이라고 생각합니다.

혹시 제가 조금 전에 말씀드린 통계를 오늘 처음 듣는 분이 계신다면, 그것은 우리의 현실에 대한 정보전달 체계에 문제가 있다는 것이지요. 좋아졌습니다. 올해에는 더 좋아지도록 하겠습니다.

그런데도 아주 나쁘게 보인 것은, 그렇습니다. 경제단체들 역시 정부 길 좀 잡아야 되지 않겠습니까? 솔직히 말씀드려서 전경련에서도 그런 전략이 있었겠지요. 기회만 되면 정부의 노동정책을 두들깁니다. 우리 언론들도 그 말은 크게 잘 들리게 전달합니다. 그래서 마치 노동정책이 아주 문제가 심각한 것처럼 그렇게 전달했습니다.

봄 꿩 제 울음에 놀란다는 말이 있습니다. 우리 사회에도 그런 현상이 있어서 자기가 목소리를 크게 내고 그게 신문에 대문짝만하게 보도되면 아침에 신문 펼쳐들고 '아이고 큰일났구나.' 이런 생각을 할 수도 있는 것입니다. 여러 가지 사회적 현상이 작년의 노사 문제를 좀 더 비관적인 방향으로 증폭시켜서 이해할 수밖에 없도록 만들어져 있는 구조 위에 있습니다.

여러분께 부탁드리고 싶은 것은 좀더 냉정해지자는 것입니다. 문제를 비관적으로 또는 확대해서 불안감을 조성할 것이 아니라, 우리가 감당할 만한 것이면 이제 감당할 수 있다는 자신감을 가질 수 있는 방향으로 우리 사회의 공론과 분위기를 조성해 하는 것이 우리 모두에게 유리하지 않겠습니까?

물론 아직도 한국의 노사분규가 선진 어느 나라보다 더 많다는 사실을 저도 알고 있습니다. 그리고 전투적인 노동운동이 아직 살아있다는 사실도 잘 알고 있습니다. 그러나 제가 여러 차례 밝혀 왔듯이 원칙을 가지고 대응해 나가겠습니다.

지금까지는 대개 사업장에서 폭력을 행사하거나 사업장을 점거해서 사업의 정상적인 운영을 방해하거나 하는 경우만 불법으로 다루어 온 것이 우리 정부나 사법당국의 입장이었습니다. 아직 정부 안에서 결론을 내지는 않았습니다만, 쟁의의 사유가 적법하냐 아니냐 하는 문제까지 포함해서, 어디까지 합법의 선을 그을 것이냐 하는 점에 있어서 올 한 해 매우 신중하게 검토를 해서, 어떻든 노사관계에 있어서 법 해석에 불명확함이 없고, 상호간에 영역의 심각한 침범이 없고, 그래서 불안이 없도록 관리를 해 나가도록 하겠습니다.

노동단체와도 단호할 땐 단호하지만 성실히 대화해 나가겠습니다. 작년 한 해 동안에 노동정책이 이랬다 저랬다 했다는 평가가 있습니다. 그렇지 않습니다. 모든 문제의 해결과정에는 강·온 양면의 전술이 구사됩니다. 물건을 사고팔 때도 돈 더 받고 싶으면 안 판다는 것 아닙니까? 값 깎자고 하면 '이 물건은 당신하고 인연이 없소. 그냥 딴 데 가서 알아

보시오.' 라고 합니다. 사실은 팔고 싶으면서도 그렇게 말하지 않습니까? 노사분규의 해결에 있어서도 '아침에 즉시 그만두지 않으면 오늘 중으로 공권력 투입한다.' '강경한가 보다.' 그런데 점심 때 가서 협상하고 있습니다.

북핵문제의 협상에 있어서도 미국과 북한이 항상 상호간에 그렇게 먼저 강경한 목소리들을 가지고 상대의 요구를 축소시키기 위해서 노력하지 않습니까? 그런 여러 가지 노력이 필요합니다. 개별 사업장에 있어서도 그렇고, 전체 노동정책에 있어서도 원칙이 크게 훼손되지 않는 범위에서 강·온의 카드는 써야 합니다. 그렇지 않으면 그건 정책이 아니지요. 그것을 지나치게 크게 확대해서 받아들였거나 전달한 것 아닙니까?

어떤 강도 직선으로 흐르는 강은 없습니다. 그래도 끝내 강물은 낮은 곳으로 흘러갑니다. 그래서 바다로 갑니다. 정책에 있어서도 그와 같은 융통성·유연성은 좀 허락해 주십시오. 그렇게 해서 노사문제가 안정되도록 관리해 나가겠습니다. 아무리 안정되더라도 높은 비용을 지불해야 한다면 안정이라고 말할 수 없겠지요. 이 문제에 관해서는 이제 노사 양쪽이 정부와 함께 무릎을 맞대고 하나하나 풀어 나가십시다.

적어도 대통령으로서는 이 문제에 관해서 명확하게 입장을 밝혔습니다. 두 가지를 얘기했습니다. '현재 한국의 임금상승률이 이대로 가서는 우리 경쟁력에 심각한 위기가 올 수 있다. 자제하자.' 이 말씀을 드렸습니다. 그런데 한편으로 보면 소위 같은 노동계 안에서 임금의 격차가 심합니다. 사회적 보장의 격차도 심각합니다. 노동계에 있어서 소득의 불균형, 보장의 불균형 문제를 해소해 나갈 수 있어야 됩니다. 그래서 제가 임금인상을 선도하고 있는 대기업과 비정규직 노동자들, 이 사이의 합리적인 조정의 문제를 올해의 정책과제로 삼고 있습니다.

이 문제는 해소되어야 합니다. 해소되지 않으면 전체적으로 노사관계 안정은 물론이거니와 우리 산업의 경쟁력도 향상시키기 어려운 면이 있습니다. 이 문제도 함께 해소해 나가는 방향으로 그렇게 하겠습니다. 아마 경영계에서도 이 점에 관해서 깊이 이해하고 어떤 대책들을 마련하고 있는 것으로 알고 있습니다.

우선은 일자리 창출을 위한 노·사·정 대타협 합의를 진행하고 있는 것으로 알고 있습니다. 합의가 좀 됐으면 좋겠습니다. 객관적으로 최선의 정책이라 할지라도 그 정책에 대해서 각 집단이 동의하지 않고 전부 저항했을 때 그 정책집행의 결과는 그렇게 좋지 않을 것이지만, 반대로 가장 좋은 정책은 아니라 할지라도 이해집단이나 각 경제 주체들의 합의 수준이 높아서 그 정책을 협력하며 함께 운용해 갔을 때에는 결과가 더 좋을 수도 있습니다. 그래서 가장 좋은 정책도 중요하지만 효과적이고 합리적인 운용이 더 중요하다고 저는 생각합니다.

그래서 이번 노·사·정 대타협을 하게 될 때 각자 보기에는 최선이 아니더라도 좀 양보하고, 우리가 모두 협력한다면 예상한 것 이상의 성과를 거둘 수 있다는 믿음을 가지고 한 번 과감하게 결단을 내려 주시면 좋겠습니다.

협력의 시너지 효과를 이번에 한 번 증명해 봤으면 좋겠습니다. 정부도 같은 생각으로 설사 좀 불리하다 싶은 것이 있다 할지라도 그 합의를 최대한 존중해서 정책을 운용함으로써 사회적 신뢰와 협력의 토대를 마련해 가도록 그렇게 하겠습니다.

노동의 유연화에 관해서 많은 말씀들이 계십니다. 지금 우리 법원의 판례를 보면 절차가 복잡하고 현장의 저항이 문제이지 그 기준 자체는 그렇게 큰 문제가 아닙니다. 이 점에 있어서 경제하는 분들의 오해가 없도록 하고, 판례가 만들어준 기준은 우리 정부가 적극적으로 행정지도나 권고의 기준으로 삼아서 노동의 유연성이라는 점을 강조해 나가겠습니다.

노동의 유연화 측면에 있어서의 전략적 요구와 함께 한편으로 또 다른 요구도 있습니다. 유한킴벌리 모델을 가지고 소위 4조 3교대 또는 4조 2교대의 작업운영을 통해서 일자리도 서로 나누고 생산성도 훨씬 더 높여 나가자는 운동이 있습니다. 이것이 어느 수준까지 보편화될 수 있을지는 모르겠습니다만, 의미 있게 이 운동을 바라보고 또한 적용할 수 있는 상당한 수준의 영역이 있을 것이라고 보고 지원을 하려고 합니다.

여기에 대해서 우리 정부 내에서도 우려하고 문제제기를 하는 분들이 있습니다. 그러나 이것은 흑백의 문제가 아닙니다. 어느 한쪽만을 선택하는 문제가 아니라 상황에 따라서 함께 갈 수 있는 문제입니다. 일면에 있어서는 노동의 유연성을 높여 나가면서, 일면에 있어서는 소위 유한킴벌리 식의 일자리 나누기를 적용시켜 나가는 것이 합리적일 것입니다.

「좋은 기업을 넘어서 위대한 기업으로」라는 책을 제가 본 일이 있는데, 거기에서 내놓은 경쟁력 모델은 우리가 일상적으로 쓰고 있는 구조조정의 모델이 아니었습니다. 구조조정 안 하고 회사에 대한 애사심과 열정을 가지고 더 높은 생산성을 창출해 나가는 초일류 기업들의 사례를 말한 것이었습니다. 그러니까 그 모델은 그 모델대로 한국에서 보다 더 넓게 뿌리를 내릴 수 있도록 정부가 해 나가겠습니다.

어떻게 보면 이론적으로는 모순되는 것 같은 이 두 개의 정책들을 함께 지원해 나가도록 하겠습니다. 그렇게 하면 노동문제에 대해서는 어느 정도 여러분이 미래를 예측할 수 있으리라고 저는 생각합니다. 그럼에도 결정적인 요인은 경쟁력입니다. 인건비라든지 땅값이라든지 하는 것을 문제삼는 것은 월등한 경쟁력을 갖지 못한 기업들에 있어서의 기업환경들을 의미하는 것입니다.

궁극적으로는 생산성의 한계를 뛰어넘는 획기적인 경쟁우위를 가져야 합니다. 그 점에 관해서는 아마 대체로 많은 사람들이 기술이라고 얘기하고 있는 것 같습니다. 그래서 과학기술 혁신, 아울러서 인재양성을 통해서 핵심적인 경쟁력을 향상시켜 나가자, 그것이 전략입니다.

인력양성에 관해서 정부의 전 역량을 총동원하겠습니다. 정책이 기술혁신에 맥이 닿아 있으면 우선순위를 높이겠습니다. 고급인력 양성에 맥이 닿아 있으면 우선순위를 높이겠습니다. 그렇게 해서 연구소에서도 최고의 기술이 생산되고, 작업현장에서도 혁신을 통해서 경쟁력 있는 기술이 생산되는, 다시 말씀드려서 연구소와 현장에서의 기술혁신이 함께 만나게 하는 기술혁신 전략, 인재양성 전략을 구현해 나가겠습니다.

그렇다면 어떻게 할 것인가? 연구·개발비도 많이 주고, 세금도 깎아 주는 등 모든 배려를 다할 것입니다. 그러나 그것만으로는 되지 않습니다. 같은 비용으로 더 높은 성과를 거둘 수 있는 연구·개발 체계가 만들어져야 합니다.

이것을 하기 위해서는 부처 간에 서로 연구비 많이 타가기, 예산 많이 따가기 경쟁이라든지 영역경쟁이 너무 있어서는 안 되겠다는 생각에서 기획조정 권한을 과학기술부로 전부 집중시키려고 합니다. 그래서 국가과학기술 체계를 총체적으로 관리하고, 아울러서 정부 관련 연구기관, 연구소 운영·관리에 관한 영역, 산업정책, 인력수요 이 모든 것을 관리해 나가는 책임을 국가과학기술위원회와 과학기술부에 넘기고, 과학기술부 장관은 부총리로서 조정기능을 갖도록 하는 방안에 이미 착수했고 계속해서 추진해 나갈 것입니다. 그것이 어느 정도 윤곽이 나오면 정부혁신위원회에서 이것을 조직과 구조로서, 그리고 운영의 원리로서 제도화해 나가겠습니다. 그래서 국가기술혁신 체계를 정비해 나가겠습니다.

이 중에서 하나는 지역혁신 체계, 지역혁신 클러스터라는 제도를 도입하려고 합니다. 이미 여러 나라에서 성공한 사례를 가지고 있는 이 클러스터 개념을 우리 정부도 아직까지 종합적으로 이해하고 있지 못합니다.

이것을 '대학과 지역기업 간의 단순한 산·학 협력관계'라고 말하는 사람이 있는가 하면, '어떤 지역에 있어서의 연구·개발을 위한 물적 인프라를 뒷받침해 주는 것'이라고 하는 사람들도 있습니다. 또 어떤 지역에는 돈, 예산을 많이 보냈는데 특정한 몇 개의 기업과 대학들 사이에서 연구과제 몇 개로 진행하는 경우도 있습니다.

그러나 지역의 기술혁신 클러스터라는 것은 그것을 뛰어넘는 개념입니다. 그 지역의 네트워크이자 시스템으로서 총체적인 기업환경을 창조적 기업환경, 특히 벤처기업 환경을 조성해야 된다는 것입니다. 실리

콘밸리나 케임브리지 같은 것이 대표적인 예입니다.

민·관 사이에 이 부분에 대한 연구팀을 만들어서 실리콘밸리나 케임브리지에 가장 가까운 모델이 무엇인지 특성을 찾아서 부족한 부분을 메워 주고 전체 네트워크가 잘되게 하고, 거기에서 기술혁신의 시너지 효과가 나타나고 그것이 국제적인 네트워크로 발전해서 한국의 기술혁신에 좀더 효과적인 체계를 만들어 나가려고 합니다. 부처 보고를 받을 때도 이것을 놓치지 않고 챙기면서 모든 것을 여기에 집중하고 있습니다. 지방대학 육성도 지역혁신 클러스터라는 큰 틀 속에서 육성해 나가고 있습니다.

몇 가지 더 드릴 말씀이 있습니다만, 여기에서 줄이더라도 지금 우리 정부가 어느 정도 경제에 힘을 쏟고 있는지를 증명하는 데에는 충분하지 않겠습니까?

시간이 많이 흘렀지만 편안하게 한 말씀 더 드리겠습니다. 열심히 공부하고 있습니다. 그뿐만이 아니라 하나하나 확인하고 그 정책이 현실에 뿌리를 내리도록 점검해 나가고 있습니다. 감사원 조직도, 부정부패에 대한 감사뿐만 아니라 정부의 정책이 효율성 있게 집중되고 있는가에 대해서 하나하나 점검해 나가는 이런 시스템을 갖추어 나가고 있습니다. 감사원은 독립기관이지만, 흔쾌히 동의하고 이 방향으로 가고 있습니다. 정부의 모든 기구가 이 방향으로 역량을 집중해 나가고 있습니다. 아직 원활하게 아주 매끄럽게 돌아가는 수준은 아니지만, 저는 믿을 만하다고 여러분께 감히 장담하겠습니다.

제가 여기 오려고 떠나려는데 보고서 하나를 받았습니다. '2003년도 외교부 개혁 추진 및 결과 보고'라는 것이었습니다. 이것은 현 외교부 장관이 아니라 얼마 전에 그만두신 외교부 장관이 써 주신 것입니다. 외교부 장관을 그만두시게 할 때 만나서 식사를 같이 하면서 떠나시면서 후임 장관에게 또는 대통령에게 무엇을 권하고 싶은가에 관해서 보고서를 하나 만들어 달라고 했더니 만들어 주신 것입니다. 이 내용을 곰곰이 들여다보면 외교부가 그동안 변화를 위해서 많은 노력을 했고, 앞으로도 이대로 가면 외교부가 굉장히 많이 변화하고 매우 효율적이고 건강한 조직이 되겠구나 하는 믿음을 가질 수 있습니다.

지금 제가 정부 부처 보고를 재경부부터 과기부·산자부·정통부 이렇게 네 군데에서 받았습니다. 우선 보고를 받아 나가는 일정이 대단히 빠릅니다. 종전 속도의 두 배 정도 될 것입니다. 매 보고 때마다 세 시간씩을 소모합니다. 30분 보고하고 정부 출연 연구소의 책임자들이 그 자리에 함께 참여해서 열띤 토론을 합니다. 그 다음에 그 부처와 관련된 타 부처의 업무에 이르기까지 하나하나 점검하고, 어떤 부분은 사례로 뽑아서 아주 깊숙이 들어가서 그 일을 담당하고 있는 국장이 '파악하고 있는 정도가 얼마 만큼이냐.'까지 확인하면서 이렇게 가고 있습니다.

세 시간 토론한다고 안 되던 일이 금방 되겠습니까만, 우리 정부는 변화하고 있습니다. 대통령 혼자만 그렇게 하는 것이 아니라 이러한 문화가 정착되어 가고 있습니다. 국무회의, 세 시간 합니다. 회의 시간을 줄이라는 경영 전문가들의 권고도 있습니다만, 줄일 회의는 줄이고 늘릴 회의는 늘려야 됩니다. 이렇게 해서 껍데기만 점검하고 넘어갔던 정책에 관해서는 속속들이 그 허실을 판단하고 그야말로 실효성 있는 정책이 되도록 하나하나 매듭을 지어 나갑니다.

한 가지만 예를 들겠습니다. 화물연대사태 때 파업하면서 대형 트럭들이 공장문과 도로를 막아 버렸습니다. 왜 안 치우냐고 했더니 견인차로는 엄두가 나지 않는다는 겁니다. 열쇠 기술자 데리고 와서 끌어내면 되지 않느냐고 했더니 이번에는 사유재산이라서 함부로 건드리기 어렵다고 했습니다. 도시의 기능이 마비되는 상황에서 긴급권 행사는 위법성이 조각되지 않느냐, 과감하게 하라고 했더니 옮겨 놓을 주차장이 없다는 것입니다. 그러면 비상인력을 동원해서 운행하면 될 것 아니냐고 하니까 근거법이 없다고 했습니다.

적법한 파업은 불편을 무릅쓰고라도 보호해 주어야 합니다. 그러나 그것은 사회 전반의 질서를 결정적으로 파괴하지 않거나, 더 큰 이익을 결정적으로 침해하지 않는 범위 안에서 보호되는 것입니다. 이익 교량(較量) 또는 형평의 원리에 비추어서 긴급한 조치를 할 수 있도록 제도를 정비해 두어야 되고, 그 제도가 원활하게 돌아가도록 해야 합니다. 당장 법을 만들 수는 없으니까 몇 가지 지시를 했습니다. 그 뒤에 당진에서 일이 일어나니까 어렵지 않게 정리가 됐습니다.

그러나 문제는 거기에서 끝나지 않습니다. '트레일러를 운전할 수 있는 사람들을 평소에 파악해 두고 있습니까?' '없습니다.' 컴퓨터로 검색을 해 보니까 수십만 명이 나옵니다. 1년에 한 번이라도 '당신은 희망에 따라 비상사태에 국가를 위해서 참여할 수 있는 자원입니다.' 이렇게 확인하고 스스로 신청을 받아서 관리해야 하는데, 이런 관리가 잘 안 되어 있었습니다.

이를 계기로 해서 국가 전반에 위기사태가 발생할 수 있는 소지를 전부 점검하고, 그 사태마다 우리가 동원할 수 있는 법적 장치가 무엇인지 확인하고, 법을 보완하고, 그 다음에 긴급사태에 대응하는 매뉴얼을 만들어 나가고 있습니다. 1년 동안에 전체 큰 틀은 다 마련하고, 개별 매뉴얼은 20% 정도 완성했고, 나머지 작업들은 계속해 나갈 것입니다.

국가의 기틀을 확실하게 정비하겠습니다. 씻어낼 것, 쓸어낼 것, 우리 사회에서 확실하게 쓸어 내겠습니다. 그리고 고장난 시스템과 제도를 수리하겠습니다. 미래를 위해서 새롭게 건설해야 될 제도들을 다 마련해 나가겠습니다. 대청소·대수리·대개조를 착실히 해 나가겠습니다. 제 임기 4년 동안에 다하겠다는 말씀은 아닙니다. 이렇게 하겠다는 기본 인식을 가지고 우리 공무원들이 문제를 접하고 정비해 나가도록 하겠습니다.

저는 국무회의에서 개별 문제의 잘잘못을 두고 평가하지 않습니다. 그 문제의 근저에 도사리고 있는 시스템의 문제가 무엇인지를 찾아내고자 합니다. 시스템의 문제를 찾고, 정비하고, 같은 문제가 반복되지 않도록 프로세스를 관리해 나가자, 그렇게 해 나갑니다.

이런 일에부터 범정부적인 혁신운동을 해 나가려고 합니다. 국민소득 2만 달러가 그냥 달성되는 것이 아닙니다. 공무원들이 지금보다 두 배 또는 세 배의 효율을 내야 다른 분야에서도 두 배, 세 배의 효율이 나고, 그렇게 비슷한 수준의 요소 투입을 통해서 2만 달러가 가능한 것 아니겠는가 생각합니다.

제가 가장 힘주어 하고 있는 일, 정부혁신입니다. 혁신의 첫번째는 목표와 방향을 설정하는 것입니다. 이미 만들었습니다. 이제는 공무원들의 사고와 행동양식을 바꾸는 것입니다. 제가 전부 지시하는 것이 아니라 스스로 혁신의 필요성을 깨닫고 혁신의 방향을 설정하고, 혁신의 방법을 개발해 내고, 평가하고, 그렇게 해서 작은 성공의 모델을 만들어 내고, 그렇게 해 나갑니다. 우선 혁신의 선도팀을 만들어 나가겠습니다. 그래서 공무원들이, 그야말로 기업하는 분들이 제대로 기업할 수 있게 확실하게 받쳐 드리도록 하고, 우리 국민들의 삶의 모든 영역에 있어서 서비스를 두 배 확대하고, 내부적 효율을 두 배 향상시키는 일들을 하려고 합니다.

앞서 말씀드린, 노사문제에 있어서는 기업이 할 일을 스스로 찾아서 기여해 주시기 바랍니다. 첫번째가 투명성이 아닌가 싶습니다. 투명하게 공개하고 노사협상을 성실히 하는 기업은 노사문제가 심각하게 악화되는 일이 별로 많지 않습니다. 특수한 정치적 목적, 전략적 목표를 가지고 있는 조합이 아닌 경우에는 대개 노사관계가 안정된다고 봅니다.

실제로 투명해야 공개할 수 있지 않겠습니까? 투명하게 하기 위해서는 정부·정치권이 뭔가 달라져야 할 것입니다. 이번에 우리가 진통을 겪고 있습니다만, 적어도 이제 정치권 때문에 이중장부를 만들어야 되는 일이 없도록 하겠습니다. 그 외에 불공정한 거래 때문에 비자금을 만들어야 하고 이중장부가 필요한 것 아닙니까? 어렵더라도 정정당당하고 공정한 경쟁과 거래의 문화를 우리가 한 번 만들어 나갑시다. 그렇게 해서 모든 것이 투명하게 되면서 전체적으로 우리 경쟁력이 새로운 차원에 올라갈 수 있도록 하겠습니다.

공공부문의 서비스도 좀더 늘리겠습니다. 작은 정부론이 있습니다.

공무원 숫자 줄이면 작은 정부가 된다고 저는 생각하지 않습니다. 공무원, 필요한 만큼의 숫자를 가지고 그들이 쉴 때는 쉬고 일할 때는 일하고, 그렇게 해서 생산성을 향상시키는 것이 저는 정부의 올바른 태도라고 생각합니다. 사회보장, 그 밖에 질서·치안·사회적 안전 등 최소한 국가가 국민을 위해 보장해야 하는 서비스는 확대해 나가야 합니다. 문화, 환경과 같이 국민들의 삶의 질을 높이는 서비스도 확대해 나가야 합니다. 문화·환경과 같이 국민들의 삶과 질을 높이는 서비스도 확대해 나가야 합니다. 이 점에 있어서 공적부문의 지출을 경제에 부담을 주지 않는 수준으로 잘 조절하면서도 결국 국민을 위한 서비스는 확대해 나가야 된다는 것입니다. 이것은 한편에 있어서 일자리를 확대해 나가는 것이기도 합니다. 공기업 부문에 있어서는 다소 부담이 되더라도 인턴과 시간제 고용을 좀더 확대하는 등 시험이 아닌 새로운 채용의 관행을 만들어서 취업의 기회가 늘어날 수 있도록 지원하겠습니다.

후보 때 집배원에게 표 달라고 인사하러 간 적이 있습니다. 자기 사무실에서 우편물을 분류하고 있었는데 쳐다보질 않습니다. 관심이 없어요. 어째서 관심이 없을까? 그의 삶이 그것을 돌아볼 여유가 없는 것입니다. '몇 시에 나옵니까?' '아침 여섯 시에 나옵니다.' '몇 시에 퇴근합니까?' '저녁 여덟 시에 퇴근합니다.' 대통령 후보가 왔는데 한 번 보고 싶지 않겠습니까?

우리 사회의 가장 중요한 것은 관심입니다. 일에 대한 관심, 이웃에 대한 관심, 사회적 현상에 대한 관심, 이렇게 관심을 가진 사람들이 새로운 것을 창조해 나가는 것 아닙니까? 문제를 해결해 나가는 것입니다.

공무원을, 그런 상황을 내버려 두고는 생산성 향상, 경쟁력은 그거 다 공염불이라고 생각했습니다.

제가 확신하는 것은 그들이 약간의 여유시간을 가지고 직업에 대한 불안이라도 없게 해서 열심히 일하고, 그래서 그냥 적당하게 하는 공무원이 아니라 민간 택배회사와 경쟁해서 성공하는 그런 기관이 되어야 하는 것입니다.

여러분, 일정관계로 이 정도로 하고 가겠습니다. 제가 드리고 싶은 말씀은 '뚝배기보다 장맛'이라고, 언론을 통해서 또는 과거 몇 가지의 상징적 사건을 통해서 전달된 대통령의 이미지만을 가지고 '경제를 알겠느냐?' '잘 관리하겠느냐?' 혹시 이런 불안이 있었다면 씻어 주시고 한번 믿음을 가지고 힘을 합해 봅시다.

정부도 최선을 다하겠습니다. 어느 정부에도 뒤지지 않는 책임 있고 효율성 있는 정부를 만들어 나가겠습니다.

감사합니다.

구미시 수출 200억 달러 달성 기념행사 연설

2004년 2월 6일

존경하는 구미시민과 경북도민 여러분, 그리고 이 자리에 함께 하신 내외 귀빈 여러분,

저는 오늘 아주 기쁘고 감사한 마음으로 이 자리에 왔습니다. '구미시 수출 200억 달러 달성'을 온 국민과 더불어 축하드립니다. 기초자치단체로는 최초로 이룬 쾌거입니다. 기업인과 근로자, 구미시 관계자와 시민 여러분께 진심으로 감사와 경의를 표합니다. 아울러 영예로운 상을 받으신 분들께도 축하의 말씀을 드립니다.

200억 달러면 우리나라 전체 수출액의 10%가 넘는 규모입니다. 정말 대단한 일입니다. 이 일이 어찌 그냥 이뤄졌겠습니까? 밤낮 없이 연구하고, 일하고, 하나라도 더 팔기 위해 뛰어다닌 땀과 눈물의 결실임을 저는 잘 알고 있습니다. 특히 지난해에는 내수 침체와 이라크전쟁, 사스

공포 등 대내외적인 어려움이 많았습니다. 이러한 여건 속에서 이뤄낸 것이기에 더욱 자랑스럽습니다. 여러분이 진정한 애국자입니다. 거듭 감사를 드립니다.

내외 귀빈 여러분,

이제 오랫동안 우리 경제에 드리워졌던 먹구름이 하나둘 걷혀 가는 것 같습니다. 투자와 소비가 회복조짐을 나타내고 있습니다. 희망이 보이기 시작했습니다. 4월에는 고속철도가 개통됩니다. 올해에는 수출이 2천억 달러를 넘어설 것입니다. 한 발 한 발 앞으로 나가면 국민소득 2만 달러, 수출 4천억 달러 시대가 열리게 될 것입니다.

관건은 경쟁력입니다. 경쟁력만 갖추면 세계 어디든지 우리의 시장이 될 것입니다. 중국이 지난해 우리나라 제1의 수출상대국이 되었습니다. 구미시민 여러분이 만든 휴대폰이 세계인의 격찬 속에 가장 비싼 값에 팔리고 있습니다. 구미가 가진 세계적인 경쟁력을 이제 '메이드 인 코리아' 모든 제품의 경쟁력으로 확산시켜 나가야 하겠습니다.

정부부터 앞장서겠습니다. 불필요한 규제를 완화하고, 투자환경을 지속적으로 개선하겠습니다. 최고의 경쟁력을 갖춘 인력을 양성하고 기술혁신을 지원해서 세계와 당당히 경쟁할 수 있도록 하겠습니다. 2만 달러 시대를 향한 '기술입국', '인재입국'의 탄탄한 기반을 다져놓겠습니다.

존경하는 구미시민과 경북도민 여러분,

지금은 지역 스스로 혁신을 주도하는 지방화 시대입니다. 지방으로부터 성장의 동력을 얻어 국가 발전을 이루어야 합니다. 균형발전 3대 특별법이 많은 국민들의 성원과 지지 속에 공포되었습니다. 이제 분권과 분산, 균형발전을 위한 정책들이 하나하나 실천에 옮겨질 것입니다. 정부의 의지는 확고합니다. 지역혁신을 위해 인력이 필요하면 인력을 지원하고, 공동 연구가 필요하면 연구소를 통해 뒷받침하겠습니다. 지역혁신 클러스터를 성공시키고 무엇보다 효율성을 높이기 위해 전략적으로 지원해 나가겠습니다.

그러나 혁신은 여러분이 앞장서 주셔야 합니다. 지자체, 대학, 상공계, 언론, 시민단체 등 5대 주체가 협력해서 비전을 세우고 역량을 키워나갈 때 지방이 국가 발전의 핵심거점으로 자리잡게 될 것입니다. 구미를 비롯한 대구·경북지역은 지방화의 선두주자답게 혁신을 주도하고 있습니다. 오늘 영상보고도 아주 좋았습니다. 경상북도의 혁신의지를 다시 한번 확인할 수 있었습니다. 구미의 모범적인 노사협력 사례는 이미 잘 알려져 있습니다. 많은 바이어들과 해외투자가들이 앞다투어 구미를 찾는 이유가 되었습니다.

환동해 경제권의 중심인 대구·경북지역은 남북관계의 진전과 함께 그 중요성이 날로 더해 갈 것입니다. 일본은 물론 중국의 동북3성, 극동러시아, 북한과의 교류거점으로서, 또한 디지털 IT산업과 섬유산업의 메카로서 발전을 거듭할 수 있도록 힘껏 지원하겠습니다.

해상물류거점으로서 포항신항만 개발을 차질없이 추진하고, 고속철도 역세권 개발과 연계 고속도로망 확충을 통해서 첨단 신산업지대로 새롭게 태어날 수 있도록 하겠습니다.

특히 구미지역에는 종합역사 건립과 디지털·전자정보기술단지의 조성을 계획대로 지원하고, 외자유치 활성화를 위해서 외국인기업 전용

단지 확대방안을 적극 추진토록 하겠습니다.

존경하는 내외 귀빈 여러분,

희망과 자신감을 가집시다. 낙동강 모랫벌을 일구어서 200억 달러 수출의 금자탑을 이룬 여러분입니다. 이 역량과 노력이라면 못해낼 것이 없습니다. 오늘을 새로운 출발점으로 300억달러, 400억 달러 수출을 이루어 주십시오. 여러분의 성공이 곧 대한민국의 성공입니다. 국민소득 2만 달러, 수출 4천억 달러 시대를 함께 열어갑시다. 다시 한번 구미시의 수출 200억 달러 달성을 축하드리며, 구미시와 대구·경북지역의 무한한 발전을 기원합니다. 여러분 모두 건강하시고 행복하십시오.

감사합니다.

에르도안 터키 총리를 위한 만찬사

2004년 2월 9일

존경하는 레젭 타입 에르도안 총리 각하, 그리고 내외 귀빈 여러분,

총리 각하와 일행 여러분의 대한민국 방문을 진심으로 환영합니다. 올해 들어 첫번째 외빈으로 각하를 모시게 되어 매우 기쁩니다. 터키는 우리 국민에게 매우 각별한 나라입니다. 비록 8천km 떨어져 있지만, 마치 이웃에 있는 친구와도 같은 나라입니다.

우리는 2002 월드컵에서 이를 다시 한번 확인하였습니다. 우리 국민들은 4강에 함께 진출한 터키를 열렬히 응원했습니다. 우리 두 나라가 치른 3·4위전은 양국의 우의와 유대를 전 세계에 과시한 축제의 한마당이었습니다. 터키와 한국은 반세기 전 자유민주주의와 평화를 지키기 위해 함께 싸운 혈맹입니다. 터키는 한국전에 미국, 영국에 이어 세번째로 많은 연인원 1만 5천명에 가까운 병력을 파견하였습니다. 터키 용사들

의 고귀한 헌신이 오늘의 대한민국을 만드는 밑거름이 되었다고 생각하며, 깊은 감사의 말씀을 드립니다.

총리 각하,

터키는 유럽과 아시아를 잇는 동서 문명의 가교로서 인류의 역사발전에 크게 기여해왔습니다. 지금도 중동지역을 비롯한 국제사회의 평화와 안정을 위해 많은 역할을 수행하고 있습니다. 앞으로 EU 가입이 이루어지면 동서 통합과 협력의 중심국가가 될 것으로 믿습니다. 각하께서는 취임 이후 정치·경제·외교 여러 면에서 큰 성과를 거두었습니다. 민주화 개혁과 경제안정화 정책으로 국민적인 지지와 신뢰를 받고 있습니다. 특히 침체되었던 경제를 회생시켜 고도성장의 토대를 다졌습니다.

나는 각하께서 부정부패 일소, 신뢰받는 정부, 정의 구현, 약자를 위한 정부를 실현하고자 하는 데 대해 전적으로 공감합니다. 지금 우리 정부가 추진하고 있는 국정방향과도 거의 일치합니다. 나는 각하의 이러한 노력이 반드시 성공할 것으로 확신하며, 터키 국민의 저력과 각하의 탁월한 지도력에 무한한 경의를 표합니다.

총리 각하,

우리 두 나라 관계는 이번 각하의 방한을 계기로 새로운 도약의 전기를 맞이하게 되었습니다.

오늘 정상회담에서 우리는 양국관계를 미래지향적인 협력동반자 관계로 발전시켜 나가기로 했습니다. 경제협력 확대에서 테러근절 방안에 이르기까지 다양한 논의와 합의를 이룬 데 대해 매우 만족스럽게 생각합니다.

이미 한국의 유수한 기업들이 터키에 진출해서 활발히 활동하고 있습니다. 오늘 오후에도 양국 기업인들이 '한, 터키 경제협의회' 모임을 가진 것으로 알고 있습니다. 이번에 방한한 터키 기업인 모두에게 좋은 성과가 있기를 바랍니다.

작년에만 4만 4천여명의 한국인이 터키를 방문했습니다. 전 국토가 박물관이나 다름없는 터키는 우리 국민에게 아주 매력적인 관광지입니다. 앞으로 문화·예술·스포츠 등 여러 분야에서 교류가 더욱 확대될 것으로 기대합니다.

내외 귀빈 여러분,

터키와 한국은 영원히 변치 않는 친구가 될 것입니다. 우리 모두 정말 고마운 친구, 반가운 친구를 위해 큰 박수를 보냅시다. 에르도안 총리의 건강과 터키의 무궁한 번영을 기원합니다.

감사합니다.

한국과학기술원(KAIST) 학위수여식 연설

2004년 2월 20일

안녕하십니까?

먼저, 여러분의 졸업을 진심으로 축하합니다. 여러분의 활기차고 자신감 넘치는 모습을 보니 우리나라의 밝은 미래를 보는 것 같아 정말 마음 든든하고 자랑스럽습니다. 장한 아들딸들을 두신 학부모님 여러분, 얼마나 기쁘십니까? 마음으로부터 축하를 드립니다. 존경하는 홍창선 총장님과 교수님들께도 감사를 드립니다. 수고 많으셨습니다. 한국과학기술원 학위수여식에 대통령의 참석이 처음이라고 들었는데, 맞습니까? 그렇다면 저의 참석이 선례가 돼서 앞으로는 당연히 대통령이 다녀가는 졸업식이 되었으면 좋겠습니다. 그만큼 중요하고 의미가 있다고 생각합니다.

사랑하는 졸업생 여러분,

저는 대통령에 취임하기 전부터 '과학기술 혁신'을 국가경쟁력을 강화하기 위한 최우선 전략으로 내건 바 있습니다. 후보 시절, 바로 이곳 KAIST에 와서 '제2의 과학기술입국'을 약속하기도 했습니다.

그렇습니다. 다시 한번 과학기술입국을 이루어야 합니다. 그래야만 하는 절박한 상황에 우리는 서 있습니다. 우리보다 앞선 선진국들은 기술보호라는 이름으로 기술장벽을 높이 쌓고 있고, 중국은 우리를 추월할 기세로 따라오고 있습니다. 이러한 경쟁에서 앞서기 위해서는, 아니 살아남기 위해서는 독자적인 기술력을 확보해야 합니다. 과학기술 혁신밖에 없습니다. 과학기술이야말로 국가경쟁력의 뿌리이고 성장의 동력입니다. 핵심은 '인재를 기르는 것', 여러분 같이 창의적이고 진취적인 과학두뇌를 키우는 일입니다. 과거 수십년 동안 세계 경제를 이끌어온 미국이 21세기에도 강대함을 유지하는 배경에는 과학기술과 우수한 이공계 두뇌가 있었습니다.

이공계가 '위기'라고들 말합니다. 취업도 불안하고 대우도 썩 좋지 않은 이공대보다 의대, 법대 가기를 선호한다고 합니다. 제가 알아보니 그것은 양적인 문제라기보다 질적인 문제였습니다. 정말 창의적이고 우수한 학생들이 이공계를 기피하고 발길을 돌린다면 그건 진짜 심각한 문제가 아닐 수 없습니다. 이제 이공계 시대, 기술로 승부하는 시대로 갑니다. 지금 민·관 합동으로 이공계 엘리트 양성 문제를 포함해서 '이공계 활성화 대책'을 준비하고 있습니다. 단순한 이공계 기 살리기 차원이 아니라 21세기 과학기술 시대에 걸맞은 획기적인 방안을 마련하고 있습니다.

저는 편협한 엘리트주의에는 반대하는 사람입니다. 그러나 우리 사회가 부득이 용인해야 할 엘리트 우대의 영역이 있다면 그 하나는 바로 과학기술계일 것입니다. 뛰어난 과학기술자 한 사람이 인류의 행복에 큰 기여를 할 수 있고, 천 명 만 명의 국민을 먹여 살릴 수도 있습니다. KAIST는 지난 70년대부터 한국을 대표하는 과학기술의 요람으로서 우리 모두의 자랑이 되어 왔습니다. 이곳을 졸업하는 여러분은 우리나라 과학기술계의 엘리트들입니다. 여러분의 오늘이 있기까지 나라와 국민들은 학비를 비롯한 일체의 경비를 지원해 왔습니다. 그것은 그만큼 여러분에게 거는 기대가 크다는 것을 의미합니다. 여러분은 자부심과 함께 책임과 사명감을 가져야 합니다. 모두가 '이공계 위기'를 말해도 여러분만큼은 불평불만에 그치지 말아야 합니다. 보다 적극적이고 진취적인 자세를 가져야 합니다. 진짜 위기인지, 그렇다면 어떻게 해야 그 위기를 극복할 수 있는지 고민하고 토론하고 앞장서 실천해야 합니다.

선도적인 역할을 담당해야 할 여러분들마저 무기력과 회의감, 수동적인 입장에 머문다면 우리나라에는 미래가 없습니다. 10년, 20년을 내다보고 준비하시기 바랍니다. 정부도 최선을 다해 돕겠습니다. 저는 취임 이후 지난 1년간 기술혁신과 인재양성을 줄기차게 강조해 왔고, 이공계 우대정책을 최우선 순위로 추진해 왔습니다. 많은 변화가 있었고 그 결실을 여러분도 단계적으로 보게 될 것입니다.

과학기술부가 과학기술정책뿐 아니라 산업정책과 과학기술 인재양성을 총체적으로 관리할 수 있도록 책임과 권한을 대폭 확대하고 있습니다. 이공계 전공자의 공직진출 확대방안도 이미 발표되었습니다. 국가기술혁신체계가 새롭게 구축되고 있습니다. R&D 예산이 효율적으로 관리되고, 과학기술정책 수립에 이공계 전공자들의 실질적인 참여가 확대될 것입니다.

기초과학에 대해서도 각별한 관심을 기울이겠습니다. 기초과학이 밑받침되지 않은 공학의 발전은 사상누각이 될 수밖에 없음을 잘 알고 있습니다. 상 받는 것이 궁극적인 목표일 수 없겠지만, 이제 우리나라에서도 노벨 과학상 수상자가 나와 주어야 합니다. 여러분 세대에서 이루십시오. 핵심인력은 정부가 책임지고 키워나가겠습니다.

졸업생 여러분,

여러분은 중요한 시기에 과학기술입국의 주역으로 힘찬 첫발을 내딛습니다. 앞으로 대학의 연구실에서, 기업에서, 또 어디에서든 세계 최고를 염두에 두고 경쟁하십시오. 성공모델을 많이 만들어 내십시오. 여러분의 경쟁력이 곧 우리나라의 경쟁력임을 절대 잊지 마십시오. 과학기술인으로서 높은 긍지와 사명감을 가지고 우리 사회의 변화와 국가 발전을 이끌어주기 바랍니다. 다시 한번 여러분의 자랑스런 졸업을 축하하며, 여러분의 앞날에 행운과 성취가 함께하기를 기원합니다.

감사합니다.

2004 전국 시장·군수·구청장대회 모두말씀

2004년 2월 20일

여러분, 반갑습니다. 전국 시장·군수·구청장대회를 축하드립니다.

세상이 많이 바뀌었습니다. 여러분이 주최하시는 행사를 행정자치부, 청와대의 정부혁신지방분권위원회와 국가균형발전위원회가 후원하고 있습니다. 오늘 이 행사의 형식에서도 지방화 시대, 분권화 시대가 그대로 나타나 있는 것 같습니다. 우리는 지금 변화의 시대를 살고 있습니다. 빌 게이츠는 "2년 뒤에 기업이 망할지도 모른다는 생각을 가지고 우리는 변화를 추구해 가고 있다"고 말한 일이 있습니다. 얼마 전엔 만난 인터넷 상거래회사 이베이(e-bay)의 회장도 "3년 전의 기업과 오늘의 기업은 전혀 별개의 기업이다. 그리고 앞으로 3년 뒤의 이베이는 오늘의 이베이와 전혀 다를 것이다." 이렇게 얘기를 했습니다.

변화해야 삽니다. 어디로 변화할 것인가. 10여년 전부터 정보화, 세계화, 민주화, 다양화, 지방화, 이런 말들로 변화의 방향을 제시하고 있었습니다. 그중에서 우리한테 가장 절실한 것이 지방화가 아닌가 생각합니다. 민주화의 흐름은 이미 물결을 탔습니다. 시민들의 적극적인 참여로 정당의 전당대회가 이제 동원비 주는 행사가 아니라 자기 돈 내고 와서 축제를 벌이는 행사로 변했습니다. 국회의원 후보가 당원과 지역시민들의 참여에 의해서, 경선에 의해서 선출되고 있습니다. 아주 빠른 속도로 우리의 민주주의는 발전해 가고 있습니다.

세계화도 마찬가지고 정보화도 마찬가지입니다. 우리나라가 결코 세계 어느 나라에 뒤지지 않습니다.

그러나 지방화 영역은 아직 뒤지고 있습니다. 분권, 잘 안 됩니다. 분권이 안되니까 다양화도 막힙니다. 그래서 지방화, 이것이 한국의 가장 절실한 변화의 과제가 되고 있습니다. 지방화로 가겠습니다. 가야 합니다.

그런데 시작을 해 보니까 만만치 않습니다. 지방화는 바로 중앙정부의 권한과 일을 지방으로 나누어 준다는 것을 뜻합니다. 돈, 일, 권한 이런 것이 어쩌면 조직에 있어서는 존립의 근거입니다. 쉽게 말해서 밥그릇입니다. 이 밥그릇을 중앙정부가 내놓아야 하는 것입니다. 지방화하자면 법과 제도를 바꾸어야 하는데, 실제 실무적인 작업을 하는 사람들은 중앙정부의 공무원들입니다. 그래서 어려웠던 것입니다.

이 장애가 이제 풀리는 것 아닌가 싶습니다. 변화가 일어나고 있습니다. 중앙정부 공무원들의 자세가 변화하고 있습니다. '변화의 흐름을 따라서 넘겨줄 건 넘겨주고 중앙정부가 해야 할 새로운 일을 개발해서 변신하자. 새로운 아이디어로 새로운 정부를 만들어 나가자.' 그렇게 서서히 생각을 바꾸기 시작했습니다. 그래서 중앙정부가 앞장서서 지방분권 3대 특별법을 입안했고, 국회의 동의를 얻었습니다.

국회도 역시 바뀌어야 합니다. 국회 또한 중앙권력입니다. 이 중앙권력이 분권을 적극적으로 추진하도록 도와 주어야 합니다. 다행히 16대 국회가 마지막 회기에서 정말 중대한 결단을 해 주셨습니다. 이제 새롭게 구성되는 국회에서도 그야말로 3대 특별법의 내용을 착실하게 채워 나갈 수 있는 그런 입법을 빠른 속도고 해 주어야 할 것입니다. 그렇게 되도록 우리 국민들의 뜻과 역량을 모아 가야 합니다. 특히 지방자치의 일선에 계신 여러분께서 각별히 관심을 가지고 분권의 시대, 분권의 대의를 우리 국민 모두의 합의로 만들어 나갈 수 있도록 노력해 주시기 바랍니다.

조금 전에 지방자치단체장의 공천제도에 대해서 말씀이 있었습니다만, 중요한 것은 지방 정치인에게도 정치적 장애들을 풀어 주어야 한다는 것입니다. 선거비용은 규정되어 있는데 선거비용을 마련할 수 있는 합법적인 제도는 갖추어져 있지 않습니다. 지난번 임시국회 국정연설에서도 이 점을 지적했습니다만, 지방 정치인도 후원회를 할 수 있고 합법적인 절차를 통해서 정치활동을 할 수 있게 열어 주어야 합니다. 이 모순된 제도는 정성을 기울여서 고쳐 나가겠습니다. 선거에 임박해서가 아니라 선거를 멀리 앞둔 시점에서 제도를 하나하나 정비하겠습니다. 중앙정치의 개혁과제도 선거를 앞두고 급한 대로 지금 대강 다듬어서 이번 선거를 치를 모양입니다만, 이번 선거가 끝나고 나면 다음 선거를 4년쯤 앞둔 시점에서 정치개혁에 관한 법률 모두를 다시 손질해야 합니다.

아울러서 지방 정치인들도 이제 지역 주민의 지지와 동의만 받으면 얼마든지 정치를 할 수 있도록 바꾸어 나가야 합니다. 끊임없이 낙점식 공천에 연연하게 하는 이런 제도 가지고는 지방자치가 발전하기 어렵습니다. 시작은 됐습니다. 어떻게 보면 아직 시작에 불과합니다. 그러나 시작이라도 한 것이 어디입니까? 모두 힘을 합쳐서 앞으로 이 내용을 하나하나 채워 나가면 이 시작은 그야말로 뜻있는 시작이 될 것입니다. 그렇게 하겠습니다.

우선 분권을 위해서 지방자치 4개 단체의 추천 인사를 지방분권위원회 위원으로 위촉할 것입니다. 그래서 제3기 지방이양추진위원회를 곧 발족하겠습니다. 금년 중에 지방일괄이양법을 제정하겠습니다. 주민소환제에 관해서는 위원회와 대통령 사이에 약간의 이견이 있어서 토론을 하겠습니다. 저는 대통령과 대통령 자문위원회 사이에도 이견이 있을 수 있고, 여러분이 참여하는 활발한 토론을 통해서 국민 모두가 동의할 수 있는 제도를 만들어 나가는 것이 순리라고 생각합니다. 그래서 오늘 공개적으로 우리 위원회와 저 사이에 이견이 있음을 밝히고, 앞으로 토론으로 결론을 내 가겠다는 것을 여러분께 말씀드립니다. 분권과제의 이해영부에 대해서 주기적으로 점검하고 평가하는 시스템을 마련하겠습니다. 그 다음에 교육자치제 개선, 지방의정 활성화, 국고보조금 정비, 그리고 특별지방행정기관의 정비방안 등을 적절하게 추진해 나가겠습니다. 자치경찰제도 신중하고 깊이 있게 연구해 나가겠습니다.

분권과 아울러서 지방대학을 중심으로 해서 지역혁신체제를 구축하고, 이를 통해 지속적인 지방 성장의 동력을 창출하는 일에 행정력을 총동원하겠습니다. 수도권의 질적인 발전, 그리고 안정화를 위해서 공공기관을 지방으로 이전하는 정책을 차질 없이 추진하겠습니다. 이전대상기관과 수도권 잔류기관의 기준 등에 관한 시행령을 곧 마련해서 상반기에 의견을 수렴하고 지방이전계획 최종안을 확정하도록 노력하겠습니다. 그래서 올해 하반기부터 이전 준비작업이 착수될 수 있도록 추진할 것입니다.

지역특성에 맞게 규제를 완화하는 지역특화발전특구제도도 추진해 나갈 것입니다. 시행령을 제정하고, 특구위원회 구성, 지방순회 설명회 등을 거쳐서 하반기에 특구가 구체적으로 지정될 수 있도록 하겠습니다. 도·농간 상생발전을 통한 통합적 균형을 위해서 낙후지역 발전방안도 추진해 나가겠습니다.

신행정수도 건설은 지방화 전략의 핵심과제입니다. 수도권으로 권력이 집중하고, 경제력이 따라가고 인구가 또 따라오는 이와 같은 악순환을 반드시 차단하겠습니다. 지방시대를 여는 상징적 행위로서도 신행정수도 건설은 중요합니다. 서울에 앉아서 서울 사람만 항상 만나는 국회의원, 장·차관, 그리고 고급 공무원이 지방을 생각하기는 어려울 것입니다. 그래서 이 나라를 이끌어 가는 중추조직이 수도권에서 벗어나 지방의 관점에서 행정을 할 수 있도록 하는 것은 뜻있는 일이라고 생각합니다.

하반기까지 입지가 확정되도록 하겠습니다. 신행정수도는 단지 분권의 상징만이 아니라 동북아 중심국가의 수도로서 21세기 한국의 발전방향을 제시하는 의미를 담아낼 수 있도록 개념 설계를 해야 할 것입니다.

지금의 수도권은 신행정수도가 새롭게 만들어지고 행정기능이 이전되더라도 엄청나게 발전하게 되어 있습니다. 동북아의 물류 중심지, 금융 중심지, 비즈니스 중심지가 우리 한국의 전략입니다. 이 전략이 실제로 가장 중심적으로 일어나는 곳은 수도권일 수밖에 없습니다.

인천은 완전히 새로운 도시가 될 것입니다. 경기도는 지금 소위 서울 다음 가는 2등급 지역이라고 말할 수 있습니다. 그러나 시간이 좀 흐르면 삶의 질에 있어서 뉴욕과 뉴저지의 관계로, 사람 살기에는 경기도가 제일 좋고 사업하기에는 서울이 그래도 제일 나은, 그런 관계가 될 것입니다. 어떻게 팽창을 억제할 것인가 하는 것이 앞으로도 중요한 국가적 과제로 남을 것입니다. 서울이 질적으로 한 단계 업그레이드된 동북아 중심도시가 되기 위해서는 반드시 인구의 무분별한 집중을 억제해주어야 합니다.

그러나 수도권이 발전하기 위해서는 무엇보다 변화가 필요합니다. 변화라고 하면 곧바로 규제완화를 생각하게 되는데, 그렇게 대책 없이는 하지 않을 것입니다. 난개발은 반드시 막아야 합니다. 수도권의 발전계획을 먼저 만들고, 그것에 따라서 착착 준비한 다음에 지금의 부적절한 규제들을 완화하고 해제할 것입니다. 이렇게 수도권은 새로운 비전과 계획을 가지고 발전하게 될 것입니다.

전체 일을 하는 데 있어서 지방이 워낙 낙후되어 있기 때문에 자원과 권한을 분배할 때 같은 조건이거나 또는 지방이 다소 효율이 떨어지는 경우라도 지방을 우선하겠습니다. '선-지방, 후-수도권'의 원칙을 지켜 나가겠습니다. 반드시 수도권에 할 수밖에 없는 것은 어쩔 수 없겠지만 확실하게 지방에 우선순위를 두겠습니다. 인재양성, 기술혁신은 핵심적인 국가전략입니다. 이를 위한 자원배분에 있어서도 같은 조건이라면 지방을 우선해 나갈 것입니다. 그리고 수도권은 '선-관리계획 확정, 후-규제 완화·해소' 이렇게 가겠습니다.

환경은 중요합니다. 아무리 열심히 노력하고 우수한 재능을 가지고 있는 사람이라도 성장 환경이 나쁘면 성공하기 어렵습니다. 지방도 마찬가지일 것입니다. 그러나 같은 환경이거나 환경이 다소 나쁘더라도 열심히 노력하면 성공할 수 있는 확률은 훨씬 높아집니다. 그래서 이제 중앙정부는 할 수 있는 최선의 지원을 하겠습니다만, 그렇다고 모든 것을 다 해줄 수가 없습니다. 지방이 발전하는 것은 역시 지방의 노력에 달려 있습니다. 열심히 공부하고 열심히 생각하고 다른 지역, 다른 나라가 하는 것을 열심히 본받고 해서 스스로 발전의 길을 찾아 주시기 바랍니다. 이것을 우리는 지방이 주도하는 지방화 시대라고 말합니다.

한 가지 고민이 있습니다. 앞으로 지방을 육성·지원하는 데 아무래도 대도시가 유리하지 않겠습니까? '경쟁의 원리를 도입해서 우수한 쪽, 가능성과 효율성이 높은 계획을 가지고 있는 쪽이 더 큰 지원을 받을 수 있게 하자.' 이렇게 방침을 세워 놓고 있는데, 그렇게 하면 자연 대도시가 유리해지지 않겠는가? 그러면 시·군·구는 어떻게 할 것인가 하는 고민입니다.

이 고민은 이렇게 해결해 가면 어떨까 합니다. 두 가지를 다하자는 것입니다. 최소한의 기준선은 모든 지역에 다 지원하되 경쟁의 원리를 도입하자, 더 잘하는 곳에 더 많은 지원을 하자, 더 유리한 곳에 더 많은 지원을 하자, 결국 격차가 생기지 않겠습니까? 그로 인한 부작용을 우리가 감수하더라도 일단 자원과 사람과 권한의 흐름을 지방으로 환류시켜 놓지 못하면 거대한 수도권의 집중력을 이겨낼 수가 없습니다. 그래서 적어도 수도권의 흡입력에 맞설 수 있는 지방의 힘이 생길 때까지 경쟁의 원리는 우선하는 것이 부득이한 일 아닌가, 그렇게 생각합니다. 이 문제에 관해서는 지방분권위원회, 균형발전위원회, 그리고 여러분이 많이 토론해서 결정해 주시리라고 믿습니다.

여기서 생기는 지방간의 이러한 갈등을 여러분이 잘 극복해주셔야 합니다. 지방 사이에서 '나 먼저' 경쟁이 벌어지기 시작해서 힘이 분산되지 시작하면, 지방 분권의 부작용이 두드러지게 되어 있고, 이러한 갈등이 국민들을 짜증스럽게 할 수도 있습니다. 그렇게 됐을 때 우리의 소중한 정책이, 여러분이 함께 뜻과 힘을 모으고 있는 이 정책이 제대로 실현되기 어려운 상황을 맞이할 수도 있습니다. 그래서 작은 양보를 통해서 큰 성과를 얻어내는 여러분의 지혜로운 결단이 앞으로 계속되어야 할 것이라고 생각합니다.

아울러 많은 일들이 남아 있습니다. 여러분은 하나하나 완벽한 제도들을 만들어 가고 싶으실 것입니다. 그러기에 반대 견해를 낼 수 있고 갈등도 있을 수 있습니다. 조금 부족하다 싶더라도 지금보다 일보 전진이다 싶으면 일단 굳혀 놓고 가십시다. 100점이 아니더라도 60점 정도 되면 일단 합격점을 주어서 굳히고, 모자란 40점은 힘을 모아서 확보해 나가도록 했으면 좋겠습니다.

예를 들면 교육자치와 경찰자치의 문제, 저는 큰 반대와 저항이 없을 것이라고 봅니다만, 이 두 문제가 큰 저항을 불러올 수 있다면 두 일을 동시에 벌였을 때 저항의 힘이 두 배가 되어버릴 수가 있습니다. 이런 것들은 잘 조절해 가면서 해야 합니다. 재정을 분산하는 것은 절차적으로 한꺼번에 하기가 어려운 많은 문제가 있습니다. 전체 재정구도를 지금 완전히 새롭게 재편성하고 있습니다. 지방에서 하고 있는 복식부기제도의 도입을 전제로 해서 국가회계·재정구조를 전부 손질하고 있는데, 분권문제를 한꺼번에 집어넣어 가지고 정리해 낼 수 있는 현실적 역량이 있는지, 우리 공무원들의 역량이 그 수준이 되는 것인지에 대해서 고민하고 있습니다. 이런 것이 약간 시차를 두고 해야 하는 문제라고 한다면, 시차를 두면서 해나갈 수 있는 여유도 조금 주시기 바랍니다.

선의를 가지고 최선을 다하겠습니다. 회피하기 위해서 핑계대고 둘러대는 일은 결코 하지 않겠습니다. 확실하게 가겠습니다. 제가 대통령으로 있는 동안 중앙정부와 지방자치단체 여러분이 '같이 간다'는 믿음을 가지고 마음을 열고 머리를 맞대어서 지방화를 촉진시킬 수 있는 방향을 찾고 힘을 모아 나가 주시기 바랍니다.

저는 자신 있습니다. 잘될 것으로 또 잘할 수 있을 것으로 믿습니다. 여러분의 그 동안의 협력과 오늘 이 자리에서 보여 주신 결의를 통해서 그런 믿음을 가지고 있습니다.

여러분, 감사합니다.

국가사이버안전센터 개소식 축하 메시지

2004년 2월 20일

국가사이버안전센터의 출범을 진심으로 축하합니다.

제가 취임하기 직전인 작년 1월 25일 인터넷 서비스가 중단되는 사고가 있었습니다. 전산망이 멈추고 서민들까지 큰 불편을 겪었던 기억이 납니다. 그때 저는 사이버 공간에 대한 국가차원의 안전관리가 절실하다는 것을 피부로 느꼈습니다. 이제 국가정보통신망의 안전에 대한 걱정과 불안을 덜 수 있게 되어 매우 기쁩니다.

지금은 정보통신의 시대입니다. 경제를 비롯한 모든 분야에서 사이버 활동이 크게 확대되고 있습니다. 특히 사이버 공간은 아주 민감한 신경조직처럼 어느 한 곳이 상하거나 무디어져서도 안 됩니다. 그런 만큼 사이버 공간을 안전하게 관리하고 지키는 것은 매우 중요합니다. 국가경쟁력과 직결되기 때문입니다. 국가안보와 경제성장은 물론 인권, 문화,

복지 등 모든 면에 막대한 영향을 미치게 됩니다.

국가사이버안전센터는 사이버상의 위협을 조기에 알리고, 필요한 대응책을 적시에 내놓아야 합니다. 그래서 세계적인 IT강국의 명성에 걸맞은 최고수준의 사이버 안보를 실현해야 하겠습니다. 우리나라가 진정한 정보통신강국, 지식정보강국이 될 수 있도록 열심히 뒷받침해 줄 것을 당부드립니다.

국가정보원과 유관기관 관계자 여러분의 노고에 깊은 감사와 격려의 말씀을 드리며, 국가사이버안전센터의 큰 발전을 기원합니다.

취임 1주년 KBS 특별대담 '도올이 만난 대통령' 말씀

2004년 2월 20일

김용옥 : 대통령 취임 1주년에 이렇게 뵙고 말씀드릴 수 있는 기회가 생겨서 기쁩니다. 이런 기회를 통해서 국민들의 궁금증이 많이 풀렸으면 좋겠습니다.

대통령 : 감사합니다.

김용옥 : 제가 단도직입적으로 말씀드리겠습니다. 지난 대선 때 한 번 뵙고 취재를 했습니다. 그때 "내가 지금 치르고 있는 선거과정 자체가 우리 정치의 혁명이라고 생각한다. 그리고 여기서 도덕성이 확보되는 것이 나의 정치의 출발이다." 이렇게 말씀을 하셨고, 그것 때문에 국민들은 노무현을 찍었던 겁니다.

그런 도덕적인 과정에 의해서 대통령이 됐다고 자부하는 그 사람이 그 과정에서 비도덕적인 돈을 받았다던가, 돈을 받는 것을 간접적으로 알았다던가, 이런 이중성이 있으면 그것은 안 되지 않겠습니까? 그런 문제가 지금 가장 큰 문제일 것 같은데요.

대통령 : 그렇습니다. 지금 저로서는 그게 가장 큰 위기지요. 국민들은 불순물이 전혀 없는 완벽하게 깨끗한 물을 바라고 그렇게 참여해 주셨습니다. 또 모든 국민들이 그것을 다 기준으로 한 것은 아닙니다만 어쨌든 그랬습니다. 그랬는데, 강물이 도시를 지날 때도 있고, 또 큰 농토를 지날 때도 있고, 그러면서 오염물질이 섞여 들어옵니다. 그러면서 자정하고 또 섞여 들어오고 합니다.

정치인의 역정도 그런 것 아닌가 싶습니다. 저로서도 순수한 상태, 깨끗한 상태를 유지하려고 나름대로 열심히 노력했습니다만, 그러나 이렇게 오는 과정에서 피하기 어려웠던 그런 과정들이 있었습니다.

대통령이 될 때까지, 정치를 중단할 거냐 계속할 거냐의 선택을 놓고 고민했던 때도 더러 있었습니다. 있었지만 조금 더 가 보자, 이렇게 해서 왔습니다. 그 문제에 관해서 제가 지금 할 수 있는 일은 제 스스로 결정하는 것이 아니라 국민들의 결정을 기다릴 수밖에 없습니다.

후보가 되고 나서 후보의 처지가 호랑이 등에 탄 사람 처지여서 내릴 수가 없었습니다. 지금 현재는 제가 어떻든 큰 승합버스 운전대에 타고 있습니다. 적절한 시기에 국민들의 평가에 의해서 내리라는 명령을 받기 전에 내가 차 세워 놓고 내리겠다고 할 수도 없는 것이 제 처지입니다. 총선을 거치면서 국민들의 뜻이 어디에 있는지 제가 잘 판단하고 존중해서 처신하겠습니다.

김용옥 : 저의 관심으로 볼 때에는 몇 푼이 오갔느냐 안 갔느냐, 그걸 알았느냐 몰랐느냐는 문제보다도, 대통령이 된 사람의 입장에서 그 과정에서 최소한 나는 도덕적인 거리낌은 없었다고 할 수 있지 않은가입니다.

대통령 : 그러면 좋겠지요. 그렇게 말할 수 없는 것이 저로서는 안타까운 일입니다. 다만 이제 어쨌든 버스 운전대에서 제가 운전을 해야 되는 처지가 되었습니다. 버스가 안전하게 목적지 또는 중간목적지까지 가도록 저는 최선을 다할 생각이고요. 좀 민망스럽지만 그래도 2급수 정도는 되지 않나 싶습니다. 도덕성의 문제도 완벽한 순수성을 추구하는 것은 현실적으로 불가능합니다. 4급수도 있고 2급수도 있습니다. 2급수는 조금 정화하면 먹을 수 있습니다. 그렇게 변명을 하고 나갈 수밖에 없습니다.

김용옥 : 재신임 문제는 분명하게 말씀하셨기 때문에 그것이 어느 시점에서 어떤 방식으로든 분명히 해결이 되어야 되는 문제라고 생각하는데, 어떻게 생각하십니까?

대통령 : 그 발언을 한 것은 책임을 져야 한다는 것입니다. 그리고

국민들이 미처 알지 못했던 상태에서 저를 대통령으로 선택했는데, 새로운 사실이 밝혀진 이상 국민들의 선택을 다시 물어보는 것이 정치인으로서 최소한의 도리라는 생각으로 그렇게 했습니다.

그러나 구체적으로, 현실적으로 어떻게 할거냐, 절차가 답답하게 막혀 버렸습니다. 그런데 저는 이번 총선과정을 거치면서 대체로 그 문제에 대해서 소위 재신임을 정의하고 평가를 할 수 있는 그런 근거가 마련될 것으로, 그렇게 생각합니다. 결국 제가 다시 한번 선택할 수밖에 없습니다.

정치권에서 합의를 만드는 것은 가능하지 않은 것 같고, 국민적 합의라는 것은 매우 추상적이고 공허합니다. 그래서 제가 선택을 할 수밖에 없는데, 제 선택에는 두 가지 조건이 있습니다. 하나는 국민들이 납득할 수 있는 선택이어야 하고, 이렇게 재신임합시다 했을 때 국민들이 납득할 수 있는 것이어야 하고, 두번째로는 지도자로서 구차하지 않아야 합니다. 그래서 납득할 수 있는 방법으로 구차하지 않게 재신임이라는 과정을 거치도록 하겠습니다.

그게 뭐냐, 그렇게 많은 사람들이 자꾸 질문하는데, 아직까지 저도 구체적으로 방안을 마련해 놓고 있지는 못합니다. 원칙을 지키면서 구체적인 방법을 국민들에게 제시하겠습니다.

김용옥 : 노 대통령님께서는 민주에 대한 소신이 확실한 분이신데, 그것 자체가 국민들 사이에서는 상당히 논란의 대상이 될 수가 있습니다. 예를 들어 제가 취임 50일 인터뷰를 했을 때에도 “나는 대통령으로

서 그렇게 모든 일들에 자꾸만 개입한다고 하는 것 자체가 과거에 잘못된 대통령상의 연속이기 때문에 그 가치관을 나는 근본적으로 바꾸고 싶다."고 했습니다.

그래서 제가 그것은 굉장히 훌륭한 무위지치(無爲之治)의 혁명이라고 표현을 했습니다만, 국민들의 입장에서 볼 때는 노무현의 무능력이고, 오히려 그것은 하나의 방관에 불과한, 국민들이 볼 때 국민으로서 우리들을 리드해 달라고 뽑아 주었으면 당연히 철저하게 리드할 면에서는 리드해야 하지 않느냐, 과연 이런 것이 무위지치냐 하고 국민들은 반론을 제기하거든요.

대통령 : 할 것은 하고 안 할 것은 안 해야 됩니다. 그 다음에 할 것 안 할 것 중에서 두 가지가 나누어집니다. 갈라서 봐야 합니다. 예를 들면 지난번 대담할 때 개입하지 않는다라는 것을 두 가지로 말씀드렸는데, 하나는 정당운영에 대해서 과거처럼 총재로서 개입하지 않겠다, 말하자면 민주적 원칙이죠. 그 다음에 검찰권의 운영에 관해서 독립성을 주겠다, 이것은 민주적 원칙에 관한 것입니다.

다른 하나는 기술적인 문제에 관한 것이죠. 예를 들면 지금 동계올림픽 유치운동을 또 할 텐데 우리가 유치장소를 전라북도 무주로 할거냐, 강원도 평창으로 할거냐를 대통령더러 정해 달라는 것입니다. 그런데 그것은 유치하는 데 기술적으로 가능해야 되고, 유리해야 되고, 또한 신청해서 표를 가장 많이 받을 곳이어야 하지 않겠습니까?

김용옥 : 그렇지요.

대통령 : 대회운영이 원활해야 하고 대단히 기술적인 문제이기 때문에 그것을 대통령이 정해 버리면 일이 거꾸로 될 수가 있거든요. 그런 것은 대통령이 개입하지 말아야 합니다. 내가 결정할 수 있지만 이건 내가 결정할 문제가 아니죠. 일반적인 무위하고는 다릅니다.

김용옥 : 나는 새로운 대통령상을 만들어 가겠다고 하는 노 대통령님의 그 민주철학은 충분히 이해가 갑니다. 그럼에도 불구하고 강력한 리더십을 발휘할 곳에서는, 이것이 국민들의 갈망입니다.

대통령 : 예. 용어를 달리 한 번 생각해 보십시다. 저는 강력한 리더십을 바라고, 또 가지려고 합니다. 강력한 리더십은 추구하되 위압적인 리더십은 피하겠다는 것입니다. 그리고 편법적인 리더십을 갖지는 않겠다는 것이지요. 제가 버리려고 하는 것은 강력한 리더십이 아니라 위압적인 리더십입니다. 저는 앞으로 강력한 리더십을 가질 것입니다.

지금 강력한 리더십은 몇 가지 편법적인 행사나 위압적인 권력의 행사를 통해서 이루어지는 것이 아니고 국민적 동의 위에서만 가능한 것입니다. 그래서 저는 그 점에 대해서 국민의 동의·합의를 토대로 해서 강력한 리더십을 행사하려고 합니다. 그리고 대통령으로서 중요한 결단을 해야 될 시기에는 반드시 그렇게 하겠습니다.

예를 들면 지금까지 외교·국방에 관해서 어떤 결정도 단호하지 않았던 적은 없습니다. 망설임 없이 충분히 심사숙고하되 어떤 저항이나 반대가 있더라도, 내 지지기반을 잃더라도 국가의 장래를 위해서 필요하다고 판단되면 단호하게 결정해 왔습니다. 물론 그것은 제 성격이기도 합니다. 정치를 하면서도 정치적 생사가 걸린 문제에 관해서도 항상 원칙을 가지고 단호하게 결단해 왔습니다.

김용옥 : 대통령이 되시고 나서 대북송금 특검문제가 걸렸는데, 그런 문제에 대해서도 조금도 후회 없었다고 말씀하시는 겁니까?

대통령 : 그렇습니다. 제가 대통령이 되기 이전에 이 문제가 나왔을 때 남북정상회담이라든지 남북관계를 발전시켜 나간 정치적 결단, 그것은 그것이고 그 과정에서 편법이 사용된 것은 편법입니다. 국민들에게 알리지 않은 것은 아니지만, 국민들이 그렇게 인식하고 나도 그렇게 인식했습니다. 두 개가 너무 밀접하게 붙어있어서 하나를 훼손시키지 않고 하나를 바로 세우는 것이 어려운 일이기는 하지만, 저는 우리 사회가 권력에 대해서 투명성을 요구하고 있기 때문에 밝히고 넘어가는 것이 옳다고 생각했습니다. 그로 인해서 훼손된 것은 아무것도 없습니다.

누가 특검이 되든 특검이 되는 사람에 대해서 믿음을 가지고 있었습니다. 적어도 대한민국에서 특검의 임무를 수행하는 사람이면 송금을 위한 자금 준비과정에서의 편법은 밝혀 내겠지만 그 이상의 것을 가지고 나라의 외교정책에 심각한 영향을 주는 일은 하지 않을 것이라고 믿었고, 실제로 그분들은 수사를 적절하게 해서 그 수준에서 수사를 마무리지었다고 생각합니다. 그로 인해서 몇 사람이 지금 고난을 겪고 있지만 어떤 정치세력이 타격을 입은 것도 없고, 김대중 대통령이 상처를 입은 것도 없습니다. 그것은 그것이고, 그분들은 그럼에도 불구하고 사면을 하려고 생각하고 있습니다.

그래서 중요한 것은 투명하게 하자, 국민들이 밝혀 달라고 하는 것은 밝혀 주는 것이 지도자의 도리다, 그렇게 생각하고 앞으로도 무슨 일을 할 때, 아무리 목적이 선하더라도 국민들에게 동의를 구하지 않은 정책은 하지 않는 것이 좋겠다, 그런 것이 교훈이라고 생각합니다.

저는 이로 인해서 남북관계나 김대중 대통령의 공적, 어느 것도 훼손되지 않았다고 생각합니다. 남북간에 철도를 연결하는 사업, 개성공단을 추진하는 것, 금강산 육로관광, 그 밖에 남북간 사람의 왕래, 물자교류 등 모든 면에 있어서 장족의 발전을 하고 있습니다.

큰 제목을 새로 붙일 만한 사건이 없었을 뿐이지 이미 제목이 붙여진 사업의 내용은 아주 잘 가고 있습니다. 그냥 굴러가는 것은 아닐 것입니다.

김용옥 : 6·25의 아픔이 지금까지 유지되고 있습니다. 휴전이라는 것은 전쟁 중인데 잠깐 쉬고 있다는 것이거든요. 전쟁이 종료되지 않은 상태에 있다는 말입니다. 6·25라고 하는 전쟁을 공식적으로 종료를 시켜야 되지 않겠습니까? 평화협정이라는 것이 문제인데 최소한 이것만은 뭔가 돼야만, 물론 이것이 우리 능력으로만 되는 것은 아니지만, 이런 것은 이루어져야만 뭔가 새로운 시대가 오는 것이 아닌가 하는 생각이 있

습니다. 어떻게 생각하십니까?

대통령 : 국제정세와 관계가 변화해야지요. 세계질서가 냉전체제에서 미국의 일극체제 쪽으로 기울어져 가고 있는 것이 사실입니다. 그런데 한편에 있어서는 동북아시아의 대결과 긴장을 충분히 풀어낼 수 있는 가능성이 보입니다. 결국 전체 속에서 이 문제를 풀어 가는 것인데, 모든 것이 한 달에 한 건씩, 일 년에 한 건씩, 한 발자국씩 가는 것이 아닙니다. 충분히 여건이 조성되면 무르익어 가다가 변화가 나타날 때는 순간에 나타나는 것이죠.

남북간의 변화도 여건이 조성되어 가고 있습니다. 어느 순간에 과거의 베를린 장벽이 무너지듯이 주한미군에 관한 것이 부담이 되지 않는 관계, 남북의 대치상태가 평화체제로 전환되는 문제, 따라서 주한미군의 의미가 지금과는 아주 달라지는 변화, 이런 것들이 아주 빠른 시일에 한 단계 정리가 되고, 그러면서 또 몇 년씩 제자리걸음하고, 이렇게 변화해 간다고 생각합니다. 어떻든 전체적으로 저는 낙관하고 있어요. 제 임기 동안 상당 부분 진전이 있을 것으로 그렇게 기대하고 있습니다.

김용옥 : 최근에 이헌재 경제부총리를 힘써 모셔다가 입각시키는 것을 보고 그런 인상을 받았는데, 그분을 모셔와야만 되는 필연성이 있는 것인지, 그것이 우리 경제활성화 방안, 노 대통령의 그러한 경제적 비전과 합치되기 때문에 그런 건지, 지금 당면한 문제는 박정희 시대 경제개발 모델을 넘어서 새로운 모델이 나와야 되는 것 아니냐는 것에 대체적

인 공감이 있는데, 이런 문제에 대해서 말씀해 주십시오.

대통령 : 어떠한 철학도 위기를 관리하지 못하면 실현될 수가 없습니다. 반드시 위기를 관리해 주어야 하고 일상적으로 나타나는 경기관리를 잘해 주어야 합니다. 경기관리 잘못하면 위기로 발전될 수 있기 때문에, 지금은 경제가 위기는 아닙니다만 몇 가지 어려움을 극복해서 위기로 발전하는 것을 막아야 되는 준위기 관리적인 상황이 있습니다.

그래서 이것을 잘하는 것이 첫째이고, 그 다음엔 전체의 경제에 있어서 분배를 결정하는 몫이 있습니다만, 전체적으로 봐서 위기를 관리한다든지 장기적으로 경제의 성장잠재력을 확충한다든지 그것이 될 수 있는 시장의 시스템을 정비해서 아주 공정하고 자유로운 경쟁이 되는 건강한 시장을 만다는 것이 훨씬 더 중요한 것입니다.

그렇기 때문에 지금은 이헌재 부총리처럼 위기를 한 번 겪어 보기도 하고 경제를 관리해 본 사람이 이 위기를 관리하는 것이 적절하고, 다른 사람이 할 수 있다 할지라도 국민들이 믿어 주어야 합니다. 이헌재 부총리가 실제로나 신뢰의 면에서나 적절하다는 여러 사람들의 의견이 있어서 그렇게 받아들인 것이고, 잘될 것으로 봅니다.

김용옥 : 노 대통령님은 '너무 정치에만 관심이 있어서 경제에는 약한 사람 아니냐.' 이렇게 보는 시각도 있지 않을까요?

대통령 : 국가역할에 관해 옛날에는 국가가 선수를 키우고 기술도

가르치고, 필요하면 밑천까지 대 주어서 그렇게 경쟁을 시켰습니다. 그 것을 소위 국가주도경제라고 하기도 하고 관치경제라고 얘기하기도 했습니다. 지금은 그렇게 하지 않습니다.

각자의 실력대로 합니다. 각자 실력대로 하는데 독점이 발생하면 실력대로가 아니고 공정한 룰이 무너져 버리기 때문에 게임이 안 되거든요. 공정한 경쟁, 자유로운 경쟁의 틀이 있어야 그야말로 실력 있는 사람의 실력이 더욱 향상되거든요. 시장의 기본 룰이 깨지는 것은 반드시 막아 주어야 합니다.

학자들은 시장의 한계, 시장의 실패를 얘기하는데 아주 전형적인 예를 하나 들지요. 카드회사 신용조사도 하지 않고 길거리에서 마구 카드를 팔았습니다. 수당·경품까지 주어 가면서 마구 팔았는데, 그 결과가 오늘 신용불량자 대량생산이라는 결과를 낳지 않았습니까?

시장의 실패를 의미하는 것이거든요. 이런 것을 정부가 잡아야 합니다. 공정한 게임이 될 수 있는 시장, 그리고 시장이 지속적으로 유지될 수 있는 토대, 이것을 정부가 관리하지 않으면 안 됩니다.

또 하나는, 시장에서 낙오하는 것이 인생에서 지는 것이 되면 곤란하다는 것이지요. 그래서 결국 시장에서 실패한 사회적 약자가 다시 재기해서 시장에 복귀할 수 있도록 정부가 프로그램을 마련해 주는 것, 이것을 하지 않으면 사회가 붕괴합니다. 시장에까지 갈 수 없고 생존조차 유지할 수 없는 이런 상황에 왔을 때 한 개인의 생존을 받쳐주는 것, 이런 것이 국가가 할 일이지요.

김용옥 : 이런 얘기가 국민들에게는 공허하게 들리는데 우리나라 서민들이나 중소기업을 하는 분들은 하나같이 대한민국은 규제가 많고, 뭔가 상납하는 게 너무 많고, 괴로움을 당하는 게 너무 많아 가지고 정말 장사해먹기 힘들다는 거예요. 공장운영하기 어렵고 그 사람들이 여러 가지로 시달리는 거예요.

그러니까, 이런 면에서 국가가 불필요한 규제를 풀어 주어야 될 것 같고, 그리고 중소기업, 뭔가 이 땅에서는 장사를 하는 사람들이 의욕을 가지고 할 수 있도록 관료들이 도와 주어야 될 텐데, 경제를 기획하는 재경부 관리의 문제가 아니라 우리나라 전체 관료사회가 너무도 부패해 있다는 것입니다. 그런 느낌을 국민들은 갖고 있거든요. 어떻게 생각하십니까?

대통령 : 해결해 드리겠습니다. 맞습니다. 지금 불만이 정확한 것도 있고 좀 과장된 것도 있습니다. 기업은 잘 해야 하지만 그러나 또한 소중한 다른 가치, 조금 전에 말씀하셨듯이 인권, 개인의 정보, 자연, 생태계 등등 보호할 것은 보호하면서 가야 하기 때문에 어떤 규제는 우리가 반드시 감수해야 됩니다.

그 외의 규제 중에 공무원들이 흔히 말하는 끗발 잡는 습관이 있어서 되는 것도 안 된다 하고, 또 되는 길을 찾으려고 노력하지 않고, 감사에 안 걸리도록 면피하려고 하고, 이런 것이 우리 국민들에게 불편합니다. 특히 기업하는 사람들에게 더욱 그렇지요.

이 문제를 해결하기 위해서 감사기준을 바꾸었습니다. 뭘 해 주었다고 감사하는 것이 아니라 왜 안 해주었느냐는 쪽으로 물어나가는 감사로 바꾸어 가고 있습니다. 우리가 가지고 있는 여러 가지 법이 좀 모호해서 담당자고 잘 모르는 법이 많고, 정확하게 내용을 모르는 법이 있습니다. 법이 그야말로 '이현령 비현령'하지 않도록 명료하게 고치는 작업을 하고 있습니다. 규제도 문제지만 그 규제를 통과하는 데 너무 많은 시간과 비용이 쓰인다는 것입니다. 시간을 단축하도록 서비스를 최대한 확보해 나가는 일들을 체계적이고 본격적으로 해 나가고 있습니다.

그래서 풀릴 것이고, 그 다음에 투명하지 않은 것 있지 않습니까? 그것이 큰 문제인데 어쨌든 지금 정치에서 자금의 문제가 많이 투명해지지 않았습니까? 총선 지나고 나면 많이 투명해지지 않겠습니까?

기업과 정치의 관계가 유착관계여서 이제는 정상적이고 합리적인 협력관계로 바뀔 것이고, 그러면 기업이 투명하게 할 수밖에 없습니다. 이렇게 달라질 것만 같은 징조가 지금 나타나고 있지 않습니까. 총선 끝나고 국민들이 새출발하자는 분위기가 됐을 때, 그야말로 부패문제, 공무원들의 과도한 직권 오·남용에 관한 문제, 이런 것은 해결된다는 믿음을 가질 수 있도록 계획도 내놓고 반드시 성공시켜 나가겠습니다.

김용옥 : 과거에 비하면 관청에 가도 좋은 분위기가 있는데, 문제는 어떠한 국가의 중요한 문제들을 놓고 관리들이 정말 전념해서, 자기들이 헌신할 수 있는 환경과 체제가 되어 있어야 하는데 이것이 안 되어 있고, 뭔가 항상 뒷짐지고 있고, 그렇기 때문에 지금 추진하시는 대로 주니어보드를 만든다든가 태스크포스를 만드는 방식만 가지고 관료사회에 과

연 변화가 올 것이냐, 이런 우려들이 있습니다.

대통령 : 변화가 일어나고 있습니다. 변화가 혁명적 수준으로 일어나고 있습니다. 그런데 혁명보다 개벽을 좋아하시기 때문에 지금 천지개벽이 일어나고 있습니다. 관료사회에 변화가 일어나고 있습니다. 검찰의 변화를 보시면 이렇게 변할 수도 있구나, 생각할 수 있듯이 관료사회 전반에 관해, 공무원 사회 전반에 그에 준하는 변화가 일어나고 있습니다. 우리 국민들은 해낼 수 있습니다.

오랜 과거의 전통과 인습이 발목을 잡고 있는 것은 사실이지만 한국 사람이 변화를 이루어내는 속도는 또한 세계적이지 않습니까? 옛날에는 전당대회하자면 다 동원비를 주었습니다. 그래야 모였는데 지금은 동원비 없이 전당대회가 이루어지고 있습니다. 이 한 가지만 보더라도 혁명이 일어나고 있는 거거든요. 지금 목하 천지개벽은 진행중입니다.

김용옥 : 우리 사회 가장 큰 문제가 교육문제인데 많은 학부형들이 자식들을 우리나라 학교에 못 보내고 외국으로 보내고 있고, 공교육의 피폐화라든가 평준화 문제 이런 것이 걸려 있는데, 이것에 관해서 어떤 입장을 가지고 계신지요?

대통령 : 평준화만 가지고 결론부터 말씀드리면 당분간 유지해 가는 것이 좋다고 생각합니다. 그러나 부분적으로 예외를 인정함으로써 세계적 수준의 경쟁력을 가진 사람이 높은 수준의 교육과 연구를 할 수 있게

길을 열어 줄 필요도 있습니다.

일단 그렇게 말씀을 드리고, 오히려 교육개혁에 있어서 가장 중요하다고 생각하는 것은 학교가 자율화돼야 합니다. 여기에 학교 선생님, 학부모, 지역사회, 또 고등학교 정도 되면 학생까지 이렇게 해서 중앙정부의 정책을 그저 받아 베끼는 것이 아니라 자율 속에서 창의적인 교육의 실험이 이루어져야 합니다.

이것을 지금 가로막고 있는 것이 그동안의 우리 교육 원로들과 관료들, 그리고 사학재단을 가지고 있는 사람들, 이 두 축이죠. 재단은 학교를 통제하고 싶어하죠, 학교의 개입을 싫어하고요. 교장 선생님으로 계신 분들은 학부모들과 교사의 발언을 좋아하지 않습니다. 이것을 어떻게든 설득해서 학교 자율화, 그리고 지방자치 강화, 교육자치의 강화, 이런 방향이 또 하나의 교육개혁의 한 축이 됩니다.

결국은 교육 관료주의인데 이것이 미국의 각주, 특히 시카고 교육계 같은 곳의 사례를 보면 그것으로 인해서 교육이 망해 버려서 학교를 민간에게 불하하는 수준에까지 이르렀습니다. 그 수준에서야 비로소 새로운 실험적 교육개혁이 일어났습니다.

왜 실험이라고 하느냐 하면 중앙정부에서 만들어 놓은 정책이 아니라 각 학교마다 따로 새로운 교육실험을 했죠. 그때 만들어진 학교자치, 이런 것이 미국 교육의 발전에 상당히 큰 영향을 끼치고 있습니다. 그러면서 최저기준은 역시 중앙정부가 관리하고 있습니다.

우리 교육도 이제 그 수준까지 왔지 않나 생각됩니다. 그래서 완전히 위기에 몰렸을 때 그때 새로운 창조가 일어나는 것이거든요. 새로운 창조가 터져 나오려고 하는 시점에 있습니다.

김용옥 : 많은 사람들이 노 대통령이 젊은이라든가 네티즌이라든기 진보를 자처하는 사람들과만 보조를 해서 나라를 움직여 가려는 사람이 아니냐, 이런 정도의 틀을 가지고 국정을 운영하겠느냐 하는 그런 우려가 많습니다. 어떻게 생각하십니까?

대통령 : 세대간 갈등이 있는 것은 사실입니다. 그러나 그것이 실제로 양쪽으로 쫙 갈라져서 상당히 대결적으로 갈등을 일으키는 것은 아니라고 봅니다. 선거로 나타난 결과를 보면, 제가 50대 이상에서도 4:6, 지긴 했지만 10:0이거나 8:2 이런 것이 아니고 4:6 정도로 졌거든요. 실제로 젊은 사람들도 이회창 후보 찍은 사람 많고 연세 많은 사람도 저 찍은 사람 많습니다.

그런데 지금 겉으로 드러나는 모습들이 어쩐지 제가 젊은 사람들하고 맞는 것 같거든요. 아무래도 연세 많은 분들은 과거의 것에 대해서는 별로 의심을 하지 않습니다. 그대로 가고 싶어하고 새로운 제도와 문화에 대해서 두려움을 가지고 있습니다. 지금 내가 이 나이에 새로운 사업을 벌이게 되었느냐, 사업을 한다고 하더라도 새로운 기술을 도입하고 새로운 무엇을 하게 되었느냐, 두려움이 있는 거지요.

반면에 젊은 사람들은 지금까지 있던 것은 뭔가 다 의심스러운 것입니다. 다 의심스러우니까 전부 다 시비를 거는 경향이 있지요. 이러다 보니까 충돌이 생기지요. 그러나 모든 것을 의심하면서 변화의 동력도 생기고, 새로운 기술도 나오고, 문화도 나오고 다 나오는 거지요. 요새 영화가 저렇게 성공하는 것도 젊은 사람들의 도전이거든요. 지금은 변화의 시대입니다.

빠른 변화의 시대이기 때문에 대통령이 이런 변화를, 나이는 젊지 않지만, 젊은 사람들과 변화를 호흡해 가면서 우리가 가지고 있던 기존의 질서, 제도 이런 것에 대해서 하나하나 의문을 제기하면서 '이거 왜 이렇게 해야 돼? 바꾸면 안돼? 가장 효율적인가?' 끊임없이 문제제기를 해 가면서 사회를 변화시켜 나가고 있습니다.

지금 공무원 사회가 소위 보수적이거든요. 내려오는 전통, 내려오는 기득권, 이것이 변하지 않고 있다는 것입니다. 이것을 대통령이 선두에 서서 이거 왜 이런 방법으로 합니까, 이 문제 하나만 해결할 것이 아니라 이 문제는 바닥에 깔려 있는 시스템의 문제가 근본적으로 잘못되어 있는 것이 아닙니까? 이 문제 하나만 해결하지 말고 시스템 자체를 다시 한번 점검합시다. 이렇게 지금 가고 있거든요. 그래서 변화해야 사는데 끊임없이 그런 변화가 일어나지 않습니까? 대한민국은 다행이라고 생각합니다.

김용옥 : 우리 사회는 보이지 않는 근본적인 양심이 있는 나라입니다. 그런 걸 전체적으로 알려서 뭔가 권위 있게 그들을 설득하는 모습을 안 보이고 너무 젊게만 보이려고 한다는 그런 인상이 있는 것입니다.

대통령 : 한 번 생각해 보십시오. FTA만 봐도 농민들 지지를 받았던

사람이 이것을 통과시키기 위해서 정부와 선두에 섰습니다. 내가 생각하기로는 젊은 사람들이나 누구에게나 정치적 유·불리를 떠나서, 인기여부를 떠나서 용기 있게 소신을 가지고 할말 하는 사람이 필요합니다.

대통령 되기 전에도 그랬지만 대통령 되고 난 후에도, 예를 들면 나를 지지했던 많은 젊은 사람들이 촛불 들고 시위하고 있는 마당에 저는 파병을 결정했습니다. 주한미군 철수론이 있을 때도 단호히 '안 된다, 그렇게 해서는 안 된다.'고 말했고, 또 내가 무슨 말을 하면 이성적으로 받아들이기보다는 감정적으로 받아들이는 상황임에도 불구하고 '지금 상황에서 노동자들은 절제해야 한다.' 이렇게 어려운 얘기들을 단호하게 하고 갔거든요.

그러니까 그런 점에서 제가 정치를 하면서 눈치를 보고 그렇게 하지는 않습니다. 제가 노동운동이든 시민사회운동이든 지도자들을 만났을 때 꼭 하는 소리가 있습니다. '지도자로서 가장 중요한 덕목은, 불리하고 어렵더라도 구성원들에게 진실을 말해 줄 수 있는 용기, 그것이 필요하다. 거기에서부터 출발해야 한다.' 우리가 분명하게 잘못되고 있는데, 그것을 말하면 반발 생길까봐 말하지 못해서 우물우물 떠밀려가는 많은 지도자들이 있습니다. 이것이 가장 위험하다고 생각하기 때문에 그야말로 철학 내지 소신으로 생각하고 이것은 정말 안 하려고 합니다.

김용옥 : 제 입장에서 똑같은 질문을 하는 것 같은데, 예를 들면 '청와대 386세대가 넘어가고 테크노크라트로 바뀌었다 그러는데, 그런 것도 뭔가 개혁적 소신이라든가 이런 것의 후퇴냐, 그렇지 않으면 정치선

거를 앞둔 전략이냐.' 이런 식으로 얘기를 또 하거든요?

대통령 : 그것은 그냥 흠잡기입니다. 설명을 드리겠습니다. 대통령이 되고 한 1년쯤 가면 정보 또는 접촉 등 교류의 폭이 많이 넓어지지 않습니까? 그래서 대통령이 운영할 수 있는 인재풀이 한참 늘어나 버린 것입니다. 늘어났으니까 좀더 폭넓은 인재수용으로 가는 것이죠. 점차 인재풀이 넓어져 가는 것이니 좋은 것 아니겠습니까?

김용옥 : 과거에 '바보 노무현' 소리를 들을 때에 '바보 노무현'이라는 것은 국민들이 결국 우직하게 자기 신념에 따라서 할 일을 하는 그 노무현을 높이 산 거거든요. 지금도 그것에는 변화가 없을 것입니다. 그런데 과거 노무현 시절에 비해서 지금 생각해 볼 때 그때와 같이 초지일관 모든 생각을 확고하게 가지고 계신다고 생각하십니까?

노무현 : 그렇습니다. 상황이 변화하기 때문에 생각을 바꾸어야 하는 대목들이 있습니다. 그 다음에 내 자신의 위치가 바뀌었기 때문에 생각과 행동을 바꾸어야 하는 것이 있습니다. 초선의원과 중진의원, 대통령은 어떤 정책을 대응할 때 입장이 달라야 하지 않습니까?

필요한 때 근본적으로 추구하고자 했던 가치, 말하자면 투명하고 공정하고 정의가 살아 있는 사회, 모든 사람에게 기회가 열려 있는 사회, 그리고 지금까지 지배를 받고 정치의 대상이었던 사람이 스스로 각성하고 참여하고 더불어서 이끌어 가는 사회, 다양한 가치와 주장들이 활발하게, 그야말로 사상의 자유 시장에서 경쟁하면서 경제도 그렇고 정치도 그렇게 하는 것이 열린사회 아니겠습니까? 열린사회! 그런 꿈은 결코 버릴 수가 없습니다.

김용옥 : 무엇이 우리 언론에 가장 큰 문제냐, 아주 솔직하게 말씀해 주십시오. 어떻게 고칠 것입니까?

대통령 : 크게 보아서 한국 언론에 문제가 있지요. 사실에 치열하지 않다, 진실과 사실에 치열하지 않고 공정한 평가에 대한 책임감이 조금은 부족한 것 같다가 전반적인 것이고, 일부 소수 언론은 특수한 과거의 부조리한 상황에서 기득권을 쌓고, 도 그 기득권적 질서를 그대로 관철해 나가고자 하는 이런 시대역행적인 경향이 있거든요.

우리가 지금 특권과 반칙, 야합 이렇게 해서는 미래가 없지 않습니까? 거기에 익숙해 있는 일단의 사람들이 있습니다. 다 바꾸어 가고 있습니다. 바꾸어 가고 있는데 끝까지 안 바꾸고, 정치하는 사람들도 그중 한 가지고, 언론사도 그런 기초 위에 서 있습니다. 그냥 자기들끼리 그러면 좋겠는데, 저도 못살게 하니까 자구적인 방어를 해야 하지 않습니까? 언론 일반을 개혁하려고 했다기보다는 공격을 막아내기 위해서 방어했을 뿐입니다.

김용옥 : 그런데 지금 말씀 중 가장 핵심적인 게 '나는 개인적인 피해를 보기 때문에 그것을 방어' 하는 거라는 얘기가 국민들에게 설득력

이 별로 없다는 얘기죠. 무슨 얘기냐 하면, 대통령 정도 됐으면 언론과의 관계는 오히려 양보를 해도, 언론의 근본적인 것이 대해서는 대책을 가지고 시스템을 바꾸어 놓는 그런 것을 해야지, 개인적인 감정을 가지고 언론을 대하는 것 같습니다. 언론의 배급체계를 보다 완벽하게 고친다든가 뭔가 근원적으로 체계를 바꾸어야 된다는 얘기를 하는 거죠.

대통령 : 저 개인의 문제라면 안 싸웁니다. 개인의 문제가 아니기 때문에 피해갈 수도 없고 물러설 수도 없게 된 것입니다. 개인의 문제가 아니고요.

그 다음에 전체적인 제도를 고치는 것이 중요하죠. 그러나 그 제도 개혁이라는 것은 현실적으로 가능한 상황에서 그것이 실현될 수 있는 토대를 가지고 있을 때 개혁을 주장하고 실천하는 것이지, 그것이 되지 않은 상황에 있을 때에는, 안 되는 일을 끄집어 내면 신용만 떨어지고 그렇게 되기 때문에 제도개혁에 관한 문제는 제가 얘기하는 것이 적절치 않다고 생각합니다.

궁극적으로는 제도보다 더 중요한 것은 그 시기 당사자들의 반응입니다. 전 국민이 저처럼 반응한다면 제도 고칠 필요 없습니다. 제도 고치지 않더라도 정확하고 공정해질 수밖에 없는 것입니다. 그렇기 때문에 이렇게 해 나가고 있고, 요컨대 이런 논리가 무엇보다 중요한 것은 많이 달라졌지 않습니까? 많이 달라졌습니다. 우리 공무원들이 아주 좋아합니다. 이제 당당하게 맞은 건 맞다, 아닌 것은 아니다라고 할 수 있게 돼서 이것만은 정말 잘된 것 같다, 이렇게 생각하고 있고, 많은 언론인들도 우리도 바뀌어야지 잘될 것 아니냐, 이렇게 평가하고 있습니다.

김용옥 : 우리나라 미래에 가장 슬픈 것이 사실은 중국의 변화에 대한 대비입니다. 예를 들면 YS의 시대에는 세계화, DJ의 시대에는 IT, 뭔가 역점이 있어서 해 왔는데, 제가 보기에 노무현 시대는 뭔가 중국의 변화에 확실하게 대응을 하지 않으면 우리가 살아남을 수 없다, 이렇게 생각합니다. 어떻게 우리가 중국의 변화에 대처할 것인가 하는 문제에 대해서 잠깐 언급해 주십시오.

대통령 : 가장 중요한 것은, 그것을 위협으로 생각하고 두려워하는 것이 아니라 기회로 생각하고 능동적으로 대응해 나가는 것입니다. 자신감입니다.

많은 시골 사람들이 서울로 올라왔습니다. 시골 사람들이 올라와서 당당하게 경쟁하고 당당하게 성공을 거두어 나갑니다. 왜 서울 옵니까? 시장이 크니까 오는 것 아닙니까?

한국에서 1시간, 2시간 거리에 있는 중국에 거대한 시장이 새롭게 떠오르고 있습니다. 한국으로 봐서 이보다 더 좋은 기회가 어디 있겠습니까? 드디어 한국이 도약할 수 있는 기회를 맞이한 것입니다. 한국 그만한 역량 있지 않습니까? 중국 사람도 유능하지만 우수한 한국 국민이 질 이유가 없지 않습니까? 앞서갈 수 있습니다. 또 장기적으로 보면 나란히 가면 되는 것입니다. 그보다 더 큰 것은 앞으로 일본도 한국을 적대하고는 중국을 다루기 어렵고, 중국도 한국을 적대하고는 일본을 다루기가 어려운 그런 정도의 국력을 이미 가지고 있고, 앞으로 가지고 갑니다.

그래서 한말 열강의 침탈을 받던 그 시대의 불행했던 기억 때문에 자꾸만 가위 눌려서, 발목 잡혀서 두려워하는 이런 자세를 버려야 됩니다. 자신만만해야 합니다. 그래서 동북아 시대는 공동의 평화와 번영의 시대, 집단안보의 공동안보체제 시대가 열리고, 그 가운데 한국이 경제에 있어서 실질적으로 중심적인 위치로 자리매김해야 합니다.

김용옥 : 국가의 모든 다양한 제도를 운영하는 방식은 반드시 민주라는 말만으로 해결되지 않는 분야가 너무 많습니다. 예를 들면 군대조직이 민주적으로 운영될 수는 없는 것 아닙니까? 이런 면에서 노 대통령님께서 너무 민주에 대한 환상을 불어넣는 것이 아니냐는 우려가 있습니다. 민주라는 너무 추상적인 말에 대해서 보다 구체적인 인식이 필요할 것이다, 그래서 노 대통령님도 그런 면에서 더 깊은 공부를 하시면 좋지 않을까 합니다.

대통령 : 공부하겠습니다. 그러나 어쨌든 민주주의는 좋은 것입니다. 거기에서 자유와 평등, 그리고 권리를 함께 누리고, 그래서 개인의 인권이 보장되는 점에서 좋고, 가장 효율적입니다. 다양성과 경쟁의 체제이기 때문에 거기에서 창의력이 살아나고, 또 경쟁을 통해서 검증하고, 가장 생산적이고 효율적인 체제이기 때문에 민주주의를 하는 것입니다. 민주주의를 너무 발전시켜서 걱정되고 이런 것이 아니라 우리가 민주주의를 제대로 발전시켜 나가지 못하는 데 걱정이 있는 것입니다. 말하자면

게임의 룰을 합리적으로 다듬어 나가고 그 다음에 승복하고, 상대를 존중하고, 이런 문화들을 만들어 나가면 민주주의야말로 아주 질서정연한 그런 제도가 될 수 있다고 생각합니다.

김용옥 : 너무 시간이 흘렀기 때문에 마무리지어야 될 것 같습니다. 하여튼 노 대통령님이 여태까지의 대통령과는 다른 스타일의 대통령이거든요. 그래서 '노무현 스타일'에 우리 국민도 조금 적응할 필요는 있겠다, 이런 생각이 들고, 그래서 결국은 이렇게 해서 뭔가 국민과 지도자 사이에 정말 편견 없는 진실한 대화가 이루어졌으면 좋겠다고 생각합니다.

지금 우리 사회는 온 국민 전체가 보다 도덕적인 사회를 만들기 위해서 노력하고 있습니다. 그런 의미에서 저는 희망을 보고, 그래서 도덕적인 사회가 돼야 되겠고, 그 다음에 경쟁력 있는 사회가 돼야 되겠고, 셋째로는 제가 몸담고 있는 문화적인 측면에서 질 높은 문화가 보장되는 그런 나라가 됐으면 좋겠습니다. 조금 더 소신대로 여러 가지를 같이 골라 가시면서 끝까지 밀고 나가는 대통령이 되셨으면 좋겠고, 하여튼 지금 계신 자리에서 어떤 결과가 나오더라도 최선을 다해서 이 나라를 이끌어 주시기를 정말 부탁드리겠습니다.

대통령 : 감사합니다. 세 가지 중요한 말씀을 해 주셨는데, 저는 동감하고 또 그렇게 해 나가겠습니다. 다만 저도 희망사항을 하나 말씀드리면 그냥 말씨가 어떻다, 또는 분위기가 어떻다, 이런 것으로 평가하고 문제를 끌어가지 말고, 전체적으로 대한민국 정부가 주도해 나가고 있는

지향이 옳은가, 그 다음에 그것을 위해서 쓰고 있는 정책이 타당한가, 그 다음에 대통령의 솜씨는 구체적으로 어디에 실책이 있느냐 없느냐로 평가해 주시면 좋겠습니다.

외교에 대해서도 구체적으로 실책이 있으면 구체적인 사실 가지고 얘기를 해주어야지 지난해 국회에서 정부가 제출한 법안이 104개인가 되는데 2개인가 남겨 놓고 다 통과시켜 주었습니다. 이것은 적어도 가는 방향에 있어서는 서로 합의가 됐다는 뜻 아니겠습니까? 이런 것을 가지고 자세, 역량 이런 것들을 구체적으로 평가하는 그런 것이 되었으면 합니다.

김용옥 : 맞습니다. 사람의 삶의 스타일, 베토벤 음악 듣는데 더 베토벤 음악 듣지 말아라, 이런 말 할 수 없는 거거든요. 그러니까 말의 스타일이라든가 삶의 스타일에 대한 얘기는 그만하고 '그 사람의 논리·가치관 이걸 가지고 우리가 철저하게 평가를 해야 된다.'가 앞으로 제가 말씀드리고 싶은 것입니다. 그런 사회가 됐으면 저도 좋겠습니다.

대통령 : 열심히 하겠습니다.

김용옥 : 장시간 정말 감사합니다.

故 김범수 중위 가족에게 보내는 위로 서신

2004년 2월 23일

고(故) 김범수 중위의 부모님과 가족 여러분에게 깊은 위로의 말씀을 드리며, 고인의 명복을 빕니다. 부하의 생명을 구하려다 순직한 고인의 비보에 너무나 가슴이 아픕니다.

고인은 평소에도 부하와 상관으로부터 존경과 신뢰를 받은 참다운 군인이었습니다. 그래서 고인의 순직이 더욱 안타깝기만 합니다. 믿음직한 아들을 불의의 사고로 보낸 부모님의 심정이 어떠하겠습니까? 하늘이 무너지는 듯한 큰 슬픔을 정말 감당하기 힘드셨을 것입니다. 고인은 이제 우리 곁을 떠났지만, 살신성인의 삶은 언제나 우리 군의 귀감이 될 것입니다. 우리 국민 모두에게 조국을 위해 헌신한 자랑스럽고 아름다운 청년으로 영원히 기억될 것입니다.

거듭 부하와 동료들의 생명을 대신한 고인을 추모하며, 부모님과

가족 여러분에게 깊은 위로의 말씀을 드립니다.

第42기 학군사관후보생(ROTC) 임관식 치사

2004년 2월 26일

친애하는 학군장교 여러분, 학부모님과 내외 귀빈 여러분,

오늘 대한민국 국군 장교로 첫발을 내딛는 여러분의 임관을 진심으로 축하합니다. 지난 2년간 대학생활과 군사훈련을 함께 해온 여러분의 노고를 치하합니다. 스스로 어려운 과정을 선택하고 훌륭히 마친 여러분 모두가 자랑스럽습니다. 문무를 두루 갖춘 여러분에 대한 우리의 기대는 매우 큽니다. 43년에 이르는 학군의 역사를 통해 수많은 인재들이 배출되었습니다. 이제 여러분은 13만 7천여명의 선배들이 쌓아놓은 전통과 명예를 이어갈 주역이 되었습니다. 이처럼 보람된 자리를 함께 하신 학부모님, 학생중앙군사학교장 박남필 장군을 비롯한 교관과 훈육관, 그리고 대학 관계자 여러분께 깊은 감사의 말씀을 드립니다.

신임장교 여러분,

참여정부가 출범한 지 꼭 1년이 되었습니다. 그동안 나는 군의 통수권자로서 우리의 안보와 평화를 수호하는 데 혼신의 노력을 다해 왔습니다. 무엇보다 취임 당시 전쟁위기설까지 공공연히 나돌던 북핵문제를 해결하는 것이 급선무였습니다. 북핵문제는 한반도는 물론 동북아시아의 평화와 안정을 가로막는 가장 큰 걸림돌이었습니다. 국제질서에 대한 도전이자 위협요인이 되었습니다.

나는 작년 이 자리에서 북핵문제를 미·일과의 공조, 국제사회와의 협력, 그리고 북한과의 대화를 통해서 평화적으로 풀어나갈 것임을 강조했습니다. 5월부터는 미국·일본·중국을 차례로 방문해서 대화를 통한 해결의 가닥을 잡기 위해 노력했습니다. 그리고 6자회담이 시작되었습니다. 어제부터 베이징에서는 제2차 6자회담이 개최되고 있습니다. 이번 회담에서 북핵문제의 평화적인 해결을 위해 보다 진전된 결과가 나올 수 있기를 기대합니다. 이달 초에 열린 남북장관급회담에서도 남과 북은 베이징 회담이 '결실 있는 회담'이 되도록 협력하기로 약속한 바 있습니다.

남북관계 또한 착실히 진전되고 있습니다. 지난해 남북간 회담은 모두 38회에 걸쳐 106일 동안 열렸습니다. 일과성 행사가 아니라 상시적인 대화의 채널이 가동되고 있습니다. 남북간 교역과 인적교류도 지속적으로 늘어나고 있습니다.

이밖에도 이라크 파병, 주한미군 재배치, 한·미 동맹 강화 등 여러 과제들을 하나하나 풀어가고 있습니다. 이제 우리의 안보를 위협하는 당장의 불안요인들이 상당부분 해소되었다고 생각합니다. 1년 전 이맘때를 생각하면 엄청난 변화가 아닐 수 없습니다. 우리 국민 모두가 마음을 모아서 이룩한 값진 성과라 생각하며 깊은 감사의 말씀을 드립니다. 특히 평화유지의 최일선을 책임지고 있는 우리 군의 노력을 높이 치하합니다.

신임장교 여러분, 그리고 국군장병 여러분,

지금 이 시각에도 지구촌 곳곳에서 테러와 분쟁이 계속되고 있습니다. 우리의 안보상황 또한 잠시라도 방심하면 악화될 수 있습니다. 아직도 불안정하고 유동적인 요인들이 남아있습니다. 우리 군은 이와 같은 안보상황에 적극 대처해서 완벽한 국방태세를 유지해야 합니다. 국방에는 한치의 빈틈도, 한순간의 실수도 용납되지 않는다는 것을 명심해 주기 바랍니다. 무엇보다 우리 스스로의 방위역량을 확충하기 위한 자주국방 노력을 본격적으로 추진해 나가야 합니다. 굳건한 한·미동맹을 기반으로 다자안보를 능동적으로 활용하는 협력적 자주국방을 통해서 한반도 평화정착의 확고한 토대를 구축해 나갈 것입니다.

특히 우리 군은 질서가 정연하고 사기가 충천하며 강력한 전투력을 가진 안보의 파수꾼이 되어야 합니다. 국군장병 모두가 군 생활을 즐겁고 자랑스럽게 여길 수 있도록 국민의 절대적인 신뢰와 성원도 필요합니다. 나는 국군통수권자로서 장병 여러분이 본연의 임무에 전념할 수 있도록 적극적인 지원을 아끼지 않겠습니다. 지속적인 국방개혁과 업무혁신을 통해 명예롭고 자랑스러운 대한민국의 국군으로 우뚝 설 수 있도록 확실히 뒷받침하겠습니다.

학군장교 여러분,

여러분은 전국 91개 대학에서 선발된 엘리트입니다. 우리 군의 지휘관으로서 리더십을 더욱 키워 21세기의 지도자로 성장해 나갈 것으로 기대합니다. 우리 국민 모두 깊은 애정으로 여러분의 장도를 지켜볼 것입니다. 뜨거운 애국심으로 맡은 바 소임을 완수해 줄 것을 당부합니다. 지금까지 대학에서, 군사학교에서 배우고 익힌 역량을 조국을 위해 마음껏 발휘해 주기 바랍니다. 다시 한번 임관을 축하하며, 여러분의 무운과 행복을 기원합니다.

감사합니다.

제40차 한일·일한 협력위원회 합동총회 메시지

2004년 2월 27일

오늘 제40회 한일·일한 협력위원회 연례 합동총회가 서울에서 열리게 된 것을 축하합니다. 일본측 위원 여러분의 방한을 진심으로 환영합니다. 양국 협력위원회는 그동안 정치, 경제, 문화 등 여러 분야에서 두 나라의 우호협력과 교류증진에 크게 기여해 왔습니다. 위원 여러분의 노고에 깊은 감사의 말씀을 드립니다.

저는 지난해 일본을 방문해서 고이즈미 총리와 함께 '평화와 번영의 동북아 시대를 위한 공동성명'을 발표하고 양국 관계를 한층 더 높은 차원으로 발전시켜 나가기로 했습니다. 이와 같은 공동의 비전을 실현하기 위한 양국간 협력사업들이 착실히 이행되고 있습니다. 작년에는 일본 대중문화의 추가적인 개방이 이루어졌고, 2005년을 목표로 한·일 자유무역협정의 정부간 교섭이 시작되었습니다. 또한 내년 국교정상화 40주년을 기념하는 '한·일 우정의 해' 사업도 적극 추진되고 있습니다. 두 나라 국민간의 교류와 협력이 더욱 확대되는 계기가 될 것으로 기대합니다.

우리 두 나라는 양자 차원을 넘어 동북아 지역과 범세계적인 문제들을 해결하는 데 함께 노력하고 있습니다. 베이징에서 열린 2차 6자회담에서 보듯이, 북핵문제의 해결을 위해서도 긴밀히 협력하고 있습니다. 이럴 때에 한·일 양국의 지도자 여러분이 한 자리에 모여 '21세기 동북아의 평화·번영과 한·일 협력'에 관해 논의하게 된 것은 매우 뜻 깊은 일입니다. 양국 관계 발전을 위한 좋은 방안들을 적극 토의하고 제안해 주시기 바랍니다.

여러분의 건강과 양국 협력위원회의 무궁한 발전을 기원합니다.

참여정부 1주년 국제세미나 기조연설

2004년 2월 27일

존경하는 홀스트 쾰러 IMF 총재, '밥 호크' 전 호주 총리, 도널드 존스턴 OECD 사무총장, 로렌스 클라인 교수님을 비롯한 회의 참가자 여러분, 그리고 이 자리에 함께하신 내외 귀빈 여러분,

안녕하십니까? 오늘 '참여정부의 비전과 전략'을 주제로 국제회의가 열리게 된 것을 매우 뜻깊게 생각합니다. 각국에서 오신 국제기구 지도자와 세계적인 석학, 그리고 전문가 여러분을 진심으로 환영합니다.

세계는 빠르게 변화하고 있습니다. 현재 1년이 과거의 10년, 100년에 버금가는 속도입니다. 끊임없이 변화하고 혁신하지 않으면 낙오할 수밖에 없는 상황입니다. 그야말로 변화만이 유일한 희망이자 전략인 시대입니다. 한국도 지난 1년 동안 큰 변화와 진통의 한 해를 보냈습니다. 직면한 어려움을 극복하는 노력과 병행해서 미래를 준비하는 국가혁신에

매진해 왔습니다.

참여정부는 440조원에 이르는 가계부채와 260여만명의 신용불량자를 안고 출발했습니다. 금융시장의 불안이 심화되고 있었고, 경기는 이미 내리막길을 걷고 있었습니다. 당연히 소비와 투자는 꽁꽁 얼어붙어 버렸습니다. 여기에, 북핵 문제는 어려운 경제를 더 어렵게 했습니다. 정부는 개입을 최소화하면서 금융시장을 안정시키는 것이 급선무였습니다. 경기문제는 인기에 연연하거나 여론의 압력에 못이겨 훗날 부담으로 남을 무리한 부양책을 쓰지 않겠다는 각오로 대처했습니다. 손놓고 있진 않았습니다. 당장 고통받고 있는 신용불량자나 청년실업 문제, 그리고 투자부진을 해소하기 위해 적극적인 정책을 펼쳐 왔습니다. 이러한 가운데 북핵문제를 평화적인 해결의 방향으로 전환하는 데 전력을 기울였습니다.

이제 큰 어려움은 어느 정도 극복되었거나 해결되는 방향으로 가고 있습니다. 아직 남은 문제가 없는 것은 아니지만 가닥이 잡히고 희망이 보입니다. 경각심을 가지고 닥친 문제를 해결해 나가면서 우리 경제의 기본체질을 꾸준히 강화해 나가면 머지않아 경제가 활성화되었을 때 더 힘차게 비상할 수 있을 것이라고 확신합니다.

내외 귀빈 여러분,

참여정부는 국민의 자발적인 참여와 분출하는 변화욕구에 의해 탄생했습니다. '역동과 기회의 한국'을 만들어 가는 것이 저와 참여정부에 주어진 시대적 소명이라고 생각합니다. 이를 위해 지난 1년간 지금부터 말씀드릴 7대 전략과 250여개에 이르는 로드맵을 마련하고, 또한 또박

또박 실천해 왔습니다. 그 첫번째 전략은 '과학기술의 혁신'입니다. 국가 과학기술체제를 혁신해서 인재양성 – 기술혁신 – 경쟁력 강화가 유기적으로 달성될 수 있도록 하겠습니다. 외국의 유수한 연구기관을 국내로 유치해서 한국이 동북아의 R&D 허브로 도약할 수 있도록 법적·제도적 지원을 강화해 나갈 것입니다.이미 선정된 차세대 성장산업 분야를 중심으로 인재를 적극 육성하고 연구·개발 투자를 확대해 나갈 것입니다. 최근 생명공학 분야에서 이룩한 우리 연구팀의 쾌거는 차세대 성장동력 기술개발의 가능성을 다시 한번 확인해 주고 있습니다.

둘째로는 '시장개혁'을 꾸준히 추진해가는 것입니다. 작년 말 2년여를 끌어오던 증권집단소송제가 국회에서 통과되었고, 회계 선진화를 위한 법 개정도 마쳤습니다. 지난 국민의 정부에서도 시장개혁을 위한 많은 법과 제도가 만들어졌습니다. 앞으로는 이러한 제도와 현실 사이의 괴리를 좁히는 일이 중요한 문제입니다. 지난 연말 확정된 '시장개혁 3개년 추진계획'에 따라 투명한 경영시스템 구축과 국제기준에 맞는 지배구조 정착에 일관된 노력을 경주해 나갈 것입니다. 은행 민영화를 조기에 마무리하고 그동안 구조조정이 다소 미진했던 제2금융권의 구조조정도 신속히 추진해 나가겠습니다. 금융 관련 법 체제도 기능별로 개편해서 규제의 일관성과 투명성을 높여 나가겠습니다. 기업의 투자의욕을 위축시키는 불필요한 규제는 과감하게 털어내고 필요한 규제라도 투명성을 높이고 통과비용을 최소화할 것입니다.

셋째로 '노사관계 선진화'를 위해서 지속적으로 노력하겠습니다. 저는 작년 6월 '참여정부 100일 국제세미나'에서 1~2년 내에 선진적 노사관계를 정착시키겠다고 약속했습니다. 그 당시 많은 사람들은 반신반의했습니다. 그러나 지난 1년 동안 불법분규의 건수는 그 전년에 비해 60%가 감소했습니다. 근로손실일수도 20% 정도 줄었습니다. 얼마 전에는 노·사·정 간에 노동계는 임금안정, 경영계는 고용안정에 협력하는 '일자리 만들기 사회협약'을 체결하기에 이르렀습니다. 앞으로 지속적으로 구체화하면서 보완·발전시켜 나갈 것입니다. 저는 이에 대해 성공을 확신합니다. 이제 다시 약속드립니다. 올해부터 불법분규를 매년 절반씩 줄여 나가겠습니다. 파업의 합법성 여부에 대한 해석 기준도 좀더 엄격하게 끌어올려 국제기준에 맞춰 나가도록 하겠습니다.

네번째는 '능동적인 개방정책'의 추진입니다. 한국은 지난 반세기 동안 세계경제의 흐름을 수용하면서 개방형 무역국가로 성장해 왔습니다. 그럼에도 불구하고 개방에 반대하는 이해집단들과의 갈등이 표출되면서 한국의 개방정책은 수동적으로 비추어진 측면이 있습니다. 개방의 걸림돌이 되어 온 취약산업의 미진한 구조조정을 강력히 추진해 나가고 이해당사자들을 적극적으로 설득하는 '능동적 개방정책'을 추진해 나갈 수 있는 국내적 여건을 마련해 나가겠습니다. 그 첫 결실로 한·칠레 자유무역협정이 얼마 전 비준되었고, 싱가폴·일본과의 FTA 체결을 위한 정부간 협상도 시작했습니다. ASEAN과의 FTA 추진을 위한 민·관 공동연구가 곧 개시되고, 한·중·일 FTA의 타당성도 3국간 민간연구기관을 중심으로 검토 중입니다. 앞으로 FTA는 물론 도하개발아젠다 협상 등 세계적인 개방 대열에도 능동적으로 참여할 것입니다. 부산·광양·인천 등 3대 경제자유구역의 기업환경을 획기적으로 개선하고, 외국인투자를 적극 유치하겠습니다. 아울러 북핵문제를 평화적으로 해결하고 개성공단, 남북철도사업 등 남북 경협사업을 착실히 추진해서 남북공동의 발전과 번영을 모색해 나가겠습니다.

다섯째, '지역균형발전'을 이루겠습니다. 수도권 한 곳에 치중되었던 성장의 축을 지방으로 다원화할 것입니다. 이를 위해 지난해 지방분권과 국가균형발전, 그리고 신행정수도 건설을 위한 '3대 특별법'이 제정되었습니다. 국가의 권한과 재원을 지방으로 대폭 이양하고 공공기관을 지방으로 이전할 것입니다. 지방대학이 지역발전의 중심이 돼서 지역 스스로 혁신하고 발전할 수 있는 지역혁신체제를 만드는데 주력해 나가고자 합니다. 신행정수도 건설도 올해에 후보지를 선정하고 예정대로 차질 없이 진행시켜 나가겠습니다.

여섯째, '민생안정과 복지확충'을 위해서 노력하겠습니다. 저소득층에 대한 지원을 늘리고 사회안전망 확충에 투자를 확대해 나갈 것입니다. 돈이 없어 교육을 받지 못하고 돈이 없어 병원에 가지 못하는 일이 없도록 하겠습니다. 빠른 속도로 진행되고 있는 고령화에 대비해서 노인을 위한 일자리 마련과 복지에 정책적 노력을 기울이고, 보육시설을 확충해서 여성의 사회참여를 뒷받침해 나갈 것입니다. 우리 경제의 고질적인 병폐인 부동산 투기는 반드시 봉쇄해서 국민들의 주거생활을 안정시키겠습니다.

마지막으로, 가장 중요한 것은 '정치·사회 혁신'입니다. 앞서 시장개혁을 말씀드렸습니다. 그러나 경제는 시장개혁만으로 투명해지기 어렵습니다. 정치와 행정이 함께 투명해져야 합니다. 사회 전반의 투명성이 높아져야 하는 것입니다. 한국 사회는 지금 그 과정에서 진통을 겪고 있습니다. 그러나 돌이킬 수 없는 투명화의 길로 가고 있습니다. 불과 5년, 10년 전만 해도 관행이라는 이름으로 용인되었던 정치자금 문제가 이제는 그 어떤 성역도 없이 모두가 노출되고 있습니다. 대선을 치를 때마다 선거자금은 매번 획기적으로 줄어들어 왔지만 부패는 점점 더 심해진 것처럼 보이는 것도, 과거에는 숨겨질 수 있었던 사건도 이제는 투명한 시스템에 의해 모두가 드러나고 있기 때문입니다. 권력과 재계와의 유착, 권력과 언론과의 유착관계도 빠르게 해체되어 가고 있습니다. 그 자리에 수평적이고 민주적인 리더십, 공정하고 투명한 시장을 만들어가고 있습니다.

저는 믿습니다. 우리 국민은 이 어려운 고비를 지혜롭게 극복해서 선진국 수준의 투명한 시장, 깨끗한 사회를 반드시 이루어낼 것입니다. 제 임기 중에 우리의 투명성과 신뢰도를 지금보다 두 배 이상 높여 나갈 수 있을 것이라고 확신합니다.

내외귀빈 여러분,

20세기 한국의 역사는 시련과 극복의 연속이었습니다. 식민지배의 그늘과 전쟁의 잿더미 위에서 한강의 기적을 일구어 내고, 군사독재를 물리치고 민주화를 성취해 냈습니다. 최대 국난이라던 외환위기도 사상 유례 없이 빠른 속도로 극복하고, 세계 최고 수준의 정보화 국가 대열에 합류했습니다. 이제 한국은 이러한 저력과 역동성을 바탕으로, 그리고 앞서 말씀드린 7대 전략을 강력하게 추진해서 2만 달러 시대의 선진국으로 도약해 나가고자 합니다. 저는 이번 회의가 이러한 우리의 노력에 힘을 실어 주고 지혜를 모으는 좋은 계기가 되기를 기대합니다. 여러분의 제안은 앞으로 참여정부의 정책에 적극 반영될 것입니다.

세계 여러 나라에서 오신 여러분께 다시 한번 감사드리며, 참석자 여러분 모두의 건강과 행복을 기원합니다.

경청해 주셔서 감사합니다.

한국방송통신대학교 학위수여식 연설

2004년 2월 28일

여러분 안녕하십니까?

뜻깊은 자리에 와서 여러분과 함께하게 된 것을 대단히 반갑고 기쁘게 생각합니다. 여러분의 졸업을 진심으로 축하드립니다. 한 분 한 분 증서와 상장을 받는 모습을 보면서 참 힘들었겠구나, 그래서 보람도 크고 기쁘겠구나 생각했습니다. 오늘 졸업식에 와서 보니 아이들이 많이 왔습니다. 아이들이 많이 모인 자리치고는 엄숙하고 조용합니다. 가슴으로 뭉클한 느낌을 전달받아서 그런 것 같습니다.

여러분은 하나의 성취를 했습니다. 그 성취를 가지고 사회에 기여해야 합니다. 어떤 분들은 성취 도구로 배움을 택한 것 같고, 또 어떤 분들은 공부 자체가 목적이신 것 같습니다. 모두들 사회에 기여해야 합니다.

오늘 졸업하기까지 가족과 친지 여러분의 도움이 많았을 것입니다.

여러분은 그 빚을 갚아야 합니다. 특히 여러분들은 실력으로 사회에 봉사해야 합니다. 재능과 역량으로 사회에 기여해서 한국 사회가 모두에게 기회가 열려 있다는 것을 보여 주어야 합니다. 학벌사회가 아니라 실력으로 평가받는 사회를 만드는 데 여러분이 특히 기여해야 합니다.

우리 사회는 민주사회입니다. 자유·평등·기회의 균등 등 민주사회를 보여 주는 여러 가지 것이 있지만, 특히 기회의 균등이 중요하다고 생각합니다. 여러분은 특별한 과정을 거쳐 학업을 마쳤습니다. 누구보다 성공해 기회의 균등을 증명해야 합니다. 21세기는 지식과 정보화의 사회입니다. 평생 학습하지 않으면 낙오할 수 있습니다. 여러분의 성공으로, 지식을 키워 가고 경쟁력을 키워 나가는 사람들이 성공한다는 것을 증명할 필요가 있습니다.

우리나라는 교육문제가 심각합니다. 그 원인이 무엇인가? 학벌사회를 그 이유로 들 수 있습니다. 대학에 순위를 매겨 한 줄로 세우니 중등교육이 제대로 될 리가 없습니다. 학벌사회는 그 자체가 정의롭지 못합니다. 거기서 많은 문제가 파생합니다. 해결이 어려운 문제지만 학벌사회가 해소됐으면 합니다. 여러분이 나가서 성공하는 것이 학벌사회를 해소하는 데 기여하는 길입니다. 흔히들 졸업은 끝이 아니라 새로운 시작이라고 합니다. 그러나 여러분들이 연마해 온 과정을 보니까 끝도 없고 시작도 없는 것 같습니다. 지금처럼 끊임없이 정진하시길 바랍니다.

방송대 여러분 파이팅! 졸업을 축하드립니다.

KBS 실업탈출 국민운동본부 격려 메시지

2004년 2월 29일

시청자 여러분, 안녕하십니까?

지금 일을 하고 싶어도 일자리를 찾지 못하고 있는 많은 분들이 계십니다. 그분들의 안타까운 심정을 누가 대신해 줄 수 있겠습니까? 가족들의 고통 또한 얼마나 크겠습니까? 그러나 결코 낙담하거나 포기하지 마십시오. 정부도 최선을 다하고 있습니다. 올해부터 5년 동안 200만개의 새로운 일자리를 창출하도록 하겠습니다.

공공부문부터 솔선해서 일자리를 만들 것입니다. 노·사·정도 일자리 창출을 위해 손을 맞잡았습니다. 충분하지는 않지만 기업들이 작년보다 많은 인력을 뽑겠다고 합니다. 유한킴벌리처럼 일자리를 나누면서도 생산성은 획기적으로 높아진 성공사례들이 확산되어 갈 것입니다. 일할 기회는 반드시 찾아옵니다. 준비된 사람부터 그 기회를 잡게 될 것입니다. 희망과 자신감을 가지고 우리 함께 노력해 봅시다. 뜻깊은 프로그램을 제작해 주신 KBS에 감사드리며, 이를 계기로 많은 분들이 새로이 일자리를 찾게 되기를 바랍니다.

감사합니다.

3월

제85주년 3·1절 기념사

2004년 3월 1일

3·1운동이 갖는 역사에서의 무게가 워낙 무거워서 자연히 3·1절 기념식도 무겁습니다. 귀엽고 아름다운 우리 아이들이 나와서 힘찬 노래를 불렀는데도 분위기가 풀리지를 않습니다. 저는 3·1운동 같은 역사적인 큰 기념식을 맞이할 때마다 너무 딱딱하다, 이렇게 느낍니다. 이제 이 시점에서 좀더 밝은 마음으로 좀더 자연스럽고 열린 자세로 편안하게 역사의 사실을 돌이켜 보고 기념하는 것이 좋다고 생각합니다.

85년 전 3·1운동은 전 국민이 떨쳐 일어났습니다. 정말 뜻깊은 것은 전 국민이 하나가 됐다는 것입니다. 빈부, 노소, 더 배우고 덜 배운 사람의 차이 없이 사회적 신분과 지위에 관계 없이, 특히 전 종교인들이 전부 하나가 됐다는 것은 정말 우리 역사에서 놀라운 일입니다. 그 당시에도 서로 다르고 그래서 다툼이 있었습니다. 그럼에도 불구하고 하나가

됐습니다. 우리 한국 역사에서 이처럼 전국민이 하나가 됐던 일이 그 이전에도 별로 없었고 그 이후에도 사실 별로 없었습니다.

하나로 어우러졌던 그 가운데에는 우리 민족의 자주독립의 정신이 있었습니다. 혼이 있었습니다. 그리고 자유와 평등이라는 인류사회의 보편적 대의가 있었습니다. 이 가치는 아무리 시대가 변해도 아무리 세월이 흘러도 결코 달라질 수 없는 불변의 가치입니다. 그 후 상해 임정이 수립되고 독립운동은 더욱 치열해졌고 세계 만방에 한국인의 정신과 의지를 널리 떨쳤습니다.

'우리의 해방과 우리의 독립은 외세의 도움에 의한 것이다, 우리 스스로 이룬 것이 아니다'라고 말하는 분들이 있습니다. 실제로 그런 점이 전혀 없지는 않을 것입니다. 그러나 우리 국민들이 3·1운동에서 하나가 돼서 목숨을 걸고 이렇게 떨쳐 일어나지 않았더라면 아마 우리 한민족은 전후처리에서 잊혀졌을지도 모르고, 따라서 오늘 우리 한국은 독립국가로서 성립되지 못했을지도 모릅니다.

3·1운동은 우리 역사의 기본입니다. 오늘 우리가 헌법에서 그 법통을 상해 임시정부에서 잇고 있지만, 바로 그것은 3·1운동의 정신에서 출발된 것입니다. 이제 3·1운동의 정신을 이어받아서 우리는 민주주의를 상당히 발전시켰고, 세계 11번째를 자랑하는 경제력을 키웠습니다. 참으로 우리 애국선열들이 자랑스럽고 존경스럽습니다. 다시 한 번 머리 숙여서 감사의 인사를 드립니다.

그러나 우리가 기념식을 하는 이 시점에도 저와 여러분, 그리고 우리 모두의 가슴에 부끄러움과 아쉬움이 남아 있습니다. 비록 해방되고 독립했지만 나라는 분단된 나라였습니다. 동족끼리 피흘리고 싸웠습니다. 처참한 비극을 겪었습니다. 아직도 서로 대결하고 있습니다. 남한 내에서 좌우는 대립했고, 그 좌우의 대립에 엉켜서 많은 대립들이 있었습니다. 불신과 갈등이 있었습니다. 과거는 말끔히 청산되지 않았고 새로운 역사의 대의도 분명히 서지 못했습니다.

역사적 사실과 진실은 아직 많은 것이 묻혀 있습니다. 아직도 국회에서 친일의 역사를 어떻게 밝힐 것인가를 놓고 혼란을 거듭하고 있습니다. 지금도 정신대 할머니들은 한을 씻지 못하고 정리되지 못한 역사 앞에서 몸부림치고 있습니다. 독립투사, 그분들의 후손들이 오늘 누리고 있는 사회적 처지는 소외와 고통입니다. 우리의 독립투사들이 우리의 역사를 주도하지 못했습니다. 아직도 우리의 역사에 대한 해석, 오늘의 현실에 대한 인식에 있어서 대립과 갈등을 우리는 극복하지 못하고 있습니다. 이제 우리는 다시 한번 일어서야 합니다. 3·1운동 때 목숨을 걸고 일어섰던 선열들이 마음속에 품었던 그 비장한 마음을 가지고 다시 한번 우리 스스로를 돌아보고 다시 일으켜 세워야 합니다.

마음을 모으고 지혜를 모아서 우리에게 남겨진 아직까지 풀지 못한 이 숙제를 풀어 나가야 할 것입니다. 우리 스스로를 너무 부끄러워하고 너무 질책만 하고 그래서 낙담할 일만은 아니라고 생각합니다. 우리 민족은 할 수 있습니다. 자신을 가지고 하나로 뭉치면 무슨 일이든 해낼 수 있을 것입니다.

1945년 식민지에서 해방된 나라 중에서 민주주의를 우리 대한민국만큼 잘하는 나라가 없습니다. 경제는 지난 40년간 100배의 성장을 이루어 냈습니다. 전 세계가 놀람과 부러움으로 우리를 바라보고 있습니다.

비록 우리는 아쉽게 생각하는 역사이긴 하지만 남북간의 대결도 한 발 한 발 극복해 나가고 있습니다. 7·4 공동성명, 그리고 남북간 기본합의를 거쳐서 2000년 6월 15일에는 마침내 남북 정상이 만나서 6·15 정상 합의를 이루어 냈습니다. 그 이후 남북관계는 착실히 풀려 가고 있습니다. 북핵문제가 남북문제에 가로놓여 있지만 이 문제에 관해서도 우리 한국은 주도적으로 참여해서 상황을 관리해 나가고 있습니다. 저는 북핵문제를 풀어 나가는 그 어느 대목에서도 우리 한국 국민들의 간절한 염원을 외면하지 못할 것이라고 생각합니다.

이제 용산기지 이전이 결정되었습니다. 몇 년 지나면 용산기지는 우리 국민들, 우리 서울시민들에게 반환될 것입니다. 간섭과 침략과 의존의 상징이던 그 용산기지가 우리 국민들의 손에 돌아옵니다. 성장한 대한민국, 점차 자주권이 강화되고 어엿한 독립국가로서의 대한민국 국민들의 품에 돌아올 것입니다.

안보에 있어서 한국군의 역할은 점차 증대돼 가고 있습니다. 머지않아 한국군 중심의 안보체제로 전환될 것입니다. 100년 전 우리 민족은 이 동아시아에 있어서 아무런 변수도 아니었습니다. 스스로의 독립을 지킬 힘이 없었음은 물론이거니와 우리 조선이 일본의 편을 들든 중국의 편을 들든 러시아의 편을 들든 그것은 대세에 영향을 주지 못했습니다.

그러나 지금은 그렇지 않습니다. 스스로의 자주와 독립을 지킬 만한 넉넉한 힘을 가지고 있습니다. 이제 우리 한국이 어떤 길을 선택하느냐에 따라서 동북아시아의 정세가 변화할 수밖에 없습니다. 자신감을 가질 만합니다. 정말 자신을 가지고 함께 나갑시다.

친미냐 반미냐 이렇게 얘기하지 맙시다. 우리의 자주와 독립을 영원히 지켜 나가고 후손들에게 떳떳한 역사를 물려주기 위해서 우리가 할 일을 합시다. 친미냐 반미냐가 우리를 재는, 우리를 평가하는 잣대가 될 수 없습니다. 한 발 한 발 자주권을 강화해 나가고 독립국가의 실력을 쌓아 나가는 것입니다. 그것을 하는 데 필요한가 아니한가, 그렇게 평가합시다.

한반도에 평화를 정착시키고 그 위에 번영을 이룹시다. 나아가서 그것이 동북아시아의 평화와 번영으로 이어지게 해야 합니다. 그 위에 한국의 자주와 독립이 있고, 그 위에서 우리가 평화와 자유와 행복을 함께 누려 가야 합니다. 한반도 뿐만이 아니라 동북아시아, 그리고 동아시아, 나아가 전 세계의 평화와 번영의 질서에 적극적으로, 그리고 주도적으로 참여해 나갈 수 있는 당당한 대한민국을 만들어 나갑시다.

실력을 가다듬어야 합니다. 그러나 저는 이 문제에 관해서 걱정하지 않습니다. 우리 한국 국민들이 개인적으로, 집단적으로 실력을 쌓고 힘을 기르는 데는 탁월한 능력이 있다고 생각합니다. 우리가 이 시점에서 꼭 해야 될 것은 마음을 열고 차이를 극복하고 상대를 존중하고 대화로서 모든 문제를 풀어갈 줄 아는 통합된 국민이 되는 것입니다. 85년 전 3·1 운동 때 전 국민이 모든 차이를 극복하고 하나가 됐듯이 우리 후손들에게 물려줄 우리의 미래를 위해서 다시 한번 차이를 극복합시다. 동이다 서다 나라를 지역으로 갈라서, 그렇게 해서 정당이 뭉치고 그렇게 해서 감정대립을 하는 정치도 이제 끝을 냅시다. 노사간에 갈등이 있었지만, 이런 많은 갈등들은 잘 극복돼 갈 것이라고 생각합니다.

항일을 했던 사람, 친일을 했던 사람, 어쩔 수 없어 입을 다물었던 사람들, 이 사람들 사이에 맺혀 있는 갈등, 그리고 좌우 대립의 사이에서 생겼던 많은 갈등, 아직 아물지 않은 상처, 이 상처들을 극복하기 위해서 새로운 역사적 안목으로 우리 스스로를 돌아보고 용서하고 화해하는 지혜를 만들어 갑시다. 스스로 한 발 물러서자는 것입니다. 스스로 가슴을 열자는 것입니다.

북한에 대해서는 설명이 어렵습니다. 상식이 통하지 않는 많은 부분이 있습니다. 그럼에도 결국 한 민족으로서 보듬어 가야 하고 끝내 우리가 책임져 가야 될 사람들이라는 생각으로 따뜻하게 문을 열고 대화로써 풀어 나갑시다.

일본에 대해서 한 마디 꼭 충고를 하고 싶은 말이 있다면 한국이, 한국의 정치지도자가 굳이 역사적 사실을, 오늘 일어나고 있는 일본의 법·제도의 변화를, 아직 해결되지 않은 문제에 관해서 말하지 않는다고 모든 문제가 다 해소된 것으로 생각해서는 안 됩니다. 앞으로 만들어 가야 될 미래을 위해서 마음에 상처를 주는 얘기들을 절제하는 것이 미래를 위해서 도움이 된다는 뜻으로 우리 국민들은 절제하고 있습니다.

특히 우리 정부는 절제하고 있습니다. 우리 국민들의 가슴에 상처를 주는 발언들은 흔히 지각없는 국민들이 하더라도, 흔히 인기에 급급한 한두 사람의 정치인이 하더라도, 적어도 국가적 지도자의 수준에서는 해서는 안 됩니다. 우리 국민들이 우리 정부가 절제할 수 있게 일본도 최선을 다해서 노력해야 합니다. 그 이상의 말씀은 더 드리지 않겠습니다.

이 자리에서 여러분께 당부드리고 싶은 말씀은 일본이 한 마디 한다고 해서 우리도 감정적으로 대응하는 일만은 절제하자는 것입니다. 과거사의 문제이든 동북아시아 미래사의 문제이든 그것은 감정으로 만들어 나갈 수 있는 일은 아닙니다. 차분하고 냉정하게 대응하면서 어떻게 하면 우리가 평화와 번영의 동북아시아 질서를 주도적으로 이끌어 나갈 것인가, 그것이 어떻게 우리 한국 국민들의 자랑이고 자부심으로 만들 것인가, 오늘 3·1운동 85주년을 맞는 이 시점에서 단단한 다짐과 함께 차분하고 냉정한 미래의 준비를 당부드리면서 기념사에 갈음하고자 합니다.

감사합니다.

인천유나이티드 프로축구단 창단 축하 메시지

2004년 3월 1일

인천 시민 여러분, 안녕하십니까?

드디어 인천에도 훌륭한 프로축구팀이 탄생했습니다. 진심으로 축하드립니다.

인천시와 지역에 연고를 둔 기업들, 그리고 260만 시민이 한 주 한 주 정성을 모아서 창단했다고 들었습니다. 여러분, 정말 대단하십니다. 이것이 바로 인천 시민의 힘이라고 생각합니다.

인천은 월드컵 16강 숙원을 풀었던 그 승리의 도시입니다. 그날의 함성과 감격은 아직도 우리 모두의 기억에 생생하게 남아 있습니다. 우리는 여기에 멈추지 않고 8강, 4강 신화까지 이루어 냈습니다. 월드컵의 대성공은 우리가 힘을 모으면 못해낼 것이 없다는 것을 다시 한번 보여준 쾌거였습니다.

지금 우리는 국가적으로 새로운 도약의 갈림길에 서 있습니다. 무엇보다 희망과 자신감이 중요합니다. 월드컵에서 우리가 해냈듯이 2만 달러 시대, 동북아 경제중심, 그것도 반드시 해낼 것입니다. 인천은 바로 이러한 동북아 경제중심 전략의 핵심입니다. 인천이 성공하면 대한민국이 성공합니다. 인천시민 여러분, 자부심을 가지고, 살기 좋은 인천, 번영의 대한민국을 함께 만들어 갑시다.

인천 유나이티드 축구팀 창단이 인천시민의 힘과 뜻을 모으는 소중한 계기가 되기를 기대합니다. 오늘 첫 시합인 만큼 최선을 다해서 멋진 경기를 보여주십시오. 인천시민과 인천 유나이티드 축구팀의 승승장구를 기원합니다.

감사합니다.

세종문화 회관 재개관 축하 메시지

2004년 3월 2일

안녕하십니까?

세종문화회관 재개관을 진심으로 축하합니다. 우리 문화예술계가 또 한 걸음 앞으로 내딛는 뜻깊은 일이라 생각합니다. 지난 1년 동안 애써 주신 많은 분들에게 감사의 말씀을 드립니다. 정말 고생 많으셨습니다.

21세기는 문화의 세기입니다. 문화 수준이 곧 그 나라의 경쟁력이 됩니다. 수준 높은 공연을 다양하게 즐길 수 있을 때, 우리 국민의 삶의 질은 물론 문화적 자신감도 한층 높아질 것입니다. 더욱 좋아진 세종문화회관이 시민들과 함께 호흡하며 삶의 활력소가 되어 주기를 바랍니다. 나아가 문화강국, 대한민국을 열어가는 토대가 되어 줄 것으로 기대합니다.

다시 한번 세종문화회관의 재개관을 축하하며, 세계적인 공연의 메카로 발전하기를 기원합니다. 감사합니다.

제60기 육군 사관학교 졸업 및 임관식 치사

2004년 3월 9일

친애하는 육군사관학교 졸업생 여러분, 학부모님과 내외 귀빈 여러분,

우리는 오늘, 사기충천한 신임장교들의 장도를 축하하기 위해 자리를 함께하고 있습니다. 모두가 대한민국의 자랑스러운 아들딸들입니다. 정말 당당하고 늠름합니다.

여러분의 졸업과 임관을 진심으로 축하합니다. 그리고 국가와 민족을 위해 헌신할 것을 다짐한 여러분의 충정에 뜨거운 격려와 무한한 신뢰를 보냅니다. 자랑스러운 젊은 용사들을 길러 내신 학교장 김충배 장군을 비롯한 교수와 훈육관 여러분의 노고를 치하합니다. 자녀들을 훌륭하게 키워 주신 부모님께 축하와 아울러 감사의 말씀을 드립니다.

국군장병 여러분, 그리고 국민 여러분,

지금 우리의 안보태세는 과거 어느 때보다 확고하며, 당면한 안보 현안에 철저히 대응하고 있습니다. 또한 우리는 변화하는 안보환경에 수동적으로 이끌려 가는 것이 아니라, 우리 스스로의 계획과 국가안보전략에 따라 능동적으로 대처하고 있습니다.

지난해 나는 '앞으로 10년 이내에 자주국방 능력을 갖추어야 한다.'고 강조했습니다. 이것은 독립된 국가로서 너무나 당연하고도 기본적인 책무라고 생각합니다. 지난 50년 동안 지속돼온 한·미동맹은 더욱 굳건해지고 있습니다. 지난해 나와 부시 대통령은 한·미동맹을 포괄적이고 역동적인 관계로 발전시켜 나가기로 합의했습니다. 그 약속은 착실히 실천되고 있습니다. 주한미군 재배치는 우리의 국가안보전략과 미국의 해외주둔군 재조정 계획에 따라 자연스럽게 추진되고 있습니다. 한·미간에 긴밀한 협의가 이루어지고 있으며, 이를 통해 한·미 연합 방위능력은 더욱 강화될 것입니다.

나는 임기 내에 한·미동맹의 발전과 병행해서 우리의 안보를 우리가 주도하는 '협력적 자주국방'을 실현할 기반을 다지겠습니다. 우리는 자주적 정예군사력을 건설하고, 군 구조개편과 국방개혁을 적극 추진해 나갈 것입니다. 우리 군 스스로의 변화와 혁신을 통해서 한반도 평화정착의 확고한 토대를 구축해 나가고자 합니다. 우리는 불과 1년 전만 해도 전쟁위기설까지 나돌던 북핵문제를 슬기롭게 풀어가고 있습니다. 지난달에 열린 제2차 6자회담에서도 한반도 비핵화와 북핵문제의 평화적 해결원칙이 거듭 확인되었습니다. 특히 오는 6월 이전에 후속회담을 개최하기로 한 것은 큰 의미가 있습니다. 북핵문제를 대화로 해결해 나갈 확고한 전기가 마련되고 있습니다.

이처럼 우리는 한·미동맹 강화, 주한미군 재배치, 북핵문제의 평화적 해결 등 여러 과제들을 하나하나 차근차근 풀어 왔습니다. 앞으로도 우리의 평화와 안정을 지키는 일에는 한순간의 방심도, 단 한치의 빈틈도 없을 것입니다. 이 자리에 선 여러분이 그 선봉장이라고 생각합니다. 나는 국군통수권자로서 여러분이 맡은 바 사명을 다할 수 있도록 적극적인 지원을 아끼지 않겠습니다.

신임장교 여러분, 그리고 국군장병 여러분,

우리 국군은 이제 우리의 영토 뿐만 아니라 세계의 평화와 안정을 지키는 데에도 기여하고 있습니다. 지금 이 시각에도 이라크와 아프가니스탄, 서부 사하라에서 전후복구와 구호활동에 구슬땀을 흘리고 있습니다. 우리 군은 가는 곳마다 '코리아 넘버 원'이라는 찬사를 들을 만큼 우수성을 인정받고 있습니다.

얼마 후에는 이라크에 '자이툰 부대'가 파견됩니다. 이들은 이라크를 지원하기 위한 '평화와 재건의 용사'들입니다. 이라크 국민의 가슴속에 우리 국민이 전하는 평화의 메시지를 심어줄 것입니다. 이라크 현지에는 아직 많은 위험요소들이 있습니다. 정부는 만반의 대책을 세우고 철저히 준비해서 파병부대의 안전 확보에 최선을 다할 것입니다.

신임장교 여러분,

이제 여러분에게 조국의 산하를 맡깁니다. 나는 여러분의 애국심과 충정을 믿습니다. 여러분이 지난 4년 동안 날마다 가슴에 새긴 사관생도의 신조와 도덕률을 잘 실천해서 대한민국 국군장교로서의 영광된 사명을 다해 주기 바랍니다. 여러분의 무운과 건승을 기원합니다.

감사합니다.

페르손 스웨덴 총리를 위한 오찬사

2004년 3월 10일

존경하는 요란 페르손 총리 각하, 그리고 내외 귀빈 여러분,

내일은 스웨덴과 한국이 수교한 지 45주년 되는 날입니다. 이렇게 뜻깊은 시기에 우리나라를 세번째 방문해 주신 총리 각하와 일행 여러분을 진심으로 환영합니다. 스웨덴은 우리에게 고마운 친구의 나라입니다. 한국전쟁 당시 야전병원단을 파견해 주었을 뿐만 아니라 휴전 이후에도 중립국감독위원회 일원으로서 한반도 평화와 안정에 중요한 역할을 해 오고 있습니다. 특히 각하께서는 2001년 5월 외국 지도자로서는 처음 서울과 평양을 동시에 방문해서 남북한 화해 분위기를 조성하는 데 기여해 주셨습니다. 각하와 스웨덴 정부의 진심어린 노력에 감사의 말씀을 드립니다.

총리 각하,

나는 국내외 많은 학자들이 교육, 환경, 양성평등, 복지 등의 과제를 토의할 때 스웨덴을 그 예로 삼는 것을 많이 보았습니다. 그만큼 모범적이고 배울 점이 많은 나라라고 생각합니다. 특히, OECD 국가 중에서 최고로 꼽히는 스웨덴의 미래혁신 역량은 국가혁신을 통해서 새로운 도약을 준비하고 있는 우리에게 시사하는 바가 매우 큽니다.

각하께서는 강력한 개혁의지로 1990년대 중반 스웨덴 경제위기를 극복해 내고, 지금도 매우 견실하고 지속적인 성장을 이끌고 계십니다. 나아가 국제평화, 군축, 개도국 원조, 인권, 지역협력과 같은 범세계적 이슈 해결에도 탁월한 지도력을 보여 주셨습니다. 앞으로도 스웨덴과 국제사회의 발전에 더욱 크게 공헌하실 것으로 확신합니다.

총리 각하,

조금 전 끝난 각하와의 정상회담은 매우 유익했습니다. 양국은 지난 반세기에 걸친 우호협력을 바탕으로 미래를 향한 한 차원 높은 발전을 위해서 힘써 나가기로 했습니다. 현재 60여개의 스웨덴 기업들이 IT, 자동차, 환경, 의약, 통신, 운송 등의 분야에서 우리 기업과의 실질 협력을 공고히 하고 있습니다. 앞으로 양국간의 무역과 투자를 더욱 확대시켜 나가야겠습니다. 특히, 우리 두 나라는 IT분야에서 이미 세계 최고수준의 경쟁력을 인정받고 있습니다. 따라서 양국간 기술 교류·협력은 상당한 시너지 효과를 가져올 것입니다. 광통신, 생명공학과 같은 첨단 과학기술 분야에서도 호혜적인 협력이 더욱 강화되기를 기대합니다.

존경하는 총리 각하, 그리고 내외 귀빈 여러분,

지금 대한민국은 한반도에 평화를 정착시키고 번영의 동북아시대를 향해 힘차게 나아가고 있습니다. 든든한 친구 스웨덴 정부가 변함없는 관심과 성원을 보내 주실 것으로 믿습니다. 페르손 총리 각하의 건강과 스웨덴의 번영, 그리고 두 나라 국민 사이의 우의와 협력을 위해서 축배를 들어 주시기 바랍니다.

대선자금 등과 관련한 특별기자회견 모두말씀

2004년 3월 11일

존경하는 국민 여러분.

먼저 죄송합니다. 부끄럽고 난감하기 짝이 없습니다. 거듭 머리 숙여 사과드립니다. 번번이 하는 사과, 말로 끝나는 사과, 그 뒤에는 다시 달라지지 않는 정치로 국민 여러분은 사과받기에도 지치고 짜증이 날지 모르겠습니다. 책임지겠다고 약속드린 바와 같이 앞으로도 책임지겠습니다. 진지한 자세로 책임을 이행하겠습니다. 같은 일로 다시 사과하는 일이 없도록 하겠습니다.

대선자금을 비롯한 정치자금과 유용혐의가 있는 금액 등 돈의 성격에 관해서는 검찰 발표와 다소 다르다는 논란이 있을 수 있지만, 전체적으로 보아서는 제가 추측하고 또 부분적으로는 확인할 수 있는 범위 내에서의 자금규모는 거의 다 밝혀진 것 같습니다.

검찰의 능력에 대해서 참으로 놀라움을 금할 수가 없습니다. 때로는 너무한다 싶은 때도 있었습니다. 그러나 냉정하게 생각해 보면 그러한 검찰이 믿음직스럽다고 생각하며, 그간의 노고를 치하합니다.

대선자금이 10분의 1을 넘었는가, 넘지 않았는가 하는 문제를 얘기하기가 참 구차합니다. 그러나 이 문제는 시비가 되고 있고, 또 논의방향이 문제의 본질을 왜곡하고 호도하는 방향으로 갈 우려도 있기 때문에 나중에 질문하면 소상하게 답하겠지만, 대체적으로 10분의 1을 넘지 않습니다. 성격에 약간의 논란이 되는 부분이 있어서 그것이 포함되느냐 않느냐에 따라 약간의 차이가 있겠지만, 넘더라도 수억원을 넘지 않습니다. 넘느냐 넘지 않으냐는 것은 문제의 본질이 아닙니다. 그것이 현저히 넘어서 말에 대한 책임을 져야 될 수준이라면, 상응하는 책임을 질 각오를 가지고 있습니다.

저의 선거참모들이 모두 구속됐습니다. 선거대책위원장과 선거대책본부장, 유세본부장이 구속됐습니다. 참으로 죄송하기 짝이 없습니다. 국민을 뵐 면목이 없습니다. 그들과 그들의 가족에 대해서도 한없이 미안합니다. 대통령은 내가 당선되고 감옥은 그들이 가 있으니, 제 처지가 민망하기 짝이 없습니다. 제가 대신 벌을 받을 수 있다면 한참 마음이 가벼울 것입니다. 그러나 그렇게 할 수 있는 일도 아닌 것 같아 마음이 더 무겁습니다. 굳이 그들을 위해 한 마디 변론을 한다면 횡령이 없었다는 것입니다. 비록 법을 어겼으나 선거를 위해서 노력한 일이고 개인적으로 착복하거나 치부하지 않았다는 것을 감사하게 생각합니다. 그들에게 다시 한번 신뢰를 보냅니다.

야당 쪽 구속자들에 대해서도 마음이 무겁습니다. 옛날에는 문제가 되지 않던 일이 이번에는 문제가 됐습니다. 그동안 익숙했던 선거제도, 선거문화가 만들어낸 희생자라고 말할 수 있습니다. 가슴 아프게 생각합니다. 그러나 달리 도와 줄 방법이 없어 안타깝습니다.

고통을 받고 있는 우리 모두가 더 나은 내일로 한 발짝 나아가는 과정에서 겪는 진통이 되었으면 합니다. 진통과 아픔을 겪고, 오늘과 다른 내일이 됐으면 좋겠습니다. 바라보는 국민의 고통도 오죽하겠습니까. 그러나 앞으로 좋아질 것입니다. 이렇게 난리를 치는 것은 앞으로 달라지기 위해서 모두가 함께 겪는 진통의 과정이라고 생각합니다. 벌할 것은 벌하고 비난할 것은 비난하되 내일에 대한 희망, 내일에 대한 믿음만은 버리지 말고 도와 주시기 바랍니다. 열심히 하겠습니다.

측근문제에 관해 말씀드리겠습니다. 최도술 비서는 15년 넘게 20년 가까이 일을 맡아 했고, 안희정 씨는 15년 가까이 됐습니다. 제가 감독하고 관리할 범위 안에 있는 사람들이기 때문에 이들의 잘못은 제가 책임져야 합니다. 거듭, 거듭 사과드립니다. 이들이 조달하고 사용한 대선자금의 저의 손발로서 한 것입니다. 법적인 처벌은 그들이 받되 정치적 비난은 저에게 하기 바랍니다.

그러나 이들이라 할지라도 대통령 선거 이후에 저지른 어처구니없는 실수에 대해서는 저도 마음이 아픕니다. 용서하기 어렵고 원망스럽기도 합니다. 그러나 한편 아직도 그들에 대한 신뢰를 거두기 어렵습니다. 아직도 보관하고 있었던 돈의 용도에 관해서 그들의 선의를 믿습니다. 개인적으로 치부하고 축재하기 위해 모아둔 돈이 아니라 대통령으로서 최소한의 체면치레가 필요하지 않겠느냐는 생각에서 관리하고 있었던 돈으로 생각합니다. 그들은 십수년 동안 한 번도 저를 속이지 않았습니다. 부득이한 사용이 있을 때는 반드시 승낙을 받았습니다.

자존심이 강한 사람들이었기 때문에 그렇게 했습니다. 안희정 씨가 2억원을 유용해서 아파트를 샀다는 보도가 나왔는데, 확인해 본 결과 사실과 다르다고 합니다. 아파트로 이사하면서 옛날 집을 팔고 새집을 사는 과정에서 일시 자금을 융통해서 지급한 것은 사실이나, 옛날 아파트를 팔아서 다시 제자리에 채워 놓았습니다. 법적으로 엄격하게 보면 유용에 해당될 수 있겠으나 착복의 고의가 있다고 보지는 않습니다. 벌은 받을 것입니다. 너그러운 평가가 있기를 바랍니다.

이 판에 제 형 노건평 씨까지 끼어들어서 참 미안하기 짝이 없습니다. 워크아웃 기업인 대우건설 사장의 유임 청탁과 관련해서 3천만원을 받았습니다. 어떻든 그 일은 성사되지 않았고 돈은 이미 돌려주었다고 합니다. 아울러 1억원을 주는 것을 받지 않고 거절했습니다. 함께 모아서 판단해 주기 바랍니다. 어떻든 죄송합니다. 지금까지 제 형님 노건평 씨는 저에게 세 번의 청탁을 했습니다. 결과는 모두 성사되지 않았습니다. 한 번의 청탁은 제가 관여할 일이 아니어서 외면했습니다. 성사, 불성사는 아직 결론나지 않았지만 일절 아는 척하지 않고 있습니다. 또 한 번은 청탁 때문에 불이익을 받았습니다. 잘될 수도 있는 것이 안 됐습니다. 그냥 안 된 것이 아니고 제가 안 되게 했습니다. 청와대의 인사사항은 아니나 연임되지 않도록 하라고 민정과 인사수석실에 직접 지시했고, 뒤에 확인까지 했습니다. 형님의 실수가 있더라도 제가 잘 관리할 터이니 그렇게 이해해 주기 바랍니다.

책임지겠다고 한 데 대해서 말씀드리겠습니다. 이 정도 과오와 허물이 드러나면 뭔가 책임을 져야 합니다. 당연한 도리입니다. 게다가 무게를 감당하지 못해서 재신임받겠다고 약속하고 아직 그 일을 매듭짓지 못하고 있습니다. '10분의 1 약속' 또한 해 놓고 있는 상태입니다. 엊그제 이회창 후보께서 책임을 질 것을 요구했고, 지금은 탄핵이 발의되어 있는 상황입니다. 어떻게 책임을 이행할 것인가에 대해 고심을 많이 했습니다. 야당은 자리를 내놓으라 하고 저도 자리를 걸고 책임지겠다고 했으니 자리를 걸고 책임지는 결단을 피할 수 없을 것입니다. 자리에 집착하지 않겠습니다. 구차하게 잔꾀를 부리지도 않겠습니다.

권력은 마약이라고 합니다. 잡으면 놓지 않으려고 합니다. 그러나 저는 아닙니다. 그렇게 하지 않았고 앞으로도 그렇게 하지 않을 것입니다. 권력의 성격도 달라졌습니다. 옛날처럼 사리사욕을 위해, 친인척을 위해 마구 쓸 수 있는 권력은 아무 데도 없습니다. 미운 사람 불러내 혼내 주고 정치인 뒷조사해서 정계개편하고 당적을 옮기게 할 만한 어떤 위력도 남아 있지 않습니다.

강렬한 포부와 열정, 그리고 한국과 국민의 미래에 대한 사명감이나 책임감 아니면 하루하루가 견디기 어려울 만큼 고통의 연속일 수 있습니다. 오늘 한국의 대통령 자리가 그렇습니다. 사심을 가지고 연연할 이유가 없는 자리입니다. 그러나 한편으로는 대단히 무거운 자리입니다. 국가의 안위를 관리하고 국민생활의 안정을 책임져야 하는 막중한 자리입니다. 진퇴를 걸고 책임을 지되 국정혼란과 국민의 불안이 없도록 신중하고 질서 있게 해 나가겠습니다.

제 결론은 총선 결과를 존중해서 총선에서 나타난 국민의 뜻을 심판으로 받아들이고 그 결과에 상응하는 정치적 결단을 하겠다는 것입니다. 그 결단의 내용과 절차는 오늘 말씀드리기에는 너무 중대한 문제여서 입당을 한다든지 입당을 안 한다든지 또 다른 계기에 소상하게 말씀드리겠습니다. 이미 마음의 방향은 대개 서 있습니다. 그러나 말씀은 그때 드리도록 하겠습니다. 왜 그렇게 하느냐 하면 다른 방법이 없습니다. 국민투표가 좋을 것이라고 생각했는데 그것은 이미 좌절됐습니다. 또다시 그 카드를 끄집어낼 수 없고 그냥 넘어갈 수도 없습니다. 현실적으로 갈등과 혼란을 매듭짓고 정국을 안정시킬 수 있는 방안은 그것이라고 생각합니다. 그렇게 해 나가겠습니다.

국민 여러분,

저에게 허물과 잘못이 있는 만큼 바른 자세로 더욱 열심히 노력해서 보상하도록 하겠습니다. 몇 배 더 성실히 보상하겠습니다. 그리고 선거과정에서 또는 그 이후에 과오와 허물이 있어서 '떳떳하지 못한 사람을 그 자리에 두기에는 곤란하다.'고 국민이 인식할 때에는 언제든지 결단을 내리겠습니다. 일단 이번 총선에서 판단을 해 주기 바랍니다.

감사합니다.

제58기 해군 사관학교 졸업 및 임관식 치사

2004년 3월 12일

친애하는 해군사관학교 졸업생 여러분, 학부모님과 내외 귀빈 여러분,

졸업생 여러분은 지난 4년간 어려운 교육과정을 성공적으로 마치고 대한민국 해군장교로 임관되었습니다. 그동안 여러분이 쏟은 땀과 열정에 힘찬 박수를 보냅니다. 여러분의 졸업과 임관을 진심으로 축하합니다. 이처럼 사기충천한 신임장교들을 길러 내신 학교장 윤연 제독을 비롯한 교직원 여러분의 노고를 높이 치하합니다. 사관생도와 해군장교들을 자녀로 두신 부모님, 얼마나 자랑스럽습니까? 귀한 아들딸들을 훌륭하게 키워 주신 부모님께 축하와 아울러 감사의 말씀을 드립니다.

해군장교 여러분, 그리고 국민 여러분,

우리의 안보환경은 하루가 다르게 변화하고 있습니다. 주어진 환경

에 수동적으로 대응하기 보다는 능동적이고 적극적인 자세로 계획을 세우고 변화를 관리해 나가야 합니다. 무엇보다 튼튼한 자주국방력을 갖추는 것이 중요합니다. 우리 군은 그동안 공고한 한·미동맹의 기반 위에서 철통같은 안보태세를 확립해 왔습니다. 해마다 꽃게철만 되면 긴장이 감돌던 서해바다도 지난해에는 평온했습니다. 이러한 가운데 북핵문제를 비롯한 안보현안들을 하나하나 차근차근 풀어나가고 있습니다.

앞으로 한·미동맹을 더욱 발전시켜 나가면서 우리의 안보를 우리가 주도하는 '협력적 자주국방'을 적극 실현해 나갈 것입니다. 이를 위해서는 육·해·공 3군의 균형발전이 이루어져야 합니다. 군 구조개편과 국방개혁을 통해서 '정예 정보·기술군'으로 육성해 나갈 것입니다. 군 스스로 지속적인 변화와 혁신을 통해서 이 일에 앞장서 주기 바랍니다.

주한미군 재배치 문제도 우리의 장기적인 구상과 능동적인 역할을 전제로 한·미간에 긴밀히 협의해 나가고 있습니다. 주한미군은 동북아의 균형과 안정에 기여하는 지렛대의 역할을 해 나가게 될 것입니다. 대북 억지력 측면에서는 우리 군이 주도적인 역할을 담당할 것입니다. 나는 임기 내에 '협력적 자주국방'의 추진을 통해서 한반도 평화정착의 확고한 토대를 구축하는 데 최선을 다하겠습니다.

신임장교 여러분, 해군장병 여러분,

우리의 바다는 세계에서 가장 역동적인 바다 가운데 하나입니다. 이 바다를 어떻게 지키고 관리하느냐에 우리의 미래가 달려 있습니다. 우리 해군은 해양방위역량을 한층 강화해서 평화와 번영의 동북아 시대를 뒷받침해야 합니다. 나는 국군통수권자로서 우리의 바다를 수호할 해군력 강화사업을 적극 지원해 나갈 것입니다. 올해 '충무공 이순신함'을 실전에 배치하고 7천톤급 구축함을 비롯한 '기동함대' 건설도 내실 있게 추진하겠습니다. 이를 통해 우리 해군을 '강력한 선진해군'으로 발전시켜 나가겠습니다.

친애하는 졸업생 여러분,

여러분은 이제 바다의 용사가 되어 옥포만을 떠납니다. 여러분은 장보고 대사의 웅대한 꿈과 충무공 이순신 제독의 호국정신을 이어받은 해양한국의 후예들입니다. 또한 여러분의 선배 고(故) 이인호 소령과 윤영하 소령의 숭고한 희생정신을 배우고 본받은 해군장교들입니다. 우리의 바다를 수호하는 선봉에 서서 무적해군의 전통과 명예를 더욱 빛내주기 바랍니다. 나와 우리 국민은 자랑스런 마음으로 여러분을 지켜 볼 것입니다. 여러분의 앞날에 무운과 건승을 기원합니다. 저 또한 여러분과의 오늘 약속을 지키기 위해 최선을 다하겠습니다.

감사합니다.

5월

업무복귀에 즈음하여 국민에게 드리는 말씀

2004년 5월 15일

존경하는 국민 여러분, 감사합니다. 정말 감사합니다.

탄핵국면이 시작되었을 때 저는 우리 국민이 이 상황을 잘 극복해 나가주실 것으로 믿었습니다. 과연 우리 국민들은 훌륭했습니다. 잘 해냈습니다.

대통령 공백이라는 초유의 사태를 조금도 동요하지 않고 차분하게 대처해 나가는 모습을 보면서 저는 우리 국민의 성숙한 시민의식과 민주적 역량에 대해서 다시 한번 굳은 믿음을 갖게 되었습니다. 더욱이 많은 갈등과 혼란이 있을 수 있는 총선거까지 질서정연하게 치러내는 것을 보면서 이제 훌륭하다는 수준을 넘어서 감동적이다, 이런 느낌을 받았습니다. 국민 여러분이 다시 한번 존경스럽습니다. 감사드립니다.

아울러, 신속한 재판을 위해서 밤낮없이 애써 주신 헌법재판소 재판관 여러분께도 감사의 말씀을 드립니다. 조그마한 예단이나 절차상의 문제도 큰 갈등을 불러일으킬 수 있는 민감한 상황에서 냉정하고 공정하게 재판을 진행시켜 잘 마무리해 주신 데 대해서 우리 국민 모두는 높은 신뢰를 보내고 있습니다. 어려운 권한대행의 임무를 국정의 공백 없이 훌륭히 수행해 주신 고건 총리와 각료 여러분께도 치하와 감사의 말씀을 드립니다. 흔들림 없이 대행체제를 뒷받침한 공무원 여러분에게도 높은 평가를 드리고 싶습니다.

국민 여러분,

지난 두 달 동안 얼마나 걱정이 많으셨습니까? 모든 것이 저의 부족함에서부터 비롯된 것입니다. 그럼에도 불구하고 제게 따뜻한 격려와 용기를 보내 주시고 다시 책임을 맡겨 주신 데 대해서 깊이 감사드립니다. 취임할 때보다 더 무거운 책임감을 느끼고 있습니다. 기대에 어긋나지 않도록 열심히 하겠습니다. 비록 탄핵에 이르는 사유가 아니었다 할지라도 정치적·도의적 책임까지 모두 벗었다고 생각하지 않습니다. 특히 그 중에서도 대선자금과 제 주변 사람들이 저지른 과오는 분명한 저의 허물입니다. 이 자리에서 다시 한번 국민 여러분께 심심한 사죄의 말씀을 올립니다.

임기를 마치는 그날까지 저는 저의 이 허물을 결코 잊지 않고 항상 자신을 경계하는 회초리로 간직하고 가겠습니다. 항상 긴장된 자세로 더 열심히 노력해서 국민 여러분께 진 빚을 갚아 나가도록 하겠습니다. 그렇다고 일을 함에 있어서 망설이거나 머뭇거리지는 않겠습니다. 극복해야 할 많은 난관을 앞에 두고 주저하거나 흔들려서는 안 된다고 생각합니다. 해야 할 일은 책임을 가지고 해 나가겠습니다.

존경하는 국민 여러분,

여러분 모두가 정치개혁을 간절히 바라고 있습니다. 그리고 지난 총선을 치르면서 많은 국민들은 우리 정치권에 대해서 새로운 희망과 기대를 갖게 되었을 것입니다. 저도 그렇습니다. 저는 나름대로 지금까지 새로운 시대를 선도해 가야 한다는 사명감을 갖고 정치를 해 왔습니다. 또한, 시대 흐름을 인식하면서 항상 정치발전의 선두에 서 왔다는 자부심도 가지고 있었습니다. 그러나 지난 1년 정치자금 수사와 총선 결과를 지켜보면서 제가 변화에 앞장서고 있다는 자부심은 이미 어제의 생각일 뿐이고, 이제는 새로운 정치를 앞서서 이끌어갈 위치에 있지 않다는 사실을 깨닫게 되었습니다.

정치는 이미 많이 바뀌었습니다. 그리고 여야 정치권 모두가 정치개혁의 결의를 다지고 있고 의욕에 넘쳐 있습니다. 그만큼 정치개혁은 새롭게 구성되는 17대 국회가 앞장서서 해나갈 것으로 그렇게 믿고 있습니다. 이제 굳이 제가 앞장서려 하지 않겠습니다. 저는 정치개혁이 안정된 정치와 행정의 토대 위에서 질서 있게 추진될 수 있도록 국정을 안정적으로 관리해서 정치개혁을 뒷받침하는 일에 전념하고자 합니다.

국민 여러분,

여러분은 변화를 바라시면서도 또한 안정을 희구하십니다. 그리고 흔들리지 않는 일관성 있는 정부를 바라고 있습니다. 지금은 빠른 변화가 불가피하고 또 필요한 시기이기 때문에 경제정책이나 사회문제, 정치개혁문제 등등을 둘러싸고 많은 갈등이 일어날 수 있습니다. 자칫 이해관계를 앞세운 목소리에 국정이 중심을 잃고 끌려 다니게 되면 정치도, 경제도 오히려 뒷걸음질치게 될 수 있습니다. 정치인은 항상 국민의 뜻을 살피고 여론을 존중해야 합니다. 그러나 그러다 보면 자칫 여론의 지지에 민감할 수도 있고 높은 목소리에 이끌릴 수도 있습니다.

누군가 원칙과 소신을 가지고 국정의 중심을 잡아서 안정을 유지하면서 변화와 개혁도 일관되게 추진해 나가야 합니다. 이것이야말로 다음 선거로부터 자유로운 대통령이 꼭 해야 될 일이라고 생각합니다.

이해집단의 목소리나 갈등에 매몰되는 일이 없이, 그야말로 국정운영의 안정적 관리자로서 중심을 잡고 해 나가겠습니다. 당장의 성과에 급급하기보다는 10년, 20년 앞을 내다보면서 국정의 올바른 방향을 잡아 일관성 있게 추진해 나가겠습니다. 때로는 여론의 비난을 받는 일이 있고 인기가 떨어지는 일이 있더라도 국민과 국가의 장래를 위해서 꼭 필요한 일이라면 꿋꿋하게 원칙을 지키면서 해 나가겠습니다.

존경하는 국민 여러분,

저는 지난 두 달 동안 직무에 복귀하면 화합과 상생의 정치를 펴 달라는 많은 편지를 받았습니다. 실제로 모든 국민들의 소망이 그러합니다. 정치권도 상생의 정치를 약속하고, 또 여야가 만나 결의도 다졌습니다. 매우 다행스런 일입니다. 저도 이 자리에서 같은 약속을 드리겠습니다. 꼭 그렇게 하겠습니다. 그런데 저는 이 약속을 준비하면서 마음속에 많은 망설임이 있었습니다. 제 기억에 지난 수십년 동안 우리 정치는 늘 화합과 단결을 소리높이 외쳐 왔습니다. 그러나 한번도 성공하지 못했습니다. 모두가 자신이 옳고 상대방이 자신에게 맞추어야 한다는 생각을 가졌던 것 같습니다. 그래서 화합과 상생은 언제나 공염불로 끝나고 말았습니다. 그래서 저는 어떻게 하면 오늘 드리는 이 약속이 또 한 번의 거짓말이 되지 않고, 책임 있고 명실상부한 약속이 될 것인가를 고심해 왔습니다.

우리는 다시 시작해야 합니다. 상대를 존중하겠습니다. 대화와 타협으로 합의를 이끌어 내야 합니다. 대화와 타협, 그리고 합의 과정에 공정한 규칙이 적용돼야 합니다. 원칙에 따라 정정당당하게 경쟁해야 합니다. 그리고 그 결과에 승복해야 합니다. 이러한 문화를 만들어야 비로소 화합과 상생이 실현될 수 있습니다. 말로만 되는 것은 아닙니다. 약속만으로도 되는 것이 아니라고 생각합니다. 이제 우리 모두가 함께 노력해서 대화와 타협의 문화를 만들어 나가십시다. 정정당당하게 승부하고 승복하는 민주주의 문화를 만들어 나가십시다.

존경하는 국민 여러분,

경제가 어렵습니다. 그중에서도 특히 중소기업, 영세상인, 그리고 비정규직, 서민들의 생활이 더욱 어렵습니다. 당면한 민생경제의 어려움을 결코 방치하지 않겠습니다. 당장의 어려움도 풀어야 하거니와 하루빨리 우리 경제가 회복되고 장기적으로 성장잠재력이 확충돼서 지속적인 경제성장이 가능하도록 하나하나 준비하고 대비해 나가겠습니다. 경제가 어렵다 보니 '현장을 찾아가서 걱정하는 모습을 보여달라.', '하루빨리 대책을 내 놓으라.' 이런 요구가 빗발치고 있습니다. 그러나 저는 이 점에 관해서도 주의할 점이 있다고 생각합니다. 현장을 둘러보고 국민의 아픔을 확인하고 함께 나누는 것도 중요하고 또한 그를 통해서 우리 국민들에게 새로운 희망을 주고 안심시키는 것도 매우 중요한 일이라고 생각합니다. 그러나 책임질 수 없는, 실현할 수 없는 정책이 쏟아져 나와서는 안 됩니다. 너무 조급해 해서도 안 된다고 생각합니다. 그리고 그 과정에서 급한 나머지 원칙을 무너뜨려서도 안 된다고 생각합니다. 당장의 발등의 불을 끄기 위해서 미래의 성장잠재력을 훼손하는 일도 있어서는 안 된다고 생각합니다. 시간이 걸리더라도, 시간이 걸려야 하는 것은 시간을 두고 차근차근 깊이 있게 토론하고 모든 가능성을 충분히 검토한 다음에 책임 있게 효과 있는 정책을 내놓아야 한다고, 저는 그렇게 생각합니다.

몸이 허약해진 사람에게, 중병에 걸린 사람에게 주사 몇 대로 영양제 몇 대로 당장 일으켜 세워서 '걸어라' '뛰어라' 이렇게 할 수 있다고 생각지 않습니다. 무리한 정책을 쓰다가 몇 년 뒤에 경제를 더욱 어렵게 만들었던 여러 차례의 경험을 우리는 가지고 있습니다. 다시 이와 같은 어리석음을 범해서는 안 된다고 생각합니다. 물론 서둘러야 할 일은 서두르겠습니다. 그러나 시간이 필요한 일은 인내심을 가지고 차근차근 해나가겠습니다. 이미 세워 온 계획에 따라서 착실하게 우리의 장기적인 잠재성장력을 키울 수 있도록, 그리고 지속적으로, 또 빠른 속도로 성장해갈 수 있도록 기초체력을 다지는 일에 노력을 집중하겠습니다.

경제의 위기를 걱정하시는 분들이 많이 있습니다. 저도 같은 걱정을 가지고 각별히 경각심을 가지고 상황을 살펴보고 있습니다. 위기의 징후를 방심해서 놓치거나 상황대처를 게을리한 결과가 국민들에게 엄청난 고통을 주고 지금도 헤어나기 어려운 많은 경제적 부담을 주고 있습니다. 다시는 이런 일이 발생하지 않도록 하나하나 점검하고 확인하고 대비하겠습니다. 다시는 정부가 소홀해서 다시 경제위기에 빠지는 일은 없도록 반드시 책임지고 관리해 나가겠습니다.

지난 두 달여 동안 일은 할 수 없었지만 상황을 하나하나 점검할 수는 있었습니다. 여러 가지 어려움이 중첩돼 있는 것이 사실입니다. 더욱이 최근에는 기름값이 매우 걱정스럽습니다. 그러나 이러한 여러 가지 위기적인 요인도 우리 국민과 우리 정부가 감당하지 못할 정도는 아니라는 것이 우리 정부의 판단입니다. 우리는 할 수 있습니다. 반드시 극복해 내겠습니다. 오히려 걱정되는 것은 우려되는 몇 가지의 징후를 너무 과장되게 생각하고, 그래서 불안을 더욱 더 증폭시키고 비관적 전망을 확산시켜서 거기에 따라 우리 정부와 국민이 과민반응을 하고 그 결과 경제에 악영향을 끼칠 수 있는 가능성을 주의해야 된다는 것입니다. 우려하는 목소리 중에는 순수한 우려도 있습니다만, 의도적인 우려의 목소리도 없지는 않은 것 같습니다. 개혁을 저지하기 위해서, 자기에게 불리한 정책을 유리한 방향으로 바꾸기 위해서 위기를 확대해서 주장하고, 불안을 조장하는 일은 없어야 한다고 생각합니다.

'이제는 경제입니다.' 저도 동의합니다. 그러나 이제는 경제라는 말 한마디가 장기적으로 우리 경제의 체질을 튼튼하게 하고 우리 경제를 발전시킬 수 있는 올바른 개혁을 저지하는 목소리로 작용해서는 안 됩니다. 당장의 경제문제가 모든 것을 덮어 버려서도 안 된다고 생각합니다. 어려울 때일수록 원칙에 충실해야 합니다. 바로 서 있는 원칙은 반드시 지켜야 하고 어렵다는 이유로 이것을 무너뜨려서는 안 됩니다. 잘못

돼 있는 제도는 바로잡아 나가야 됩니다.

원칙이 아닌 것은 원칙으로 바로 세워 나가야 합니다. 어렵다는 이유로 당장의 발등의 불을 꺼야 한다는 이유로 이와 같은 원칙을 포기하는 일은 없어야 합니다. 원칙을 지켜내지 못하면, 기본을 바로 세우지 못하면, 우리 경제의 미래를 기약할 수가 없습니다. 지금도 경제이고 미래도 경제입니다. 경제는 원칙에서 출발해야 합니다.

국민 여러분,

희망과 자신감을 가집시다. 지난날 우리는 많은 어려움을 극복해 왔습니다. 지금보다 훨씬 더 심각한 위기를 우리 국민들은 잘 극복해 왔습니다. 지난 1년 동안 참여정부는 많은 꾸지람을 들었습니다. 그러나 아무 것도 하지 않은 것은 아닙니다. 발등에 떨어진 불을 관리해 왔습니다. 그리고 앞으로 해야 할 일을 차근차근 준비해 왔습니다. 이제 제대로 된 경제정책을 실천할 수 있는 토대를 마련했습니다. 또박또박 실천해 나가겠습니다.

우리 경제는 혁신주도형 경제로 발전해 나가야 합니다. 공공부문, 시장, 이 모든 부문을 이제 혁신해야 합니다. 기술혁신하고, 인재양성하고, 시장개혁하고, 우리 경제의 발목을 붙잡고 있는 정치·행정 등에 있어서의 모든 부조리를 말끔히 정리하고, 보다 더 투명하고 공정한 시장의 토대를 마련함으로써 우리 경제는 다시 살아날 수 있고 경쟁력을 확보해 나갈 수 있습니다. 하나하나 착실히 챙겨나가겠습니다. 정치개혁, 경제, 그 이외에도 국민여러분께서 걱정하시는 많은 문제들이 있습니다. 이라크 파병 문제도 그중에 하나일 것입니다. 이와 같은 많은 문제들은 그때그때 필요한 시기에 저의 생각을 정리해서 말씀드리도록 하겠습니다. 오늘은 짧게 복귀하는 저의 각오만을 말씀드리겠습니다.

다시 시작하는 마음으로 신발 끈을 동여매고 열심히 뛰겠습니다. 도와 주십시오. 또 함께 합시다. 국민 여러분께서 함께하시면 우리는 성공할 수 있습니다. 대통령이 아무리 하려고 노력해도 국민 여러분들의 신뢰와 지지가 없으면 성과를 낼 수가 없습니다. 다소 모자람이 있더라도 여러분이 함께해 주시면 성공할 수 있을 것입니다. 최선을 다하겠습니다.

감사합니다.

스승의 날 사랑의 사이버 카네이션 메시지

2004년 5월 15일

존경하는 선생님 여러분, 안녕하십니까?

스승의 날을 진심으로 축하드립니다. 어려운 교육 여건 속에서도 우리 학생들을 사랑으로 가르치고 계신 선생님의 노고에 깊은 존경과 감사의 마음을 전합니다. 누구나 그렇듯이 저도 학창시절 선생님들로부터 많은 가르침을 받았습니다. 선생님의 사랑과 격려는 꿈을 향해 나아가는 용기가 되었고, 말씀과 행동으로 보여 주셨던 가르침 하나하나는 삶의 지혜로 남아 있습니다. 지금도 제 어릴 적 모습을 또렷하게 기억하시는 선생님을 뵈면서 제자들에 대한 깊은 관심과 애정에 고개가 숙여집니다.

스승의 길은 절제와 인내가 요구되는 힘든 길이지만 보람 또한 큰 길입니다. 우수한 인재, 건강한 사회인을 길러내는 일만큼 가치 있는 일이 또 어디 있겠습니까? 이토록 중요한 일을 하고 계신 선생님이야말로 우리나라의 희망찬 미래를 열어 가는 주역입니다. 긍지와 자부심을 가지고 우리의 동량을 키워 가는 데 더욱 힘써 주시기 바랍니다. 저와 참여정부는 지속적인 개혁으로 올바른 공교육상을 정립하는 한편 선생님들이 보다 나은 환경에서 가르치는 일에만 전념할 수 있도록 관심과 지원을 아끼지 않을 것입니다. 무엇보다 교직이 선망의 대상이 되고, 선생님들이 존경받는 사회 분위기를 만드는 일에 최선을 다하겠습니다.

사제간의 정이 넘치는 뜻깊은 스승의 날이 되기를 바라며, 그동안의 노고에 다시 한번 감사드립니다. 늘 건강하고 행복하십시오.

2004 전국중소기업인대회 축하 메시지

2004년 5월 17일

전국중소기업인대회를 진심으로 축하드립니다. 어려운 가운데에서도 용기를 잃지 않고 열심히 노력하고 계신 전국의 중소기업인과 근로자 여러분에게 마음으로부터 깊은 위로와 격려의 말씀을 드립니다. 아울러 오늘 영예로운 상을 받은 분들에게 따뜻한 축하 인사를 전합니다. 최근 중소기업들이 겪고 있는 고통을 잘 알고 있습니다. 중소기업을 지원하고 육성하겠다는 정부의 의지는 그 어느 때보다 확고합니다. 당장 겪고 있는 어려움을 이겨낼 수 있도록 적극적인 대책을 세워 나가겠습니다.

그러나 보다 중요한 것은 중소기업의 장기적인 경쟁력을 키우는 일이라고 생각합니다. 중소기업 스스로 어떤 난관이 오더라도 극복해낼 수 있는 경쟁력을 가져야 합니다. 정부는 중소기업의 경쟁력 강화정책을 지속적으로 확대해 나갈 것입니다.

공정하고 투명한 시장을 만들어 실력 있는 중소기업이 대기업과 당당히 경쟁하고 협력할 수 있는 환경을 만들어갈 것입니다. 대기업이라 해서 특별히 유리하거나 중소기업이라고 불리하지 않은 가운데, 중소기업과 대기업이 우리 경제를 이끄는 두 바퀴로서 균형있게 발전해 나가도록 하겠습니다. 정부가 역점을 두고 있는 과학기술 혁신과 인재양성 정책도 중소기업의 어려움을 덜고 경쟁력을 높이는 방향으로 추진해 나갈 것입니다. 기술개발에 앞장서는 중소기업에 대해서는 가능한 모든 지원을 아끼지 않겠습니다. 특히 지방 중소기업에 각별한 관심과 노력을 기울여 나가겠습니다.

그러나 결국 여러분이 하는 것입니다. 정부는 비탈진 경기장을 평평하게 해 주고 공정한 심판이 되어 줄 수 있을 뿐 실제 경기는 여러분의 몫입니다. 기업의 투명성을 높이고 독창적인 기술개발에 매진하며 노사관계를 안정시켜 나가는 것은 바로 여러분이 해야 할 일입니다. 이러한 노력을 통해서 '한국 경제의 미래, 중소기업이 열어 갑시다'라는 이번 행사의 슬로건처럼 여러분이 어려운 경제를 회복시키는 견인차 역할을 해 주시기를 당부드립니다. 정부도 힘껏 돕겠습니다.

우리 모두 자신감과 희망을 갖고 함께 노력해 나갑시다. 이번 행사가 새로운 결의를 다지고 출발하는 심기일전의 뜻깊은 계기가 되기를 기대하면서, 여러분 모두의 건승과 행복을 기원합니다.

감사합니다.

5·18민주화운동 24주년 기념식 연설

2004년 5월 18일

존경하는 국민 여러분, 광주시민과 전남도민 여러분,

우리는 오늘 24년 전 5·18민주화운동의 참뜻을 기리기 위해서 이 자리에 모였습니다. 자유와 정의, 민주주의라는 결코 포기할 수 없는 가치를 위해서 고귀한 목숨을 바치신 5·18영령들 앞에 머리 숙여 삼가 명복을 빕니다. 그날의 상처로 오늘 이 순간까지 슬픔과 고통을 겪고 계신 유가족과 부상자 여러분께 충심으로 위로의 말씀을 드립니다.

광주의 용기와 희생은 결코 헛되지 않았습니다. 5·18광주에서 시작된 민주화의 불꽃은 1987년 6월항쟁을 거쳐 평화적 정권교체를 이루어 내고, 마침내 시민참여혁명을 통해서 참여민주주의 시대를 열어 가고 있습니다. 1980년 광주의 함성은 가슴 아픈 기억인 동시에 가슴 벅찬 승리의 노래가 되었습니다. 그 때의 광주를 생각하면 지금도 우리의 가슴은 뜨거워집니다. 불의한 권력의 무자비한 폭력에 맞서 분연히 떨쳐 일어섰던 위대한 광주시민과 전남도민 여러분께 한없는 감사와 존경의 말씀을 올립니다.

존경하는 광주시민과 전남도민 여러분,

이제 광주는 민주주의의 성지로서 숭고한 빛을 발하고 있습니다. 5·18 당시 여러분은 참으로 놀라운 용기와 절제력으로 분노와 두려움을 승화시켜 민주주의 시민상을 구현해냈습니다. 아니, 이를 뛰어넘어서 도덕적 시민의 모범을 보여 주셨습니다. 너와 내가 따로 없이 다 함께 부상자를 치료하고 아픔과 어려움을 함께 나누었습니다. 여러분 모두가 주인의식을 갖고 스스로 치안을 유지하고 질서를 지켜냈습니다. 진정한 민주주의가 무엇인지, 그 누가 어떤 사람이 민주주의를 외칠 자격이 있는지를 온몸으로 보여주셨습니다.

지난 3월 저는 전국의 밤을 환하게 밝혔던 촛불시위를 TV를 통해 지켜보았습니다. 선진 민주국가에서도 찾아보기 힘든 평화적이고 질서정연한 모습은 제게 크나큰 감동을 주었습니다. 이 일이 어떻게 가능했겠습니까? 그것은 바로 5·18광주가 있었기 때문입니다. 불의를 용납하지 않되 민주적인 행동 또한 포기하지 않았던 5·18광주의 자랑스런 전통이 우리 국민의 가슴속에 살아 숨쉬고 있음을 확인할 수 있었습니다.

국민 여러분,

5·18은 독재에 대한 시민의 저항이기도 했지만, 한편으로는 과거 군사독재 정권들이 장기집권을 위해서 또는 장기집권의 결과로서 호남을 따돌리고, 국민을 지역으로 가르고 이간질해서 분열시켰던 반역적 범

죄행위에 대한 저항이기도 했습니다. 그리고 이것은 정당한 것이었습니다. 인류 역사를 돌이켜 보면 많은 나라가 외부의 적이 아니라 내부의 분열로 멸망했습니다. 지난날 우리의 역사도 그랬거니와 지금도 분열로 인한 고통과 위험에서 헤어나지 못하고 있습니다. 이 점에서 아직까지도 5·18은 완성되지 않았습니다.

저는 분열을 극복하는 일이야말로 우리에게 맡겨진 가장 중요한 과제라고 생각합니다. 다행히 지난 총선을 통해서 이러한 분열구도가 약간은 무너지는 것 같습니다. 우리는 지금 새로운 정치의 희망을 보고 있습니다. 이 새로운 희망의 싹을 반드시 살려 나가야 합니다. 화합과 상생의 시대를 열어야 합니다. 서로를 존중하며, 대화와 타협의 문화를 만들어 나가야 합니다. 규칙을 존중하고 결과에 승복하는 민주주의 문화를 정착시켜 나가야 합니다. 그리하여 온 국민이 하나가 될 때 5·18광주정신은 완성이 될 것입니다.

그러자면 억압하고 배제하고 일방통행하던 권위주의 시대의 낡은 생각과 습관을 버려야 합니다. 그 시절의 기득권도 향수도 이제는 버려야 합니다. 고통과 분노, 증오와 원한도 이제 뛰어넘어야 합니다. 용서하고 화해해서 하나가 됩시다. 이를 위해 진심으로 사과하고 용서를 구하고 고통과 상처가 영광이 될 수 있도록 온 국민이 마음을 하나로 모아야 할 것입니다.

존경하는 국민 여러분,

가슴을 열고 지금부터 새롭게 출발합시다. 5·18을 통해 광주는 '두려움을 무릅쓰고 진실을 말하는 용기', '소신을 행동으로 실천하는 용기'

를 보여 주었습니다. 이제 말이 아니라 실천으로, 명실상부한 통합의 길로 나아갑시다. 그 통합된 힘으로 우리 사회의 잘못된 관행과 제도를 하나하나 고쳐 나갑시다. 그리하여 성숙한 민주주의 시대를 열고, 마침내 민족이 하나가 되고, 평화와 번영이 함께 하는 동북아 시대를 앞장서서 열어 갑시다. 그 안에서 우리의 아들딸들이 보람 있고 행복한 삶을 누리게 합시다.

이것이 5·18이 지금 우리에게 던지는 숙제이자 5·18의 숭고한 뜻을 완성하는 길이라고 생각합니다. 5·18영령들이 우리를 지켜 줄 것입니다. 오늘 이 자리가 하나되는 대한민국을 위한 우리의 다짐을 새롭게 하는 계기가 되기를 바랍니다.

광주시민 여러분, 전남도민 여러분, 감사합니다.

불기 2548년 부처님 오신 날 봉축 메시지

2004년 5월 25일

부처님 오신 날을 진심으로 축하드립니다.

큰 깨달음으로 중생의 앞길을 밝혀 주신 부처님의 높은 공덕을 기립니다. 뜻깊은 날을 맞아 우리는 불교정신의 참된 의미를 다시 한번 새겨 보아야 할 것입니다. 특히 서로의 차이를 인정하면서 보다 높은 차원에서 통합을 이루는 원융회통(圓融會通)의 정신이야말로 우리가 구현해 나가야 할 가르침이 아닌가 생각합니다.

우리 사회에는 아직도 갈등과 대립이 적지 않습니다. 대화로 옳고 그름을 가릴 수 없는 감정을 가지고 적대와 불신을 키우거나, 말로는 화해와 상생을 얘기하면서도 자신의 주장만을 고집하는 모습이 여전히 남아 있습니다. 이제 가슴을 열고 마음을 모아 명실상부한 통합의 길로 나아가야겠습니다.

이를 위해서는 상대를 존중하는 가운데 대화하고 타협하는, 그래서 결론을 얻는 민주주의 문화를 뿌리내려야 합니다. 공정과 투명을 바탕으로 서로 신뢰할 수 있는 사회를 만들어야 합니다. 그 위에 어려운 사람들을 돌아보고 보살피는 자비의 마음으로 따뜻한 세상을 이루어야 하겠습니다. 이것이 화합과 상생의 불교정신을 오늘에 되살리는 길이라고 생각합니다.

부처님 오신 날을 거듭 봉축드리며, 부처님의 대자대비하심이 온누리에 가득하기를 기원합니다.

연세대학교 초청 연설

2004년 5월 27일

여러분, 감사합니다. 존경하는 총장님께서 저를 아주 호의적으로 소개해 주셔서 대단히 감사합니다. 참 반갑고, 또 이 자리가 매우 기쁩니다. 우선 여러분의 초청을 받았다는 사실이 영광스럽습니다. 그리고 자랑스럽습니다.

특별히 기쁜 이유 중의 하나는 제가 자유롭지 않은 일을 오늘 할 수 있게 되었기 때문입니다. 대통령이 되면 대개 하고 싶은 대로 할 수 있을 것으로 생각했는데, 그렇게 자유롭지 않습니다. 저는 젊은 사람들 만나서 대화하는 것을 참 좋아하는데 그럴 기회를 가지기가 어렵습니다. 오늘 이렇게 나와서 못하던 일을 하니까 얼마나 기쁘겠습니까? 초청해 주신 데 대해서 다시 한번 감사말씀 드립니다.

제가 어떻게 살았는가는 낱낱이 공개가 되어서 여러분이 모르는 것이 없겠지만 오늘 강의는 '자신은 어떻게 생각하고 있는지 한 번 말해 봐라.' 이런 뜻이겠지요. 그래서 제가 생각하는 저의 삶을 한 번 얘기해 보겠습니다. 아마 여러분이 상상하지 못한 것일 겁니다. 성공했지요, 제가. 성공의 비결은 뭔가? 여러분이 들어 보시고, '혼자만 성공하지 말고 우리나라도 국민도 모두 함께 성공할 방법을 내놓으시오.' 그런 희망을 말해도 좋을 만큼 비결을 내놓겠습니다. 과연 대통령은 어떤 나라를 만들기를 원하는가? 혼자서 다 만들 수 있는 일이 아니라서 저도 그것을 소망으로 여러분께 말씀드리면서, '함께 한 번 해 보자.' 이렇게 제안드리겠습니다.

멀리 내다보고 멀리 가야 할 우리나라의 미래가 있겠지만 당장 이 시기의 시대적 과제가 뭐라고 생각하는가, 어러분과 제 생각이 맞는지 한 번 맞추어 봅시다. 그리고 요즘 인기 있는 쟁점들, 모두들 관심을 가지고 인터넷 토론방에서 서로 논란되고 있는 문제들에 관해서 제가 가진 생각도 몇 가지 말씀드리겠습니다. 제 장래의 계획도 말씀드리겠습니다. 이렇게 하면 제게 주어진 시간이 모자랄 것 같습니다. 그래서 경우에 따라서는 제목만 얘기하고 넘어가도록 하겠습니다.

어떻게 살았는가? 아마 제가 제일 관심을 가졌던 것은 먹고사는 문제였습니다. 멋지게, 보람 있고, 가치 있게 살기 이전에 그냥 삶에 대한 불안 없이 살고 싶었습니다. 그것이 첫번째였습니다. 저는 지금까지 크게 고생하지 않고 굶주리지 않고 살아온 것을 정말 다행스럽게 생각하고, 그래서 행복하다고 말하고 싶습니다. 시대가 여러분과 좀 달라서 가치 있는 삶을 추구하는 것보다 현실적으로 먹고사는 것이 중요하던 어린 시절을 보냈기 때문에 그랬는지도 모르겠습니다.

그 다음에 뭐 했냐? 사랑하고, 아이 낳고, 지금은 손녀가 참 귀엽고 이쁩니다. 그렇습니다. 사랑하고 살았습니다. 이것을 제가 소중하게 말씀드리는 이유는 저는 섭리를 거역하지 않았고, 우리가 추구하는 많은 고상한 가치가 있지만 그 어느 가치보다 섭리에 순응하면서 사는 것이 중요하다고 생각합니다. 그래서 하느님이 섭리, 자연의 섭리, 그 섭리를 거역하지 않는 가치관을 가지려고 하고, 또 그것을 존중하면서 그렇게 살려고 합니다. 이거 깨닫는 데 시간이 오래 걸렸습니다. 옛날에는 단지 산다는 것 그 이상의 가치, 하나님의 섭리를 거역하면서 내가 개척하는 그런 삶을 모색해 봤는데, 결국 돌다가 섭리를 거역하지 않는 것이 좋겠다, 그런 삶을 삽니다.

그럼에도 끊임없이 도전했고 매 시기 승부의 연속이었습니다. 아마 여러분도 그렇게 보면 그럴 것입니다. 여러분은 끊임없이 도전하고, 또 크고 작은 승부를 이어가고 있을 것입니다. 무엇에 도전했는가? 저는 현실, 그리고 현실의 문제에 도전했습니다. 어떤 관념과 주의를 먼저 내세우고 그것을 실현하기 위해서 도전했다기보다는 내 앞에 부닥쳐 있는 문제들에 도전했습니다.

제가 부닥친 문제는 끊임없이 변화했습니다. 제가 중학교 3학년 다닐 때에는 진학할 형편이 안 될 것 같아서 진학을 포기하고 공무원시험 준비를 했습니다. 먹고사는 문제가 저의 문제였지요. 고등학교 다닐 때도 취직, 어떻게 부모님을 모실까를 생각했습니다. 형편이 좀 좋아져서 고시공부를 하게 됐는데, 고시공부를 하면서는 성공이었습니다. 자라면서 항상 읍내 아이들한테 약간의 열등감을 가지면서 살았던 시골 아이라서 아마 성공에 대한 집착이 좀더 강했을는지는 모르겠습니다. 그러나 어떻든 저는 성공하려고 고시를 했습니다.

보통 대학교에 수석합격을 하고 나면 '고시에 합격에서 가난하고 힘없는 사람들을 위해서 일하는 변호사가 되겠다. 돈이 없어 치료받지 못하는 사람들을 치료해주는 의사가 되겠다.' 이런 말들을 곧잘 합니다. 그건 진심이라고 생각합니다만, 제게는 그런 꿈조차도 없었습니다. 그냥 판사가 되고 싶었습니다.

고시공부를 하고 있는 동안에 10월 유신이 일어났습니다. 법이 짓밟힌 사건이지요. 여러 가지가 짓밟혔지만 그때 제가 보는 관점에서는 법이 짓밟히는 그런 사건이었습니다. 그런데 저는 그 유신헌법을 열심히 공부했습니다. 그래서 판사가 됐습니다. 유신헌법 공부하고 고시 합격해서 판사가 됐으니까 '유신판사' 아닌가? 그렇게까지는 아닌 것 같습니다.

제 부모는 옛날에 창씨개명을 했습니다. 그래서 항상 '친일파'가 아닌가, 이렇게 생각하면서 고심을 했습니다. 지금도 이 문제는 우리의 숙제로 남아 있습니다. 프랑스에서 전후에 민족을 배반한 사람들을 숙청했는데, 그때 숙청의 범위를 어디까지로 할 것인가가 아마 굉장히 어려운 사회문제였다고 생각합니다. 어디까지 숙청할 것이며, 숙청의 등급을 어떻게 할 것인가, 공직에 취임하지 못하게 하는 정도로 할 것인가, 고위 공직에 취임하지 못하게 하는 정도로 할 것인가, 그 사회에서 지도적인 역할을 하지 못하게 해야 할까, 또는 감옥에 보내야 할까, 어떤 사람이 이런 많은 등급 중 어느 등급에 해당되어야 하는가?

이것은 지금도 친일 잔재를 청산하기 위해서 노력하고 있는 우리가 함께 고민하고 진지하게 생각해 봐야 될 문제입니다. 과거에 떳떳하지 못했던 모든 사람이 숙청돼야 한다면 저도 숙청대상이 되어야 합니다. 그러면 숙청 안 될 사람이 몇이나 될 것인가, 이것도 좀 걱정이 됩니다. 이런 어려운 문제를 하나 던지고 넘어가겠습니다.

지금까지 드린 말씀은 전부 내 문제였습니다. 나로부터 조금 벗어난 때가 변호사 시절입니다. 열심히 나를 위해서 돈벌이를 했습니다만, '변호사 비리를 한 번 해소해 보자.' 그렇게 해서 이런저런 노력을 하기도 했습니다. 법원과 검찰의 권위주의, 거기 가서 할 말도 못하고 고개 숙이고 손만 비비는 변호사, 이런 문화를 바꾸어 보자는 도전을 하기도 했습니다. 그래서 때로는 몇몇 재판부에서 찍힌 변호사가 되기도 했습니다. 그 결과로서 혹시 제 의뢰인에게 손해를 입히지 않았는가 하는 그런 불안이 있었습니다.

시국사건 변론을 했습니다. 아마 자기만의 삶에 대한 부끄러움, 젊은 사람들을 만나서 받은 충격, 자존심, 정의감, 이런 것들이 조금은 있었나 봅니다. 그러나 가장 큰 이유는 제 아이가 초등학교 5학년이었고, 8년 뒤에는 대학교를 가게 생겼는데, 바로 1980년대 초반 그 시기에는 대학교에 가면 자유·정의·민주주의를 배우게 되어 있고, 그것을 배우면 배운 것과 다른 현실에 반감을 갖지 않을 수 없고, 그러면 반드시 데모를 할 것 같았습니다. 데모를 하면 이름이 적히고 평생 취직이 안 됩니다. 또 끌려가서 죽도록 맞습니다. 물론 저도 제 뒤에 형사 두세 사람이 따라다니는 수준의 사람이 되어 있었습니다만, 우리 아이가 그 꼴을 당한다고 생각하니까 도저히 견딜 수가 없었습니다. 어떻게 하면 우리 아이들은 이런 세상에서 살지 않게 할까, 아무리 생각해도 우리가 감옥 가는 수밖에 없겠다, 그래서 그만 문제 변호사가 됐습니다. 제법 괜찮지요? 제가 사회문제에 눈을 떠온 과정을 말씀드렸습니다.

오랫동안 도전하고 오랫동안 승부를 해 봤습니다만, 가장 어려웠던 승부는 자신과의 승부였습니다. 긴 설명 드리지 않아도 여러분 다 짐작하실 것입니다. 가장 어려운 적, 가장 어려운 상대는 제 마음속에 있습니다. 저의 이기심 안에 있고, 저의 비겁함 안에 있고, 저의 안일함 안에 있습니다. 그렇습니다. 제 안에 있습니다. 어떻든 그럭저럭 여기까지 왔습니다.

이제 성공의 비결을 말씀드리겠습니다.

저는 제가 성공했다고 생각합니다. 제가 성공한 비결, 확실하게 투자하라는 겁니다. 가진 것 그대로 다 가지고 더 가지겠다는 도전, 이것은 안전하긴 하지만 성공하는 데에는 큰 도움이 되지 않는 것 같습니다. 적어도 승부를 걸어야 되는 성공의 과정에서 투자하려거든 확실히 하십시오. 저는 제 인생을 걸었다, 이렇게 생각하면서 해 왔습니다. 성공보다는 당면한 문제에 몰두했습니다. 매 시기 현재에 몰두했습니다. 멀리 내다보긴 하지만 그것은 내다볼 뿐이지 항상 현재에 전부를 투자했습니다. 대통령 되겠다고 그 시기까지 나온 사람 중에서는 제가 가장 적극적으로 투자했습니다. 가장 확실하게 투자했다는 것이지요.

좋은 일은 아닙니다만, 역대 대통령들을 돌이켜 보니까 다 죽다가 살아난 사람들이에요. 저 앞에 대통령이 되신 분들은 이런저런 이유로

다 목숨을 걸었던 사람들입니다. 이승만 대통령, 그렇지요? 박정희 대통령, 저는 결코 찬성할 수 없습니다만, 어떻든 한강을 건널 때 그는 목숨을 걸고 건너지 않았겠습니까? 그리고 전두환, 노태우, 그분들의 쿠데타도 찬성할 수 없는 일이지만 실패하면 죽는 겁니다. 김영삼 대통령, 김대중 대통령도 다들 돌아가실 뻔했습니다. 저는 그런 일은 없었습니다. 세상이 좋아진 거지요. 그래서 다행히 목숨을 걸지 않고 대통령이 된 첫번째 대통령입니다, 제가. 그래서 국민들께 감사하게 생각합니다. 그러나 밑천 들인 것을 보면 그래도 제가 제일 화끈하게 투자를 했지요. 똑똑하게 못할 바에는, 제대로 못할 바에는 정치 안 한다, 이런 결심을 가지고 했습니다.

두번째 성공비결, 끊임없이 변화해 왔다는 것입니다. 그렇게 자부합니다. 조금 전에도 말씀드렸듯이 제가 변호사를 할 때 이미 세상을 알고 역사를 알고 했던 것이 아니고 그저 저만 잘 먹고사는 사람이었습니다만, 끊임없이 자신의 목표를 바꾸고, 어떻든 부닥친 문제를 풀기 위해서 변화해 왔습니다. 길게 설명하려면 참 많겠는데, 저는 지금도 그렇게 생각하고 있습니다.

저를 중심으로 세상을 바꾸려 하는 것이 아니라 세상이 바뀌는 방향으로 동참하면서 저를 바꾸어 왔다고 생각합니다. 그리고 항상 변화를 수용해 왔습니다. 그것을 위해서 저는 열심히 공부했습니다.

세번째 비결은 공부입니다. 열심히 공부했습니다. 지금도 저는 열심히 공부하고 있습니다.

네번째는 시운(時運)입니다. 어떻든 그렇게 가다 보니까, 제가 아마 시대가 요구하는 것과 상징적으로 비슷하게 보였나 봅니다. 그러니까 '너, 대통령 한 번 해라.' 이렇게 시켜 준 게 아닌가 생각합니다. 어떤 나라를 원하는가? 여러분은 아마 잘 모르시겠지만 인수위 시절에 공을 들여서 국정목표라는 것을 만들었습니다. '국민과 함께하는 민주주의', '더불어 사는 균형발전사회', '평화와 번영의 동북아 시대'가 그것입니다. 뭔가 섭섭하지요? '활력있고 넉넉한 나라'야 되지 않겠습니까? 그래야 더불어 살기도 하고, 질 높은 삶고 품위있고 문화적인 삶도 다 함께 누릴 수 있기 때문에 넣어야 되는데, 4개나 하려니까 많아서 외우기도 어렵겠고 '균형발전'과 '평화와 번영'에 발전과 번영이 들어 있으니까 그것으로 잘사는 나라는 갈음하자, 이렇게 했습니다.

지금 생각해 보니까 전달이 잘 안 되는 것 같아서 '활력있고 넉넉한 나라'를 한 번 넣었으면 좋겠습니다. 제가 그랬듯이 많은 국민들은 당장 먹고사는 것이 제일 큰일인데, 그걸 1번으로 넣어 주어야 되지 않겠습니까? 이런 나라가 되기 위해서 정부는 어떤 정부가 되어야 하는가? 참여정부가 되어야 한다, 국민이 참여하는 정부라는 뜻입니다. 그것만 하려고 하니까 다른 당하고 국정목표가 너무 닮았어요. 그래서 차별화하자, 방향은 같다 하지만 우선순위가 다르고 가는 길이 다르다, 전략이 다르다는 것을 말하자, 그래서 전략으로 '원칙과 신뢰', '공정과 투명', '대화와 타협', '분권과 자율' 이라는 국정원리를 말했습니다.

'원칙과 신뢰'가 똑같이 가는 건 아닙니다. 그렇지만 원칙이 바로 서서 그 원칙이 우리의 삶을 지배하는 사회가 신뢰할 수 있는 사회가 아니겠는가, 그렇게 생각합니다.

'분권과 자율'이라든지 '대화와 타협'이라든지 '공정과 투명'이라든지 하는 것은 제가 오랫동안, 대통령 꿈꾸기도 훨씬 전부터 얘기해 오던 것입니다. 하나 더 보탠다면 희망과 낙관이 있는 나라, 낙관적 희망이 지배하는 나라가 됐으면 좋겠습니다. 아주 중요하다고 생각합니다.

신뢰는 한 번 더 말했으면 좋겠습니다. 신뢰가 먼저냐, 민주주의가 먼저냐? 신뢰가 먼저입니다. 인간이 경험한 많은 사회 중에는 전제군주사회도 있고, 귀족사회도 있고, 독재사회도 있고, 파시스트사회도 있습니다. 그 모든 사회에서 가장 중요한 것이 신뢰입니다. 신뢰가 무너진 사회는 존재할 수가 없습니다. 신뢰가 있는 나라여야 합니다. 상대방이 나와 한 약속을 지킬 것이라는 믿음이 없으면 별의별 장치를 다해야 됩니다. 상대방이 선의를 가지고 있다는 믿음이 없으면 속지 않기 위해서 준비해야 되는 일이 너무 많습니다. 계약을 맺을 때 상대방이 위약할 경우에 대비해서 방어할 수 있는 모든 조항들을 집어넣어서 계약서 하나 만드는 데 보름이나 한 달씩 걸립니다. 변호사 비용이 엄청 나가지요. 국가가 나의 안전을 지켜 주지 않을 것이라는 그런 불안이 있을 때 개인 경호 시스템을 하게 됩니다. 남아프리카 같은 나라에서는 지금 경찰보다 개인경비 용역업에 고용되어 있는 사람이 훨씬 더 많고, 거기에 많은 비용을 지불하고 있습니다. 그러면 돈 없는 사람은 어찌하란 말이냐 하는 질문이 바로 나올 수 있겠지요.

이렇듯 믿음을 바로 세우는 것이 가장 중요한 일이라고 한다면 어떻게 해야 하는가? 말대로 행동해야 합니다. 말한 대로 행동해야 합니다. 그래야 믿음이 생깁니다. 선의를 가지고 행동해야 합니다. 말한 내용을 말 비슷하게 하긴 하는데, 또 다르게 해석해 가지고 그 본뜻을 어떻게든 왜곡시켜 보려는 노력, 선의가 없이 맺은 계약은 그 방향으로 갑니다. 그래서는 안 됩니다. 진실해야 됩니다. 진실하게 말하고 진실하게 이행해야 합니다. 이것이 사회의 신뢰를 세우는 방법입니다. 신뢰 중에 중요한 것 하나는 그 사회 지도적인 인사들의 행동입니다. 지도적인 인사라고 말하는 사람들이 말과 행동을 달리할 때 그 사회의 신뢰가 붕괴됩니다. 지도자는 그야말로 말대로 실천해야 됩니다. 그리고 지도자는 진실을 말해야 됩니다. 아울러서 지도자는 말할 자격을 갖추어야 됩니다. 말할 자격 없는 사람이 좋은 말을 자꾸 하면 좋은 말을 버립니다.

한국적 민주주의, 들어 보셨습니까? '한국적 민주주의'란 이름을 붙여서 민주주의를 완전히 말살시켜 놓고 입만 열면 민주주의한다고 하니까 사람들이 믿지 않는 시대가 된 거죠. 그 후유증이 엄청납니다. 물론 그때도 공정한 사회를 말하지 않았겠습니까? 정의로운 사회, 기억나십니까? 1980년 전두환 대통령이 내걸었던 '정의로운 사회.' 절대로 보통사람일 수 없는 분이 '보통사람'을 얘기했습니다. 현직 대통령이 전직 대통령을 비방한 결과가 될 것 같네요. 어쨌든 존재했던 사실입니다. 신뢰라는 것이 매우 중요합니다.

이 시대에서 가장 큰 문제로 생각하는 것이 뭐냐? 저는 분열이라고 생각합니다. 우리나라가 앞으로 제대로 가려면 뭘 해야 하나? 분열을 극복해야 합니다. 생각해 보십시오. 조선이 무너졌습니다. 힘이 없어서 무너졌습니다. 그러나 그러면서도 가장 처참하게 무너진 것은 분열하고 무너진 것입니다. 지도층의 분열과 더불어서 무너진 것입니다. 그 이전의 경우도 마찬가지입니다. 우리나라에 있어서 분열은 각별합니다. 서로 용납할 수 없는 가치를 가지고 살았던 시대가 너무 오래됐습니다. 아무리 우리가 서로를 존중하고 공존하려고 해도 공존의 범위를 벗어나는, 그런 대립이 있을 때에는 공존하기가 어려운 것입니다. 일제시대에 '친일하고 살자, 일본이 시키는 대로 하고 살자.'라고 말하는 것은 결코 받아들일 수가 없는 일이기 때문에 서로 공존할 수 있는 가치가 아닙니다. 친일과 항일은 공존할 수 있는 가치가 아니지요.

해방이 되고 난 뒤에 소위 용공과 반공, 좌익과 우익 해 가지고 실제에 있어서 어떻든 결코 서로를 용납하지 않는 대결의 시대를 지내 왔습니다. 그 다음에 독재와 반독재, 아무리 민주주의한다 하지만 독재와 어떻게 타협을 할 수 있겠습니까? 독재적 방법과 타협할 수 없는 것이죠. 저항이 있을 뿐이죠. 그래서 민주주의가 가지고 있는 상대주의의 한계라는 것이 바로 민주주의 원리를 부정하는 사상과 행동이죠. 그래서 저항권이라는 것을 만들어 놓았습니다.

물론 개별국민들은 민주주의 제도에 대해서 비판하고 공격할 자유가 폭넓게 인정되지만 적어도 국가권력은 그래서는 안 됩니다. 자유의 폭이 다릅니다. 민주주의에 대해서 비판할 수 있고 문제를 제기할 수 있지만, 그것은 일반국민 개인에 한한 것이지 국가권력이 그럴 수는 없다는 것이지요. 그리고 적어도 국가권력을 추구하는 정도의 조직적 집단이 그것을 추구하는 것을 우리 법·질서는 결코 용납할 수가 없습니다. 양심의 자유가 이미 아닙니다. 그래서 독재와 반독재, 그렇게 싸웠죠. 지금도 그 연장선 위에서 살고 있는 사람들이 많이 있습니다.

어떻게 극복할 것인가? 대화와 타협의 문화를 만들어야 합니다. 이제 민주주의는 어떻든 서로 존중하고 대화와 타협으로써 합의를 만들어 나가고 적어도 논리적으로 합의가 되지 않더라도 절충을 해서 타협해야 합니다. 타협으로라도 합의를 만들어 나가야 합니다. 이런 것이 우리 시대에서 새로운 문화로 자리잡아야 합니다. 왜 대화와 타협을 강조하느냐 하면, 그동안 우리 사회의 권력을 가지고 있던 사람들, 지배적인 힘을 가지고 있던 사람들은 그들을 반대하는 사람들, 그들의 기득권에 도전하는 사람들을 용납하지 않았습니다. 배제했습니다. 말하지 못하게 하고, 말하면 잡아 가두고, 또 잡아넣기 위해서 때리고, 심하면 죽이고 그랬습니다. 배제의 시대를 우리가 수십년간 살아 왔던 것입니다. 그 배제의 시대에 싹튼 저항의 논리가 또한 비타협 저항입니다. 비타협 투쟁노선입니다. 지금도 학생운동의 일부에 그 노선이 살아남아 있죠? 그런데 문제해결이 안 됩니다. 우리나라는 이제 대화와 타협으로 문제를 풀어갈 수 있는 정치적 조건이 형성되었다고 말할 수 있습니다. 지금 여야가 죽기 살기로 싸우지 않더라도 실적에 따라서 4년 뒤에 다시 심판하지 않습니까? 당장의 견제와 균형도 중요하지만 4년 뒤에 바꿀 수 있는 가능성을 가지고 있다는 것이 매우 중요합니다.

좀 엉뚱한 얘깁니다만 조폭문화를 청산해야 됩니다. 조폭문화는 외부세계에 대해서는 전혀 법을 존중하지 않습니다. 하지만 내부적으로는 칼 같은 규율을 세워 놓고 있습니다. 그 사이에서는 철저히 충성과 보상의 관계를 맺고 있습니다. 이것이 조폭문화입니다. 그 조직에 들어 있는 한 특별한 대우를 받고 특별한 대우를 합니다. 그래서 아주 폐쇄적인 특권적 집단이 되는 것이죠.

이것이 과거 군국주의 군대에도 살아 있었고, 정치권력에도 이런 논리가 통했던 때가 있었습니다. 보편적 지지가 없으니까, 보편적으로 승인된 가치를 부정하니까 많은 사람들의 저항이 있을 수밖에 없습니다. 저항을 더욱더 강고하게 제압해야 되고, 그러다 보니까 주종관계를 맺고 물질적인, 명예적인 보상을 주면서 갈라먹기를 합니다. 그렇게 해서 외부세계의 보편적 법·질서를 유린하는 것을 조폭질서라고 말해야 되지 않겠습니까? 이게 지난날 우리의 정치였습니다. 잔재가 남아 있다는 것이죠. 제가 정경유착을 끊자고 한 이유는 여기에 있습니다. 그 사이에 불합리한 부당한 거래가 이루어지면 일반 국민이 피해를 입게 된다는 것이죠.

권언유착도 끊읍시다. 권언유착은 끊긴 것 같은데, 정언유착은 남아 있는 것 같습니다. 그 유착에는 항상 부당한 이익이 발생하고 부당한 특권이 발생합니다. 아직 정부 안에 있는 권력기관에도 이 사고의 잔재가 남아 있는 부분들이 없지 않습니다. 참여정부가 끝날 때에는 다 없어질 겁니다. 정부 안의 것은 제가 책임지겠습니다. 정경유착도 높은 수준의 것은 제가 다 정리하겠습니다. 청소를 하겠습니다. 권언유착도 제가 정리해 놓겠습니다. 정언유착 정리는 국민들이 좀 해 주시기 바랍니다. 특권적 문화, 즉 조폭문화를 청산하자는 것입니다.

대안적 운동이 필요한 시기입니다. 민주주의 권력은 끊임없이 견제받아야 합니다. 감시받아야 합니다. 그러나 너무 많이 흔들어 버리면 감사받는다고 일을 못합니다. 공무원들이 감사 때문에 일을 못하겠다고 하는데 정부도 마찬가지입니다. 정권도 밤낮 없이 감사만 하고 계속 흔들면 갈길 못 갑니다. 그래서 비판은 적절해야 하고 합리적 근거를 가져야 하고, 그 다음에는 대안이 있어야 합니다. 대안 없이 하는 비판운동은 그 사회의 효율을 현저히 떨어뜨릴 가능성이 있습니다. 그래서 창조적 대안운동, 이것이 참여의 한 형태로서 새롭게 좀 자라났으면 하는 생각을 갖고 있습니다. 이런 것이 지금 이 시대의 과제라고 생각합니다.

진보와 보수 얘기를 많이 합니다. 진보를 맨 왼쪽에 놓고 한 줄로 세우고 보수를 맨 오른쪽에 놓고 한 줄로 쫙 세운다고 합시다. 우리나라가 왼쪽으로 한참 달려가면 일본이 보일 겁니다. 일본을 지나서 또 왼쪽으로 한참 달려가면 미국의 사회제도가 있을 것입니다. 거기서 죽자 사자 또 뛰어가면 저쪽에서 오른쪽으로 막 달려오고 있는 영국을 만나게 될지도 모릅니다. 여기서 진보가 어떻고 보수가 어떻고 하는 것은 한심한 얘깁니다. 우리나라의 복지예산, 그 다음에 세금과 재정의 재분배 효과 이런 등등을 보면 한심합니다. 일반적 복지도 중요하지만 최소한의 사회안전망이라는 것은 대단히 중요합니다. 걸핏하면 진보는 좌파고, 좌파는 빨갱이라는 식으로 몰아붙이는 것은 그야말로 한국 사회의 진보를 가로막는 암적인 존재입니다. 그렇게 진보와 보수로 나누는데, 진보는 무엇이고 보수는 무엇인가? 대개 이렇게 보면 됩니다. 보수는 힘센 사람이 좀 마음대로 하게 하자, 경쟁에서 승리한 사람에게 거의 모든 보상을 주자는 것입니다. '적자생존의 원리를 철저하게 적용하자. 약육강식, 그것이 우주의 섭리 아니냐.' 그렇게 말하는 쪽에 가깝습니다. 진보는 뭔가? '더불어 살자. 인간은 어차피 사회를 이루어 살도록 만들어져 있지 않느냐.' 연대죠, 연대. 이런 얘깁니다.

어느 쪽도 극단적인 한쪽의 것은 없지만 크게 봐서 이렇습니다. 그 다음에 '가급적이면 바꾸지 말자.' 이게 보수입니다. '뭘 좀 바꾸자. 고쳐 가면서 살자.' 이것은 진보죠. 그래서 한때 소련이 붕괴되었을 때 진보와 보수가 바뀌어 버렸습니다. 그렇죠? 그건 이미 소련 사회가 노멘클라투라(Nomenklatura) 사회로서, 시장에서 승리한 사람이 특권을 갖는 것이 아니라 시장은 죽여 버리고 권력의 장에서 모든 경제를 움직이면서 거기서의 승자들이 특권을 형성해 버렸기 때문에 부득이 보수가 공산주의자가 될 수밖에 없었던 것입니다.

그래서 이 두 개가 서로 헷갈릴 때가 있습니다만, 자본주의 사회에 있는 한 대개 보수는 적자생존론이나 약육강식론에 근거하고 있고, 아울러 되도록이면 바꾸지 말자는 것입니다. 특히 한국처럼 아주 오른쪽에 있는 나라에서는 더욱더 바꾸지 말자는 것입니다. 기득권의 항수가 강할 수밖에 없습니다. 그렇게 이해하지만 간명하죠. 합리적 보수, 따뜻한 보수, 별의별 보수를 다 갖다 놔도 보수는 바꾸지 말자, 이겁니다.

성장과 분배는 반드시 배치되는 개념인가? 그렇지 않습니다. 노벨 경제학상을 수상한 스티글리츠 교수는 "성장과 분배는 서로 배타적인 것이 아니다. 같이 안가면 둘 다 망한다. 같이 가야 장기적으로 성장할 수 있다." 그렇게 얘기합니다. 경제위기론, 여러분이 취직 걱정이 많으니까 경제위기론이 실감이 나죠? 이 문제는 그래프를 하나 갖다 놓고 봅시다. 우리의 GDP가 3.8% 성장했던 2001년에 경제가 그날로 붕괴하는 것 같은 그런 분위기 속에서 살았습니다. 실제로 그 분위기 때문에 경제가 더 살아나지 못하고 침체했다는 유력한 주장이 있습니다.

경제위기론에 저는 동의하지 않습니다. 많은 지표들을 가지고 보고 있는데, 위기는 언제든지 올 수 있는 것이지만 지금 잘 관리하고 있으므로 제가 있는 동안은 문제없습니다. 안심하십시오. 청년 일자리는 어쩌란 말이냐? 예, 열심히 노력하고 있습니다. 왜 그렇게 대학을 많이 갑니까? 전부 대학 가서 높은 자리만 하려고 하지 않습니까? 게다가 우리 산업구조는 너무 빨리 바뀌고 있고요. 그래서 지식서비스 산업을 집중적으로 육성하기 위해 대통령이 직접 진두 지휘하고 있습니다. 효과가 언제 날거냐? 좀 걸립니다. 아일랜드가 1987년에 노·사·정 합의를 하고 그때부터 외자유치라든지 새로운 경제정책을 쓰기 시작했는데 고용이 살아나고 경제가 살았다고 국민들이 피부로 느낄 때까지 6년이 걸렸습니다. 1993년이었습니다.

우리는 1993년도에 '신경제 100일'을 했는데 지나고 나서 보니까 '신경제 100일'로 좋아진 건 하나도 없습니다. 죽는다고 엄살을 자꾸 부리면 국민들이 그런 줄 알고 불안해하고, 정부는 급하니까 이 정책 저 정책 막 갖다 쏟아부어서 경제파탄과 같은 상황이 오는 일이 있습니다. 1989년의 위기론에서 1990년의 진짜 위기가 왔고, 2001년의 위기론에서 무리한 경제정책이 나오고, 2002년에 위기가 진짜 와 버린 것입니다. 곰곰이 한 번 자료를 찾아보십시오. 아주 위험합니다. 그래서 누가 경제위기를 가지고 어떻게 불안을 조성하더라도 저와 우리 경제팀은 정말 면밀히 검토하고 철저히 분석해서 흔들림 없이 의연하게 가겠습니다. 그동안에 욕은 제가 먹으면서 가겠습니다. 일자리는 조금만 더 기다리십시오.

시간이 많이 됐는데, 상생에 관해서 한 말씀 드리겠습니다. 좋은 겁니다. 대화와 타협의 문화가 바로 상생입니다. 상생은 그야말로 진실하게 이것을 실천할 의지가 있어야 됩니다. 상대방에게 양보를 받아내기 위해서 상대방을 공격하기 위해서 상생을 내세우면 그 상생은 반드시 실패합니다.

어떻게 하는 것이 상생인지를 알아야 합니다. 세상이 변화할 때는 변화를 수용할 줄 알아야 하고, 기득권을 버려야 할 때는 기득권을 버려야 합니다. 새로운 문화를 장려해야 될 때 낡은 문화를 고집하면 안 됩니다. 시대의 흐름도 맞추어야 합니다. 그 다음에 상생을 하는 기본조건을 갖추어야 됩니다. 상대를 존중할 줄 알아야 합니다. 배제의 습관이 남아서, 지금도 계속 배제하려고 하는 방법으로는 상생할 수 없습니다. 상생은 결국 대화, 토론, 설득, 타협, 그리고 거의 다 합의가 된 것 같은데 마지막 결론이 안 날 때 그때 표결하는 겁니다. 그렇죠? 표결하고 승복하는 겁니다. 승복해야 상생이 이루어질 수 있는 것 아닙니까? 그 규칙을 무시하면 상생이 안 됩니다. 스포츠 게임도 규칙을 잘 지키고 끝났을 때 두 사람이 서로 악수하고 그렇게 하지 않습니까? 반칙으로 얼룩진 경기가 끝났을 때 무슨 상생이 되겠습니까? 규칙과 승복, 훌륭한 심판 매우 중요합니다. 패배를 넉넉하게 수용할 줄 아는 그런 역량을 갖추고 싶습니다.

저는 지금도 열심히 일하고 있습니다만, 어떻든 권력을 추구한 사람으로서는 이제 하산길로 들어서고 있습니다. 발 삐지 않고 무사히 하산을 잘했으면 좋겠습니다. 등산은 올라갈 때보다 내려갈 때가 더 위험하다고 합니다. 무사하게 하산하기 위해서는 정상의 경치에 대해서 미련을 갖지 않아야 합니다. 정상의 경치가 저에게는 좋기도 하지만 골치 아픈 일도 많습니다. 미련을 갖지 않겠습니다. 이것은 말로 되는 것이 아니고 끊임없이 자기와의 승부 속에서 가능한 일입니다. 제 자신이 여유 있는 마음으로 하산할 수 있도록 자신을 다스려 내는 것, 그것이 제가 해야 될 남은 일입니다.

감사합니다.

미국 전몰장병 추모 메시지

2004년 5월 27일

오늘 뜻깊은 미국 전몰장병 추모일을 맞아 자유민주주의를 지키기 위해 산화한 용사들의 명복을 빕니다. 우리는 6·25전쟁에서 고귀한 생명을 바친 미군 참전용사들의 값진 희생을 결코 잊지 않고 있습니다. 아울러 지금도 리온 라포트 사령관을 비롯한 주한미군 장병 여러분이 우리의 안보에 크게 기여하고 있음을 잘 알고 있습니다. 여러분의 노고에 대해 감사와 치하의 인사를 전합니다.

나는 지난주에 부시 대통령과 북핵문제, 이라크 파병 등 양국간의 안보현안에 대해 협의했습니다. 특히 한·미 연합방위태세에 빈틈이 없도록 더욱 긴밀히 협력해 나가기로 했습니다. 반세기를 이어온 한·미 동맹관계는 이처럼 매우 굳건합니다. 앞으로도 한반도는 물론 동북아시아의 평화와 안정을 지키는 버팀목이 될 것입니다. 주한미군 장병 여러분은 이와 같은 한·미동맹의 핵심적인 역할을 하고 있다는 긍지와 자부심을 가져주기 바랍니다.

다시 한번 미국 전몰용사들의 숭고한 희생을 추모하며, 주한미군 장병과 가족 여러분의 건강과 행복을 기원합니다.

2004 전국 국민생활체육대축전 축하 메시지

2004년 5월 29일

존경하는 생활체육 동호인 여러분,

2004 전국국민생활체육 대축전이 열리게 된 것을 매우 기쁘게 생각합니다. 행사 준비를 위해서 애써 주신 관계자와 광주시민 여러분의 노고에 깊은 감사의 마음을 전합니다. 작년에 이어 올해도 참가해 주신 일본 선수단 여러분께 따뜻한 환영의 인사를 드립니다.

최근 삶의 질에 대한 관심이 부쩍 늘어나고 있습니다. 나와 가족의 건강을 돌보며 함께 여가를 즐기는 것이 자연스러운 생활의 일부분이 되었습니다. 주5일 근무도 본격적으로 시행될 것입니다. 여기에 발맞추어 생활체육도 그 중요성이 한층 높아지고 있습니다. 현재 우리 국민 열 명 중 네 명이 생활체육을 즐기고 있을 만큼 참여의 폭도 넓어졌습니다. 이제 스포츠를 보고 응원하는 것에 그치지 않고 생활 속에서 직접 참여함으로써 보다 다양하고 풍성하게 여가를 즐길 수 있게 됐습니다. 더욱이 학교와 직장, 지역단위 동호회의 활성화로 생활체육은 사회통합과 발전에도 크게 기여할 것입니다.

정부는 우리 국민 누구나 더 쉽게 생활체육을 즐길 수 있도록 지속적인 노력을 기울여 나갈 것입니다. 더 많은 체육 시설 확충과 다양한 프로그램 보급에 힘쓰겠습니다. 국민의 건강과 문화, 삶의 질을 향상시킬 수 있는 정책을 하나하나 실천해서 활력 넘치는 대한민국을 만들어 가겠습니다. 이번 축전이 그 동안 닦아 온 기량을 뽐내는 가운데 서로간의 화합을 다지는 뜻 깊은 한마당이 되기를 바라며, 여러분 모두의 건강과 행복을 기원합니다.

감사합니다.

제9회 바다의 날 축하 메시지

2004년 5월 31일

존경하는 해양수산인 여러분,

바다의 날을 진심으로 축하드립니다. 이번 행사를 적극 지원해 주신 충남도민과 보령시민 여러분께도 감사인사 올립니다. 바다를 가진 나라는 축복받은 나라입니다. 우리 또한 바다로 나아가면서 도약의 전기를 마련했습니다.

이제 더 큰 가능성이 우리 앞에 열려 있습니다. 동북아 한가운데 가장 활기차고 풍요로운 해역이 바로 우리의 바다입니다. 동북아 물류중심, 선진 수산국가, 일류 해양과학국가, 그 어느 것도 불가능한 일이 아닙니다. 2010년 세계 5대 해양강국이라는 목표와 계획을 가지고 하나하나 착실히 추진해 나가고 있습니다. 물론 많은 어려움이 있습니다. 특히 수산업과 어촌에 대해 걱정하는 목소리가 높습니다.

그러나 이미 여러분 스스로 이를 극복해 나가고 있습니다. 자율관리어업과 같이 어촌의 활로를 찾고 수산업의 경쟁력을 높인 성공사례들이 많이 있습니다. 우리 스스로의 역량을 믿고 자신있게 나아갑시다. 우리는 할 수 있습니다. 정부도 굳은 의지를 가지고 힘껏 돕겠습니다. 희망찬 미래를 만들어 나가는 일, 바다로부터 시작합시다. 오늘 바다의 날이 그 새로운 출발점이 되길 바라며, 해양수산 가족 여러분의 건강과 행복을 기원합니다.

감사합니다.

6월

2004 세계한인회장대회 참가자 초청 다과회 말씀

2004년 6월 1일

여러분, 대단히 반갑습니다.

이번 모국 방문 과정에서 여러분은 어떤 느낌을 받으셨는지 모르겠습니다. 여러분이 잘 되나 못 되나 모국은 꼭 와 보고 싶은 곳일 것입니다. 그러나 모국에 와서 봤을 때 활력이 있고 희망이 보이고, 사람들이 친절하고 밝으면 자꾸 오고 싶을 것이고, 그렇지 않으면 떠날 때 가슴이 아프고 다시 안 오고 싶다는 생각을 하실 수도 있을 거라고 생각합니다. 이번에 여러분이 '참 좋았다.'는 느낌을 가지고 가시기를 바라고, 또 가시면서 '머지않은 장래에 다시 와야지.'하는 희망을 가지고 돌아가셨으면 좋겠습니다.

지금 경제문제에 대해서 많은 분들이 걱정을 합니다만, 저는 희망을 가지고 있고 또한 확신을 가지고 있습니다. 여러 가지 상황을 하나하나 점검해 나가고 있고, 다소 걱정되는 부분에 대해서는 또박또박 챙겨서 작은 불안요소가 큰 위기상황으로 발전되지 않도록 잘 관리하고 있습니다. 그러면서도 장기적으로 우리 경제의 역량을 강화하기 위해 과학기술 혁신에 힘을 쏟고 있습니다.

옛날에는 자본과 노동을 많이 투자하면 경제가 성장했습니다만, 지금은 그것으로는 도저히 경쟁을 해낼 수 없습니다. 질적 혁신을 통해서 우리 경제의 새로운 경쟁력을 마련해 나가야 됩니다. 기술혁신과 더불어 가장 중요한 생산력은 사람의 능력입니다. 그래서 인재를 양성하기 위해 아주 집요한 노력을 하고 있습니다. 당장 성과가 날 수 있는 정책이 아니라서 시간이 걸립니다만, 앞으로 시간이 흐를수록 눈에 보이게 성장해 나갈 것입니다.

현재도 수출은 계속 잘해 나가고 있습니다. 환율이 조금씩 하락하고 있는데도 불구하고 한국 경제가 잘 감당하고 있고 금년 들어 지난해 대비 40% 이상의 수출 증가를 기록하고 있습니다. 이것은 우리 경제가 가지고 있는 국제적인 경쟁력을 말하는 것이라고 저는 판단하고 있습니다. 내수가 지난날의 몇 가지 어려운 사정 때문에 살아나지 않고 있습니다. 가계부채가 많아졌죠. 이것은 점차 살아나도록 그렇게 관리가 잘될 것입니다.

요컨대, 한국의 경쟁력은 지금도 나쁘지 않다, 그리고 지금 해 나가고 있는 기술혁신과 인재양성 정책에 집중해 나가면 앞으로 몇 년 후에는 더 좋아질 것이다, 저는 그렇게 생각합니다. 그 과정에서 외국에서 성공하신 훌륭한 분들의 도움을 많이 받고 있고, 또 앞으로도 도움을 청할 생각입니다. 훌륭한 인적자원이 국외에 많이 계신데, 과거에도 쭉 기여해 왔고 앞으로도 기여하도록 우리는 바라고, 또 그런 기회를 드려야 한다고 생각합니다.

우리 시장이 투명하고 공정한 시장이 되도록 개혁해 가고 있습니다. 이미 그 방향으로 많이 변화했습니다. 지금 이 속도대로만 해 나가면 괜찮을 거라고 생각합니다. 시장이 공정하고 투명하게 되면 창의와 노력으로 성공해 나가는 그런 풍토가 정착될 것입니다. 실력 있는 사람이 성공하는 그런 시장이 될 것입니다. 그렇게 하면 경제가 살아날 것입니다.

때때로 해외에 계시면서 보면 아직도 한국의 많은 불미스런 일들이 보도가 될 것입니다. 잘 아시듯이 저에 관한 것도 포함되어 있습니다. 아마 신문을 보면서 걱정도 하고 또 부끄럽게도 생각했을 것입니다. 숨기고 넘어가려면 그럭저럭 넘어갈 수도 있지 않았겠습니까만, 잘못된 것을 숨기고 덮어 놓고 가면 개선이 되지 않는다는 생각 때문에 우리 국민은 모두 공개해 줄 것을 요구했고, 또 우리는 그것을 거역하지 못했습니다. 그래서 여러분이 보기에 불쾌한 많은 보도들을 접했겠지만, 저는 그것이 과거의 어두운 유산들을 청산해 가는 과정, 병을 낫게 하기 위해서 몸의 병을 다 드러내고 치료해 나가는 과정이라고 생각합니다. 그렇게 해서 여러분이 가 보고 싶은 모국이 항상 떳떳하고 자랑스러운 모국이 되도록 하겠습니다. 항상 걱정스럽고 뭔가 도와 줘야 될 모국이 아니라 여러분이 어려울 때 기대고 위로받고 싶은 그런 따뜻하고 넉넉한 모국이 되도록 최선을 다하겠습니다.

제가 우리 경제가 잘될 것이라고 장담을 했는데, 그것은 경제이론에 의해서, 또 여러 가지 분석을 통해 내린 결론이기도 합니다만, 그러나 그것만으로 우리 경제를 낙관적으로 장담할 수는 없습니다. 우리 국민의 역량에 대한 믿음이 있어야 합니다. 그동안 우리 국민이 국내에서 이루어낸 여러 가지 업적들이 기적의 연속이라고 말할 수 있습니다. 그래서 저는 감히 우리 국민이 잘해 나갈 것이라고 낙관하고, 또 확실한 증거가 있습니다.

세계 각국에 퍼져 있는 우리 한국 국민, 바로 여러분이 어느 나라 어느 지역에 가거나 어떤 민족보다 훌륭한 업적을 남기셨다는 것입니다. 그것이 나는 우리 한국이 앞으로 잘될 것이라는 가장 확실한 증거라고 생각합니다. 어디 가서도 훌륭한 업적을 이루어내는 우리 한국인들의 열정과 역량이 있는데, 그것이 우리가 잘될 것이라는 증거가 아니겠는가, 저는 그렇게 생각합니다. 여러분이 해외에서 그동안에 겪으신 여러 가지 고충이야 오죽하겠습니까? 한 분 한 분 작든 크든 성공에 이르기까지 수많은 고난을 극복해 왔으리라고 생각합니다. 그런 과정들이 여러분 스스로에게 자랑스러운 일이겠지만, 모국에 있는 우리 국민 모두에게도 자랑스럽고 또 고무되는 그런 업적들입니다. 여러분도 매우 떳떳하고 자랑스럽게 생각해 주십시오.

지금 '동북아 중심국가' 목표를 세우고 노력하고 있습니다. 우리가 경제적으로나 정치적으로 중심이 되는 국가가 한 번 되어 보자, 무엇보다 경제적으로 좀 중심이 되어 보자, 그런 목표로 여러분은 받아들여질 것입니다. 물론 그것이 목표입니다. 그러나 그것만은 아닙니다. 처음에 제가 동북아 얘기를 했을 때 '동북아 중심국가'가 아니고 '동북아 시대'

였습니다. 정책을 실질적으로 다루는 분들이 동북아 시대라고 하니까 무슨 말인지 잘 와닿지 않는다고 했습니다. 그래서 동북아시아에서 제일 부자가 되는 그런 목표를 좀 구체적으로 넣자고 '동북아 경제중심'이라고 썼습니다. 그런데 '동북아 경제중심'을 빼고 '동북아 시대'라고 얘기를 해 보면, 결국 우리가 추구하는 목표가 단지 경제적으로 부자가 되는 것 그 이상의 목표를 지향하고 있다는 말씀을 드릴 수가 있습니다.

앞으로 우리 한국은 부자가 될 겁니다. 그리고 국방력이라든지 이런 데 있어서도 100년 전, 120년 전 국권을 침탈당했던 때와 같은 어리숙한 실력은 아닐 것입니다. 동북아시아 상황이 100년 전과 비슷한 역학관계가 되지 않느냐고 말하는 분들이 많습니다만, 상황이 어떻게 변화하든 간에 한국인의 실력이 달라졌습니다. 어떤 경우에도 100년 전과 같은 일을 거듭하지는 않을 것입니다.

그러나 전체적으로 동북아시아 질서가 과거 제국주의 시대, 국가주의가 절대적인 가치가 되어 있던 시대에 그랬던 것처럼, 서로가 오로지 경쟁하고 적대하고 불신하고, 군비경쟁을 계속하고 경제적으로 협력이 잘되지 않는 불편한 관계를 계속 가져가게 되면, 우리 한국이 아무리 부자가 되더라도 중국과 경쟁하고 일본과 경쟁하는 것은 너무나 버거운 것이 현실입니다. 그리고 미국이 멀리 있지만 사실상 가까이 있고, 러시아도 강대국입니다. 4개의 강대국 사이에 우리 한국이 끼어 있기 때문에 운명적으로 굉장히 피곤한 그런 상황을 벗어나기가 매우 어렵습니다.

지난 수백년 동안 아무리 우리 조상들이 잘 다듬어 가려고 노력했지만 중국에서 큰 변화가 생기면 한국에 변화가 왔습니다. 예를 들면 중국의 왕조가 바뀌면 우리 왕조가 바뀌기도 하고 정변이 일어나기도 하고, 이렇게 했습니다. 우리 역사가 종속적인 역사였느냐, 아니면 독립적인 역사였느냐에 관해서는 해석을 서로 달리하고 있습니다만, 어떻든 중심에 서서 주변에 영향에 끼치면서 주변의 상황을 능동적으로 움직이는 국가가 아니라 영향을 받는 국가였다는 것이죠. 말하자면 변방의 운명을 살아왔습니다. 오늘날 유럽에서는 나라가 그렇게 크지 않더라도 대등한 질서 속에서 각기 자기들의 역할을 하면서 살아가고 있습니다. 협력과 통합의 질서 속에서 각국이 자기의 운명을 스스로 개척해 나가는, 종속되지 않은 역사들을 잘 꾸려 가고 있습니다.

우리도 중국의 영향을 받으면서, 일본의 영향을 받으면서 살아왔던 역사를 극복하기 위해서는 동북아시아 질서 전체가 달라져야 한다는 것입니다. 과거의 일을 극복하고 서로 화해하고 협력하고, 나아가서는 시장과 제도, 여러 가지 질서들을 서로 통합시켜 나가야 합니다. 개성과 다양성을 가진 가운데서 필요한 공동체의 질서들을 같이 구축해 나가는 것입니다. 그렇게 대등한 협력의 질서, 통합적인 정치·경제 질서를 생성해 나가야만 여기에 살고 있는 각국이 남의 영향을 일방적으로 받는 국가가 아니라 서로 영향을 주고받는 그런 국가가 됩니다. 말하자면 변방의 운명을 극복하고 그야말로 자주적이고 독립적인 자기 운명을 개척해 나갈 수 있습니다. 그래서 우리 한국이 스스로 부강한 나라가 되는 것은 물론 그것을 바탕으로 동북아시아 질서를 적극적이고 능동적으로 주도해 나가는 그런 국가가 되자는 것입니다.

동북아시아의 새로운 협력 질서에 있어서 중국은 너무 힘이 세서

'주도한다'고 하면 주변 국가들이 좀 불안할 수 있고, 러시아도 강대국이고 유럽에 걸쳐 있고, 일본도 원체 강대국이고 과거의 역사가 있고 해서 이와 같은 역사를 주도할 수 있는 국가로서 가장 적합한 것이 우리 한국입니다. 한국은 누구에게도 빚지지 않았고, 또 해를 끼친 일이 없습니다. 의심을 받을만한 아무런 요소를 가지고 있지 않습니다. 그래서 한국이 동북아시아의 새로운 질서를 제안하고 주도해 나가는 이런 능동적인 노력을 해 나가자는 것입니다. 우리 아이들이 살아갈 우리의 역사는 더 이상 강대국의 눈치만을 살피면서 살아가는 것이 아니라 대등한 질서 속에서 당당하게 자기의 운명을 개척해 나가는 이런 역사를 만들자, 운명을 한 번 바꾸어 보자는 것입니다. 이런 것이 동북아 시대라는 말 속에 들어 있는 우리의 꿈입니다.

우리 한국이 앞으로 이만한 꿈을 실현할 수 있는, 그야말로 여러분의 자랑스러운 모국이 될 것이라는 말씀을 드립니다. 또 여기에 여러분이 자부심을 함께 나누면서 같이 노력하자고 말씀드린 것입니다. 우리 운명을 함께 바꾸어 나가도록 그렇게 노력하겠습니다. 여러분이 관심을 갖는 여러 가지 일들에 대해서는 이미 다 말씀을 나누었으리라고 생각합니다. 적극적으로 지원하겠습니다. 그동안 국가가 여러분께 다하지 못하고 소홀한 점이 많습니다. 하나하나 차근차근 챙겨 나가겠습니다.

여러분,

대한민국을 잊지 마시기 바랍니다. 그리고 우리 대한민국은 한반도 남반부에만 있는 것이 아니고 북쪽에도 우리 민족이 함께 살고 있습니다. 매우 어렵습니다. 어떻게든 잘 개방하고 개혁해서 우리 북한 동포들도 여러분이나 남쪽에 있는 우리 국민과 더불어서 잘 살아갈 수 있도록 관심도 함께 가져 주십시오. 직접 관심을 갖고 도와 주실 수 있겠지만, 북한과 협력해 가려는 우리 정부와 우리 국민의 노력에 대해서 적극적인 성원을 보내 주십시오. 여러분, 지금도 성공하셨지만 더 큰 성공 이루시기 바랍니다.

감사합니다.

제9회 환경의 날 축하 메시지

2004년 6월 5일

환경의 날을 진심으로 축하드립니다. 환경보전에 힘쓰고 계신 모든 분들께 감사와 격려의 인사를 드립니다. 여러분의 노력 덕분에 환경에 대한 우리의 인식이 크게 높아졌습니다. 여러 부분에서 선진적인 환경체제도 갖추었습니다. 환경은 이제 삶의 질을 결정하는 차원을 넘어 절박한 생존의 문제가 되어 있습니다. 국가의 번영도, 지속가능한 발전도 환경보전 없이는 어렵습니다.

참여정부도 확고한 의지를 가지고 환경문제에 대응해 나가고 있습니다. 특히 백두대간 보호, 4대 강 수질과 수도권 대기오염 개선, 친환경적인 경영여건의 정착, 이런 일에 각별한 노력을 기울이고 있습니다. 환경문제를 비롯한 사회갈등을 합리적으로 풀어 나가는 시스템도 갖추어 나가고 있습니다.

그러나 환경문제는 개개인의 참여와 실천이 무엇보다 중요합니다. 물 아껴쓰기, 쓰레기 줄이기, 에너지 절약, 재활용과 같이 환경보전을 위한 실천방안은 멀리 있는 것이 아닙니다. 바로 우리 생활 속에 있습니다. 조금 덜 쓰고 덜 버리며, 약간의 불편은 감수하는 작은 실천들이 우리의 생명을 지키고, 쾌적한 삶의 터전을 만들 것입니다.

지구촌의 책임 있는 일원으로서, 다음 세대를 생각하는 떳떳한 선배로서, 환경을 가꾸고 지키는 일에 우리의 지혜와 역량을 모아 나갑시다. 일등 환경국가를 만듭시다. 환경가족 여러분의 노고에 다시 한번 감사드리며, 여러분 모두의 건강과 행복을 기원합니다.

감사합니다.

기아체험 24시간 격려 메시지

2004년 6월 5일

청소년 여러분, 안녕하십니까?

토요일 이 시간이면 친구나 가족과 함께 신나게 놀고 싶으시죠? 그런데도 이렇게 뜻깊은 행사에 참가하신 여러분이 참으로 대견하고 자랑스럽습니다. 무엇보다 자기 자신만을 위해서가 아니라 남을 돕기 위해 나섰다는 것이 반갑고 마음 든든합니다. 여러분의 따뜻한 마음이 제게도 전해 오는 것 같습니다. 어려움에 처한 사람들에게 도움의 손길을 주는 것은 우리들의 의무입니다. 최소한 먹고사는 일로 걱정하는 사람이 없도록 우리 모두 마음과 정성을 모아 가야 하겠습니다.

여러분의 작은 실천이 가까운 우리 이웃은 물론 북한의 어린이와 멀리 아프리카의 친구들에게까지 큰 희망과 용기를 줄 것입니다. 시청자 여러분께서도 많이 참여해 주시기 바랍니다. 스물네 시간의 기아체험,

결코 쉬운 일이 아니지만 여러분 모두 잘 해내리라 믿습니다. 끝까지 포기하지 말고 힘내십시오.

청소년 여러분, 파이팅!

제49회 현충일 추념사

2004년 6월 6일

존경하는 국민 여러분, 그리고 국가유공자와 유가족 여러분,

오늘 마흔아홉번째 현충일을 맞아 우리의 자주독립과 자유민주주의를 지켜 주신 순국선열과 호국영령들의 거룩한 희생을 기리며, 삼가 머리 숙여 명복을 빕니다. 국가유공자와 유가족 여러분께 한없는 존경과 깊은 위로의 말씀을 드립니다. 선열들의 애국충정이 있었기에 엄청난 시련 속에서도 우리의 역사는 자랑스럽게 이어져 왔습니다. 3·1운동에 이어 상해 임시정부를 세우고 광복의 그날까지 일제의 무자비한 탄압에 맞서 줄기차게 투쟁해 왔습니다. 6·25 전쟁의 비극도 수백만 용사들의 피와 땀과 눈물로 이겨냈습니다. 지금 우리가 누리는 자유와 민주주의, 평화와 번영, 이 모두가 선열들의 숭고한 헌신의 덕분입니다.

그러나 선열들을 추모하는 호국보훈의 의미를 되새길 때마다 안타

까운 심정을 금할 수 없습니다. 아직도 식민지배의 역사적 진실은 다 가려지지 못했고, 혼백마저 조국 품으로 돌아오지 못한 독립투사들도 있습니다. 사회적으로 소외되고 제대로 예우받지 못하는 후손들도 있습니다. 참으로 부끄럽고, 또 미안합니다. 애국을 명예로 지켜 드리는 것은 국가의 기본책무입니다. 정부는 선열들이 물려주신 민족자존의 역사와 가치를 바로 세우고, 국가유공자에 대한 예우와 6·25 전사자 유해 발굴 등에도 더욱 힘써 나가겠습니다. 무엇보다 국가유공자와 유가족 여러분이 자랑과 긍지를 가질 수 있도록 최선을 다하겠습니다.

국민 여러분,

선열들이 목숨 바쳐 지키려했던 나라는 자신의 운명을 스스로 주도해 가는 당당한 자주독립 국가일 것입니다. 이제 우리는 자주와 독립을 지킬 만한 넉넉한 힘을 키워 가고 있습니다. 경제력도, 국방력도 크게 성장했습니다. 더 이상 동북아 정세에 일방적으로 끌려가는 변방의 나라는 아닙니다. 우리의 이런 위상과 역할에 비추어 볼 때 우리의 힘으로 안보를 지키는 것은 당연한 일입니다. 반드시 그렇게 해 나갈 것입니다. 그와 함께 한·미 동맹관계도 잘 가꾸어 나가겠습니다.

상호동맹이나 집단안보체제는 이미 세계의 보편적 질서입니다. 세계 여러 나라가 자주와 안전과 독립을 지키기 위해서 상호간에 동맹을 맺고 집단안보체제를 운영해 나가고 있습니다. 우리도 이제 자주와 동맹의 이분법적 논란을 넘어서야 합니다. 자주와 동맹은 배타적인 개념이 아니라 상호 보완의 개념으로 관리해 나가야겠습니다. 안보환경을 근본적으로 개선하기 위해서는 남북간 신뢰증진이 무엇보다 중요합니다. 그런 면에서 이번에 열린 남북 장성급 군사회담은 큰 성과를 거두었다고 생각합니다. 특히 서해상의 우발적인 충돌을 방지하기 위한 구체적인 합의를 이룬 것은 그 의미가 매우 큽니다. 해마다 꽃게철만 되면 무력충돌이 우려되던 서해바다에 이제 어느 정도 안심할 수 있는 평화가 정착되리라고 생각합니다.

이라크 파병문제에 대해 다시 논란이 일고 있습니다. 우선, 한·미 우호관계가 중요하기 때문에 이를 존중해서 최대한 반드시 다국적군에 참여해야 한다는 의견과, 파병의 명분과 이라크를 비롯한 아랍권과의 관계를 고려하여 파병을 철회해야 한다는 주장이 있습니다. 그러나 이것은 양자택일의 문제가 아닐 것입니다. 우리에게는 한·미 우호관계도 대단히 중요하고, 국제사회의 여론, 아랍권과의 관계도 다 함께 중요합니다. 그리고 무엇보다도 우리 군인들의 안전이 가장 중요할 것입니다. 외교적인 노력과 파병부대의 성실한 노력을 통해서 오랜 친구인 미국과의 우호관계도 돈독하게 발전시켜 나가면서 이라크를 비롯한 아랍권으로부터도 환영받을 수 있는 성과를 거두어 나가도록 지혜를 모아 나가야 할 것입니다. 최근 우리 군의 해외 파병활동을 보면 충분히 이 두 가지의 목적을 모두 달성할 만한 역량이 있다고 생각합니다. 저는 이번 논의를 계기로 해서 두 가지의 과제를 모두 충족할 수 있는 방향으로 국민적 합의를 모아 나가기를 바랍니다.

존경하는 국민 여러분, 국가유공자와 유가족 여러분,

이곳 현충원에 잠들어 계신 선열들의 영전에 결코 부끄럽지 않는 나라를 만듭시다. 불행했던 변방의 역사는 우리 세대로 끝을 내야 합니다. 자자손손 자유와 행복을 누리는 자주독립국가, 세계의 평화와 번영에 기여하는 동북아 중심국가를 만들어 나갑시다. 선열들이 우리를 이끌어 주실 것입니다.

다시 한 번 순국선열과 호국영령들의 거룩한 헌신을 추모하며, 영원한 안식을 빕니다.

감사합니다.

제17대 국회 개원 축하연설

2004년 6월 7일

존경하는 국민 여러분, 그리고 국회의장과 의원 여러분,

제17대 국회의 개원을 진심으로 축하드립니다.

의원 여러분, 저는 17대 국회야말로 진정한 '국민의 국회'라고 말씀드리고 싶습니다. 선거로 선출된 국회라고 다 국민의 국회라고 부르기 어려울 것입니다. 과거 우리가 치렀던 많은 총선에서 돈과 권력, 감성적 선동으로 민의가 왜곡되었던 일이 많았습니다. 왜곡된 민의로 선출된 국회는 국민의 참된 대의기관이라 하기 어렵습니다. 선거다운 선거를 통해서 국민의 뜻이 제대로 반영된 국회라야 국민의 국회인 것입니다.

제헌국회 이후 우리 헌정사를 돌이켜 보면 4·19혁명 이후의 제5대 국회, 1987년 6월항쟁 뒤의 제13대 국회를 국민의 국회라고 할 수 있을 것입니다. 국민들은 국민의 국회를 만들기 위해서 권력에 저항해서 봉기

했습니다. 그때마다 헌정이 중단될 만큼 사회는 혼란스러웠고, 많은 사람들의 희생이 따랐습니다. 참으로 값비싼 대가를 치르면서 국민들은 자랑스런 역사를 이루어 냈습니다.

물론 그 당시의 선거에도 공작과 관권 개입, 돈에 의한 매수가 없었던 것은 아닙니다. 그러나 통하지 않았습니다. 국민들의 혁명적 열기가 이를 훌륭히 극복해냈기 때문입니다. 이번 17대 총선에서는 봉기도, 헌정중단사태도 없었습니다. 그럼에도 그 어느 때보다 모범적인 선거와 시민의 활발한 참여를 통해서 민의에 의한 국회를 건설해 냈습니다. 세계 어디에 내놓아도 떳떳하게 자랑할 만한 역사적인 쾌거라고 생각합니다. 저는 이것이야말로 시민혁명이라고 이름 붙여도 손색이 없다고 봅니다. 그래서 17대 국회를 '국민의 국회'이자 '시민의 국회'라고 부르고 싶습니다. 민주주의를 위해서 적극 나서서 국민주권을 행사하신 위대한 시민 여러분께 축하와 감사를 드립니다.

의원 여러분,

이렇게 세워진 국민의 국회조차 권력자들은 공권력과 군대, 돈과 지역감정을 동원해서 국민을 배반하고, 국회를 권력의 들러리, 정치인만을 위한 국회로 전락시켰습니다. 발췌개헌, 4사5입개헌, 3선개헌과 유신, 3당합당 등이 바로 그것입니다. 그때마다 우리 국민은 국민을 위한 국회를 만들기 위해 다시 일어섰습니다. 목숨까지 바쳐 가며 국회를 바로 세웠습니다.

17대 국회는 이러한 피와 땀과 눈물의 역사 위에 출범한 것입니다. 이제는 억압과 저항으로 얼룩진 역사가 되풀이되지는 않을 것입니다. 다시는 독재의 망령이 되살아나지 못할 뿐 아니라 권력이 국회를 들러리로 만드는 일은 없을 것입니다. 자기 이익에는 적극적이고 과오에 대해서는 관대한 국회, 분열구도의 이익에 기대서 국민의 뜻을 두려워하지 않는 기득권의 국회가 되지도 않을 것입니다. 17대 국회는 명실상부한 '국민의 국회', '국민을 위한 국회'로 역사에 길이 남을 것입니다. 저는 그렇게 확신합니다.

존경하는 국민 여러분, 의원 여러분,

지난 1년여는 우리 모두에게 정말 힘든 기간이었습니다. 전쟁위기설까지 나돌던 북핵문제에다 이라크 전쟁과 사스 공포까지 겹쳤습니다. SK글로벌 사태, 카드채 문제로 제2의 경제위기가 온다고 많은 국민들이 가슴을 졸였습니다. 그럼에도 정치권은 대결과 갈등으로 국민들에게 걱정만 끼쳤습니다. 신문을 보면 금방이라도 나라가 무너져 내릴 것만 같았습니다. 그럼에도 그저 시끄럽기만 했던 것은 아니었다고 생각합니다. 나름대로 큰 성취와 발전이 있었습니다. 우리는 불안과 혼란을 극복하고 새로운 희망의 토대를 만들었습니다.

앞서 말씀드렸듯이 선거문화가 혁명적으로 달라졌습니다. 새로운 환경이 힘들고 낯설었지만, 선거가 끝난 지금 당선자와 유권자 모두 당당한 승리자가 됐습니다. 밀실공천도 사라졌습니다. 보스의 낙점 대신 당원과 국민이 직접 후보를 뽑았습니다. 이제 여러분은 계보와 보스의 눈치를 보며 줄을 서지 않아도 되는 행복한 국회의원이 되셨습니다. 거듭 축하드립니다.

권력기관도 이제 제 자리에 바로 서고 있습니다. 국정원은 조용합니다. 자신이 할 일만을 묵묵히 해내고 있습니다. 검찰도 이미 어제의 검찰이 아닙니다. 정말 큰일을 해냈습니다. 경찰과 국세청도 더 이상 권력의 도구가 아닙니다. 인사도 많이 달라졌습니다. 항상 문제가 되어 왔던 공정성 시비도, 청탁과 정실인사 얘기도 이제는 거의 나오지 않는 것 같습니다. 간혹 지역편중 시비가 없는 것은 아니지만 국민들이 걱정하는 수준은 아닌 것 같습니다. 이제 정부는 공정한 인사에 만족하지 않고 가장 필요한 자리에 가장 합당한 인물을 배치하는 인사 시스템을 구축하기 위해 노력하고 있습니다.

제왕적 대통령이 없어진 지도 오래 전의 일입니다. 대통령이 당과 국회를 지배하는 일은 없습니다. 국회와 대통령이 대등한 관계에서 견제와 균형을 이루어 가고 있습니다.

옛날처럼 강력한 대통령을 바라는 사람들이 있습니다. 그러나 보다 민주적이고 효율적인 국가가 되기 위해서는 지금처럼 대통령이 헌법의 틀 속에서 정당한 권력을 행사하는 것이 옳다고 생각합니다.

정경유착의 실상이 적나라하게 드러나고, 더 이상 숨길 수가 없게 되었습니다. 이제 정치인과 기업인간의 부정한 거래는 없을 것입니다. 이번 수사를 계기로 우리 사회의 투명성이 크게 높아졌고, 앞으로 더 높아질 것입니다.

세계 어느 나라가 이처럼 빠르고 역동적인 변화를 이뤄낼 수 있겠습니까? 이 모두가 결코 우연이 아닙니다. 우리 국민의 성숙한 시민의식과 적극적인 참여가 이루어낸 성과입니다. 이 과정에서 저 자신 최선을 다했지만 부족한 점도 많았습니다. 그런 저에게 신뢰를 보내 주시고 고

비마다 힘을 실어 주신 국민 여러분께 다시 한번 깊은 존경과 감사의 말씀을 올립니다. 결코 잊지 않겠습니다.

존경하는 국민 여러분,

우리 경제가 어렵습니다. 내수부진이 가장 큰 문제입니다. 특히 서민이 느끼는 체감경기는 그 어느 때보다 심각합니다. 저도 서민들의 고단한 삶을 가슴 깊이 느끼고 있습니다. 그러나 분명히 말씀드리지만 우리 경제가 결코 위기는 아닙니다. 어려움이 있지만 위기라고 할 수준은 아닙니다. 올해 무역수지 흑자가 200억 달러에 이를 전망입니다. 외환보유액도 1,600억 달러를 넘어 세계 4위를 기록하고 있습니다. 상장기업들의 이익률이 1997년 이래 최대치를 나타내고 있습니다. 부채비율도 선진국 수준으로 낮아졌습니다. 국내기관은 물론 IMF, OECD와 같은 해외 전문기관들도 한결같이 한국경제가 회복기에 들어섰고, 올해 5% 이상의 성장이 가능할 것으로 예측하고 있습니다. 그 밖에도 희망의 증거는 많이 있습니다. 무엇보다도 국민 모두가 함께 나서고 있습니다. 재계도 적극적인 투자를 약속했습니다. 노사간의 무분규 선언이 이어지고 있습니다. 노·사·정이 대화와 타협의 테이블에 머리를 맞대고 앉았습니다. 참으로 고마운 일입니다.

몇 가지 불안요인이 없는 것은 아닙니다. 그러나 지금까지 잘 관리해 왔고, 앞으로도 잘 관리해 갈 것입니다. 지난 1년 내내 금융위기가 오지 않을까 걱정한 것이 사실입니다. 그러나 그동안 모두가 합심해서 잘 대처해 왔고, 지금은 작년보다 훨씬 좋아졌습니다. 이제는 금융위기나 금융 시스템 붕괴를 걱정하는 사람은 별로 없는 것 같습니다. 중국 쇼크,

유가 급등, 미국의 금리 인상과 같은 문제들도 충분히 감당해 나갈 수 있습니다. 경각심을 가지고 철저히 대응해 나가겠습니다.

국민 여러분,

정부는 우리 경제의 지속적인 성장을 위해서도 최선을 다하고 있습니다. 지난 날 자본과 노동의 집중적인 투입에 의한 요소투입형 경제는 IMF 외환위기로 그 한계를 드러냈습니다. 이제는 기술과 인재가 성장의 동력이 되는 혁신주도형 경제로 가야 합니다. 우리 경제는 이미 그렇게 가고 있습니다. 혁신주도형 경제를 성공시키기 위해서 기술혁신과 인재양성, 신성장동력의 확충, 그리고 지역균형발전의 토대를 쌓아나가고 있습니다. 특혜와 독점, 불공정 경쟁의 시장구조로는 창의와 경쟁의 효율이 살아나지 않습니다. 창의와 경쟁의 효율이 살아나기 위해서는 공정하고 투명한 시장을 만들어야 합니다. 이를 위한 시장개혁도 흔들림 없이 추진해 나갈 것입니다.

경제는 좋아질 것입니다. 작년보다는 올해가, 올해보다는 내년이 훨씬 더 나아질 것입니다. 올해 5%대를 시작으로 제 임기 동안 매년 6% 이상 지속적으로 성장할 것입니다. 이처럼 경제 전체로 보면 분명 희망적이지만, 서민들의 삶은 당장 하루하루가 고달픕니다. 중소기업과 영세상인, 재래시장 모두 큰 고통을 겪고 있습니다. 정부는 지금 각별한 노력을 기울이고 있습니다.

중소기업에 실질적으로 도움이 되는 방안을 마련하고 있습니다. 기술개발과 인력양성을 지원하고 시장개척과 금융상의 애로를 해소할 수 있는 근본적인 대책을 조만간 내놓을 것입니다. 앞으로 중소기업 대책을 경제정책의 중심에 두도록 하겠습니다. 산업의 구조변화에 따라 어려움을 겪고 있는 재래시장도 새로운 활로를 찾고 경쟁력을 가질 수 있도록 지원해 나가겠습니다.

빈부격차 문제는 실업률 감소와 청년실업 해소를 통해 완화시켜 나가겠습니다. 지금 정부는 경제계와 협력해서 일자리 만들기에 최선을 다하고 있습니다. 이와 함께 기업이 필요로 하는 인력이 육성되도록 대학교육을 혁신하고, 직업교육 투자도 확대해 나갈 것입니다. 나아가 서비스업을 활성화하기 위한 정책을 추진하고, 고급인력이 많은 우리의 현실에 맞춰 금융산업을 적극 육성해 나가고 있습니다. 장기적으로 동북아 금융 허브로 발전하기 위해서는 기금관리기본법의 개정도 필요합니다. 의원 여러분의 적극적인 협력을 당부드립니다. 비정규직 문제는 한편으로 노동의 유연성을 높이고, 다른 한편으로는 비정규직의 처우를 향상시켜 정규직과의 격차를 줄여나감으로써 해결해 가도록 하겠습니다.

부동산 투기는 어떤 이유로도 재발되지 않도록 관리하겠습니다. 사교육비 문제도 현재 시행 중인 경감대책을 차질 없이 추진해서 학부모들의 부담을 덜어 나가도록 할 것입니다. 취약계층에 대한 대책도 적극 추진하고 있습니다. 국민의 정부가 토대를 닦은 사회안전망을 더 내실있게 보강해 나가겠습니다. 일할 능력이 있는 사람들에게는 교육·훈련과 취업기회를 넓혀 생활을 안정시키겠습니다. 기초생활 보호대상자에 대해서는 국가복지 시스템을 통해 최소한의 생활을 반드시 보장해 나가도록 하겠습니다.

국민 여러분, 국회의원 여러분,

직무에 복귀하던 날, 언론에서는 제게 '이제는 경제다', 이렇게 주문했습니다. 물론 경제입니다. 그러나 왜 이제부터 경제입니까? 저에게는 지난 1년 내내 경제였습니다. 대통령이 되고서 단 한 순간도 경제와 민생이 제 머리 속을 떠난 일이 없습니다. 그동안 제가 주재한 회의의 대부분이 경제정책에 관한 회의였습니다. 나머지도 경제와 관련되지 않은 것이 거의 없습니다. 대통령이 경제현장을 자주 찾지 않는다고 경제를 소홀히 하는 것 아니냐고 묻는 분들이 많습니다. 저는 생각이 좀 다릅니다. 공장과 시장을 찾아가서 어려움을 겪는 서민들을 위로해 드리고 관심을 보이는 것은 물론 중요한 일입니다. 그러나 그렇게 한다고 해서 경제가 살아나는 것은 아닙니다. 더 중요한 것은 정책입니다. 경제상황을 꼼꼼히 점검하고 토론해서 정책을 세우고 하나하나 착실히 실천하는 것이 중요합니다. 경제정책은 효과가 금방 나타나는 것은 아니지만, 이렇게 또박또박 해 나가면 머지않아 우리 경제는 활기를 되찾고 지속적으로 성장해 나갈 것입니다.

국민 여러분,

'경제가 위기'라고 말하는 분들이 있습니다. 그러나 경제에 대한 평가는 냉정하고 정확해야 합니다. 위기일 때 위기가 아니라는 것도 위험하지만, 위기가 아닐 때 위기라고 하는 것도 위험합니다. 과장된 위기론이야말로 시장을 위축시키고 왜곡시킬 뿐 아니라 진짜 위기를 불러올 수 있습니다. 지금 이 시기에 가장 중요한 위기관리는 과장된 위기론을 잠재우는 것입니다. 지난 1989년 재계와 언론은 '총체적 위기론'을 들고 나왔고, 집권여당도 여기에 한몫을 거들고 나섰습니다. 빗발치는 여론에 떠밀려 정부는 증시부양과 건설투자 확대책을 내놓았습니다. 그 결과 땅값은 폭등했고, 물가는 치솟았습니다. 경상수지마저 적자로 돌아서서 경제는 그야말로 심각한 위기로 빠지고 말았습니다.

돌이켜 보면 그 당시 위기는 아니었습니다. 투신사의 부실이 있고 증권시장이 침체된 것은 사실이지만, 오히려 경기는 바닥을 치고 올라오던 시기였습니다. 일부에서는 그 당시 추진되던 토지공개념과 금융실명제 개혁을 저지하기 위해 총체적 위기론이 제기됐다는 의혹을 가지고 있습니다.

2000년에도 우리 경제는 높은 성장률을 기록했습니다. 그런데 '제2의 IMF 위기설'이 대두되어 경제에 대한 불안감이 확산되었고, 그것이 실제로 경기하강을 가속화시켰습니다. 견디다 못한 정부는 개혁의 고삐를 늦추고 주택경기 활성화와 내수 진작책을 내놓았습니다. 결국 시장개혁은 뒷전으로 밀려나고 부동산 폭등과 신용불량자 양산을 낳았습니다. 그것이 지금 우리가 겪고 있는 고통의 원인이라는 것은 모두가 잘 아는 사실입니다.

결코 과거를 탓하자는 것이 아닙니다. 책임을 과거로 돌리자는 것도 아닙니다. 과거에서 교훈을 얻어 같은 잘못을 되풀이하지 말자는 것입니다. 경제위기설이 무리한 대책을 낳고, 그것이 진짜 위기를 불러오는 악순환을 반복해선 안 됩니다. 정치인도, 기업인도, 언론도 책임있게 말해야 합니다. 불안해서 위기를 얘기하는 것은 이해할 수 있지만 정치적인 이유로, 또는 필요한 개혁을 저지하기 위해서 불안을 증폭시키고 위기를 부추겨서는 안 됩니다. 그렇게 해서는 우리 경제에 결코 도움이 되지 않습니다.

존경하는 의원 여러분,

정치가 권력을 둘러싼 게임인 이상 당리당략이 없을 수는 없습니다. 그러나 당리당략과 국민을 위한 정책은 분명하게 구분해서 다루어야 합니다. 정략적인 이유로 정책을 왜곡시키는 일은 없어야 합니다. 비판은 있어야 합니다. 그러나 비판에는 대안이 따라야 합니다. 물론 모든 문제에 다 대안이 있을 수는 없습니다. 당장 대안이 없는 것은 대안을 찾기 위해 함께 노력해야 합니다. 그것이 바로 정책경쟁이라고 생각합니다. 정책은 정책 자체로 경쟁하고 정쟁의 도구로 삼지 않아야 합니다.

지난 1년 동안 저는 대안 없는 비판에 많이 시달렸습니다. 400조원에 이르는 부동자금을 증시를 통해 생산자금화해야 한다는 많은 조언을 들었습니다. 그러나 무슨 방법으로 그렇게 할 것이냐에 대해서는 정부의 중장기 대책 이외에 다른 어떤 방안도 내놓지 않았습니다. 또 위축된 소비를 살리려면 신용불량자 문제를 해결해야 한다는 데 의견이 일치했으나, 당장 그렇게 할 수 있는 방법에 대해서는 별다른 대안이 나온 일이 없었습니다. 그러나 이것이 정쟁과 여론몰이의 대상이 되었습니다. 앞서 말씀드린 것처럼 과거정부가 왜 시간에 쫓겨 단기부양책을 써야 했는지 실감이 났습니다.

경제는 경제이론에 따라 원칙대로 해 나갑시다. 함께 대안을 모색하고 정책으로 풀어갑시다.

존경하는 의원 여러분,

정치개혁, 언론개혁을 비롯해서 우리 앞에는 많은 개혁과제들이 있습니다. 대부분 국회가 주도해서 해 주셔야 할 일이라고 생각합니다. 잘 해 주실 것으로 믿습니다. 저와 정부가 앞장서서 해야 할 일이 있습니다. 부패청산과 정부혁신입니다. 이 두 가지는 제가 책임지고 해 나가겠습니다. 부패는 차근차근 실태를 조사하고 분석해서, 심각하고 구조적인 부패부터 청산해 나가겠습니다. 가지만 자르는 청산이 아니라 뿌리까지 뽑아내는 청산을 하겠습니다. 제도에 문제가 있는 것은 제도를 고치고, 문화와 관행이 문제이면 문화와 관행을 바꿔나가겠습니다. 일시적인 몰아치기 방식으로는 사정을 하지 않을 것입니다. 원칙을 가지고 지속적으로 해 나가겠습니다. 고위공직자 비리조사처 신설과 같이 입법이 필요한 사안에 대해서는 의원 여러분의 적극적인 협조를 바랍니다.

우리나라 공무원들은 우수합니다. 열심히 일하고 있습니다. 그러나 지금 우리 정부 서비스의 질과 일의 생산성은 선진국에 뒤지고 있는 게 사실입니다. 아직 '일류정부'라고 말하기 어렵습니다. 국민 여러분이 만족하고, 공무원 스스로도 일류라고 자부할 수 있을 때까지 정부를 혁신해 나가겠습니다. 공직자 자신이 혁신의 주체로서 변화를 주도해 가도록 할 것입니다. 일 잘하는 정부, 신뢰받는 정부, 세계 일류정부를 반드시 만들어 놓겠습니다.

존경하는 의원 여러분,

국민에게 칭찬받는 정치 한번 해 봅시다. 국회다운 국회, 정부다운 정부를 우리 함께 만들어 갑시다. 저부터 열심히 하겠습니다.

국민 여러분,

새 국회를 믿고 격려해 주십시오. 칭찬이 가장 따끔한 채찍입니다.

다시 한번 17대 국회의 개원을 축하드리며, 의원 여러분의 건승을 기원합니다.

감사합니다.

농촌사랑 협력조인식 및 1사1촌 자매결연발대식 축하 메시지

2004년 6월 8일

농촌사랑 협력조인식과 1사1촌 자매결연 발대식을 진심으로 축하합니다.

경제계와 농촌이 손을 맞잡았습니다. 기업인 여러분이 우리 농민들에게 희망의 손길을 내밀었습니다. 정말 반갑고 고마운 일입니다. 어려움을 겪고 있는 우리 농민들에게 큰 힘이 될 것입니다. 행사에 참여하신 한 분 한 분께 깊은 감사와 격려의 말씀을 드립니다. 우리 경제가 이만큼 성장하기까지 농업과 농촌의 기여가 매우 컸습니다. 그럼에도 우리 농민들은 수십년 계속되어 온 어려움을 벗어나지 못하고 있습니다.

이제 농촌을 살리고 경쟁력 있는 농업을 만드는 데 함께 힘을 모아야 합니다. 농업과 농촌의 발전 없이는 2만 달러 시대도, 우리가 목표하는 '더불어 사는 균형발전 사회'도 이루기 어렵습니다. 우리 모두의 관심과 참여가 필요합니다. 정부도 최선을 다하고 있습니다. 농업을 발전시키고 농민들의 생활을 향상시킬, 앞으로 10년간의 청사진을 작년 말 제시했습니다. 정부 내 모든 부처가 협력해서 119조원의 투·융자계획도 수립했습니다. 또박또박 실천해서 지금의 청사진이 10년 후에는 현실이 되도록 하겠습니다.

걸어가는 사람이 많아지면 그것이 곧 길이 된다고 했습니다. 오늘이 행사처럼 기업인과 농업인, 소비자, 그리고 정부가 함께 협력해 나가면 반드시 활력 있는 농업, 살기 좋은 농촌을 만들 수 있을 것이라고 확신합니다. 행사의 큰 성공과 참석자 여러분의 건승을 기원합니다.

감사합니다.

KTV 생방송 특급작전 '일자리팡팡!' 격려 메시지

2004년 6월 8일

시청자 여러분, 안녕하십니까?

KTV '일자리 팡! 팡!'이 취업알선 100명을 돌파했습니다. 일자리를 찾는 사람, 일할 사람을 구하는 회사, 서로를 이어 주는 희망의 다리 역할을 톡톡히 해내고 있습니다. 축하와 감사를 드립니다. 이제 시작입니다. 앞으로 열 배, 스무 배의 성과가 있기를 바라고, 또 그렇게 되리라 믿습니다. 일자리야말로 최고의 복지입니다. 정부는 여기에 모든 노력을 집중하고 있습니다. 노·사·정도 한마음으로 힘을 모으고 있습니다.

일할 기회는 반드시 찾아옵니다. 결코 낙담하거나 포기하지 마십시오. 많은 분들이 여러분의 어려움을 외면하지 않고 돕기 위해 노력하고 있습니다. 희망과 용기를 가지고 도전합시다. 일자리 만들기, 저부터 최선을 다하겠습니다. 함께 해 봅시다. 감사합니다.

한국일보 창간 50주년 축하 메시지

2004년 6월 9일

한국일보의 뜻깊은 창간 50주년을 진심으로 축하드립니다.

6·25전쟁의 폐허를 딛고 태어난 한국일보는 우리나라 산업화와 민주화의 과정에서 늘 국민의 선두에서 시대의 고난과 영광을 함께 해 왔습니다. 우리 언론의 발전에도 크게 기여해왔습니다. 특히 한국일보는 사시(社是)인 '불편부당(不偏不黨)'이 말해 주듯 어느 쪽에도 치우침이 없는 보도와 논평으로 국민으로부터 높은 평가와 많은 사랑을 받아 왔습니다.

한국일보는 국내 처음으로 견습기자제도를 도입하고 학력제한 없이 기자를 선발하여 언론 발전의 지평을 넓혔을 뿐만 아니라 항상 새로운 발상과 도전으로 우리 사회에 신선한 충격을 주었습니다. 이런 노력을 통해 수많은 인재를 배출하는 '언론아카데미'가 되어 왔습니다. 인재

육성이 발전의 동력임을 미리부터 깨닫고 앞장서 실천해 왔다고 생각합니다. 또한 한국일보는 일찍이 세계를 향한 글로벌 매체의 개척정신을 발휘해 왔습니다. 미주(美洲) 한국일보 등을 창간하여 조국과 해외동포들을 하나로 묶는 구심점 역할을 해온 것은 한국일보의 자랑입니다. 이런 경험과 역량을 바탕으로 이제부터 새로운 반세기, 100주년을 향해 힘차게 나아가는 한국일보가 될 것으로 믿습니다. 저는 이제 한국일보가 빛나는 성과와 도전정신을 바탕으로 '대안찾기언론'의 중심이 되어 주실 것으로 기대합니다. 지금까지 한국일보가 창의적인 의제로 우리 사회의 변화를 앞장서 이끌어 왔기 때문입니다.

많은 사람들이 지금 우리 사회에는 비판은 무성하지만 대안은 부족하다고 말합니다. 정부의 정책에 대해서도 얼마든지 비판할 수 있고 또 비판해야 합니다. 그러나 대안이 있어야 합니다. 그렇다고 모든 문제에 대해 대안을 내놓아야 한다는 것은 아닙니다. 당장 대안이 없거나 쉽게 찾기 어려운 것도 있습니다. 중요한 것은 대안을 찾기 위해 함께 노력하는 것이라고 생각합니다. 이제 대안찾기에 함께 나섭시다. 늘 청년 같은 신문 한국일보의 창간 50주년을 거듭 축하하며, 큰 발전이 있기를 기원합니다.

국가정보원 창설 43주년 축하 메시지

2004년 6월 10일

국가정보원 창설 43주년을 진심으로 축하합니다.

국정원은 명실상부한 국가정보기관으로 거듭나고 있습니다. 무엇보다 정권과의 비정상적인 관계가 사라졌습니다. 과거처럼 권력의 손발 노릇을 하지 않습니다. 정상적인 정보관리에만 전념하고 있는 것입니다. 국민 위에 군림하지도, 두려움의 대상이 되지도 않습니다. 권력기관이 아니라 국가와 국민을 위해 봉사하는 기관으로 바로 섰습니다. 스스로 새로운 국정원을 만들어 가고 있는 고영구 원장을 비롯한 직원 여러분의 노고를 치하드립니다.

지금이야말로 '정보가 곧 국력'입니다. 국정원이 해야 할 일은 더 늘어나고, 그 책임은 더 막중합니다. 국가안보와 국익증진을 위한 정보역량은 한층 강화되어야 합니다. 특히 해외경제정보 수집에서부터 테러와 사이버 범죄 대비에 이르기까지 한 치의 소홀함이 없어야 하겠습니다.

여러분은 소중한 국가예산을 들여 육성해낸 우수한 인재들입니다. 애국심과 사명감을 가지고 끊임없이 혁신하는 조직, 국민으로부터 신뢰받는 국가정보원이 되어 주기 바랍니다. 잘해낼 것으로 믿습니다. 창설 43주년을 거듭 축하하며, 여러분의 건승을 기원합니다.

세계경제포럼 아시아 원탁회의 참가자 초청 오찬말씀

2004년 6월 14일

호세 마리아 피게레스 대표님, 그리고 세계 각국에서 오신 정계·기업계·언론계·학계 대표 여러분, 대단히 반갑습니다.

그동안 세계 경제에 커다란 기여를 해온 WEF(World Economic Forum) 아시아 회의를 서울에서 개최하게 된 것을 대단히 기쁘게 생각합니다. 그간 세계 경제에 크게 기여해 왔던 업적과 마찬가지로 이번 서울대회에서도 여러분의 활발한 논의가 우리 아시아 지역의 경제성장과 또 평화·번영에 큰 기여를 해 주기를 기대합니다.

어제 여러분의 회의장 주변에서 시위가 있었습니다. 아마 대개 알고 계실 것입니다. 그분들이 지적하는 대로 세계화의 과정에서 빈부격차가 아직 해소되지 않고 있고, 또 세계화의 진전이 경우에 따라서 잘 통제되지 않았을 때 일부 지역에 있어서 경제적 위기를 가져올 수 있다는 불안이 있는 점은 저희도 잘 이해를 하고 있습니다. 그러나 그렇다고 하여 세계화 자체를 전면적으로 부정하는 것은 불가능하고, 우리는 이와 같은 부작용을 극복하고 시정해 가면서 결국 세계화의 길로 가는 것이 전체적으로 인류 사회의 번영에 기여할 것이라는 생각을 가지고 있습니다. 따라서 저와 우리 국민들은 세계화의 문제점을 지적하는 분들의 의견에 귀를 기울이면서도, 또한 중단 없이 개방적인 경제체제와 자유로운 교류·협력을 통해서 세계 경제를 발전시켜 나가는 정책을 지속적으로 추진해 나갈 것입니다.

지금 우리 한반도를 생각하면, 분단과 북핵문제를 먼저 머리에 떠올릴 것입니다. 그러나 저는 장기적으로 이 문제가 매우 안정적이고도 바람직한 방향으로 해결되어 갈 것이라는 믿음을 가지고 있습니다. 지난 50년 동안 한국·미국·일본을 한 묶음으로 하고, 또 북한과 중국·러시아를 반대편으로 해서 불신과 경계의 질서가 지속되어 왔습니다. 그러나 한편으로는 이 여섯 나라 사이에서 활발한 경제 교류와 협력이 이루어지고 있고, 이 협력의 질서는 점점 더 강화되어 가고 있습니다.

지금은 두 개의 질서가 나란히 존재하고 있는 상태입니다만, 시간이 흐를수록 전체적으로 이 6자간의 협력과 경제적인 의존관계가 심화되어 나가는 질서가 더욱 더 두터워지고, 불신과 경계의 질서는 점차 희석되어 나갈 것이라고 생각합니다. 저는 이것이 세계 질서의 커다란 흐름이기 때문에 누가 흐름을 되돌리려고 한다고 해서 쉽게 되돌려지지 않을 것이라고 믿습니다만, 그러나 이와 같은 흐름이 더욱더 순조롭게 또 빠르게 진행되게 하기 위해서는 여러 나라들이 함께 협력하고, 이 자리에 계신 여러분도 역시 함께 노력하는 것이 매우 중요하다고 생각합니다.

북핵문제를 해결하기 위한 6자회담은 지금 계속해서 추진되어 가고 있습니다. 그런 가운데서도 우리가 주목할 만한 사건은, 오늘부터 휴전선에 존재하고 있는 상호간의 선전물들을 제거하고 선전활동을 중지하게 됐고, 서해상에서는 충돌을 방지하기 위해서 상호간에 협력하는 여러 가지의 일들, 상호교신이라든지 상호 협력의 절차들이 시험적으로 실천되어 나가고 있습니다. 이것은 남북관계에 있어서의 긴장을 해소하는 데 매우 중요한 사건이라고 생각합니다.

저는 이와 같은 신뢰를 증진해 가는 노력이 동북아시아, 나아가서는 동아시아의 평화를 마침내 정착시킬 것이라는 믿음을 가지고 있고, 또 오늘 여러분과 함께 이렇게 머리를 맞대고 상호간에 교류와 협력, 그리고 공동의 번영을 위해서 논의해 가는 것도 이와 같은 평화를 구축하는 데 큰 기여를 할 것이라고 생각합니다. 그리고 이와 같은 안정된 토대는 우리 한반도와 동북아시아의 평화와 번영의 기초로서 매우 중요하다고 생각합니다.

이런 환경 가운데서 우리 한국은 민주주의와 다양성의 질서를 튼튼히 다지고 그 위에 자유롭고 공정한 시장질서를 구축하고, 끊임없는 혁신을 통해서 우리 경제를 발전시켜 나가려고 노력하고 있습니다. 우리 한국에도 과거 우리가 걸어왔던 시대의 제도와 생각을 그대로 지켜 가고자 하는 사람들과 아주 빠른 변화를 추구하는 사람들 사이에 지금도 계속적인 충돌과 갈등이 있는 것은 사실이지만, 그러나 지난날을 돌이켜 보면 우리 한국은 매우 빠른 속도로 변화해 가고 있는 나라입니다. 그리고 우리는 아주 힘차고 빠르게 변화하고 있기 때문에 '역동적인 한국'이라고 이렇게 스스로를 표현합니다.

여러분의 회의가 아시아에 평화와 번영의 공동체를 만들어 나가는 데 힘과 지혜를 함께 모으는 좋은 계기가 되기를 바랍니다. 그리고 우리 한국에도 좋은 기회가 되기를 바라는 마음으로 우리 한국의 입장을 잠시 소개해 드렸습니다. 우리 한국, 항상 잊지 마시고, 관심 가지고 주목해 주십시오.

감사합니다.

6·15공동선언 4주년 기념 국제토론회 축사

2004년 6월 15일

존경하는 김대중 전 대통령 내외분, 북측 아태평화위 이종혁 부위원장과 함께 오신 손님들, 그리고 우리 한반도 평화와 통일에 관해서 깊은 관심을 가지고 이 자리에 함께 하기 위해 멀리서 오신 해외 귀빈 여러분, 그리고 내외 귀빈 여러분,

대단히 반갑습니다. 역사적인 6·15공동선언 4주년을 맞아 국제토론회가 열리게 된 것을 매우 뜻깊게 생각합니다. 진심으로 축하드립니다. 특히 남북한 연구기관이 함께 이와 같은 토론회를 열게 된 것을 매우 뜻깊게 생각합니다. 북측에서 오신 참가자 여러분, 반갑습니다. 다시 한 번 따뜻한 환영의 인사를 드립니다.

앞서 임동원 전 장관과 정창영 연세대 총장, 이종혁 아태 부위원장께서 해주신 좋은 말씀, 잘 들었습니다. 김대중 전 대통령의 특별연설에

거는 기대가 매우 큽니다. 아주 성공적인 토론회가 될 것으로 믿습니다.

내외 귀빈 여러분,

2000년 6월 15일 남북한 정상이 서로 얼싸안는 사진은 지금도 제게 벅찬 감동으로 남아있습니다. 아직도 그날의 감격이 생생합니다. 그 사진 한 장은 온 겨레의 화합과 평화의 가능성을 심어준 희망의 메시지였습니다. 전 세계가 아낌없는 박수와 찬사를 보냈습니다. 6·15공동선언은 한반도의 운명을 바꾸어 놓은 역사적 전환점이었습니다. 반세기 동안 지속되어 온 대립과 반목의 남북관계가 화해와 협력의 길로 들어선 것입니다. 그날 이후 일어난 남북관계의 변화와 진전은 우리 모두가 잘 아는 대로입니다. 남북 당국간 회담이 100여 차례이상 열리고, 인적·물적 교류도 크게 늘어났습니다. 철도·도로 연결사업, 금강산 관광, 이산가족 상봉, 개성공단 개발 등이 하나하나 착실히 추진되고 있습니다.

특히 최근에 열린 남북 장성급 군사회담에서 서해상의 우발적인 충돌을 방지하기로 한 것은 또 하나의 큰 진전입니다. 군사분계선에서의 선전방송도 오늘부터 완전히 중단되었습니다. 과거 50년 동안 상상도 할 수 없었던 변화들입니다. 이 모두가 6·15공동선언의 토대 위에서 이루어진 값진 성과입니다.

내외 귀빈 여러분,

참여정부는 햇볕정책과 6·15정신을 계승·발전시킨 '평화번영정책'을 추진해 나가고 있습니다. 이대로 가면 한반도에 화해와 협력의 질서가 구축되고, 평화와 번영의 새로운 동북아 시대가 열리게 될 것입니다. 무엇보다 중요한 것은 남북간 신뢰구축입니다. 각 분야의 교류와 협력을 활성화시키고, 북핵문제를 평화적으로 해결해 나가야 합니다. 핵문제가 걸림돌이 되고 있음에도 불구하고, 지금 남북간에는 그 어느 때보다 교류와 협력이 활발합니다. 이러한 교류와 협력은 그 자체가 핵문제의 해결에도 큰 도움이 될 것입니다.

북핵문제가 해결되면 남북간 협력은 더욱 본격화될 것입니다. 우리는 그때에 대비해서 포괄적이고도 구체적인 계획을 준비하고 있습니다. 북한 경제를 획기적으로 개선시킬 수 있는 각종 인프라 확충과 산업생산능력의 향상에 적극 협력할 것입니다. 국제사회의 대북 경제협력이 확대될 수 있도록 주변 국가들과도 긴밀히 협의해 나갈 것입니다.

내외 귀빈 여러분,

김대중 전 대통령은 철학이 있는 대통령이셨습니다. 햇볕정책이야말로 한반도와 동아시아의 미래를 내다보는 원대한 철학적 구상에 기초한 것입니다. 이것은 우리 모두의 꿈이 되었고, 그 꿈은 반드시 이루어질 것입니다. 7천만 겨레의 염원을 담은 6·15공동선언을 착실히 실천하고 이행해 나갑시다. 반드시 성공한 역사로 만듭시다. 남북관계 발전의 주역이신 여러분이 앞장서 주실 것으로 믿습니다.

다시 한번 오늘 토론회를 축하드리며, 그동안 민족의 평화와 통일을 위해 애써 오신 많은 분들을 오늘 이 자리에서 뵙게 된 것을 매우 기쁘게 생각합니다. 여러분 모두의 건승을 기원합니다.

감사합니다.

직지상 제정 및 직지 세계화 선포식 축하 메시지

2004년 6월 15일

여러분 안녕하십니까?

이제 '직지'가 세계인이 함께 부르는 이름이 됐습니다. 유네스코의 '직지상' 제정을 진심으로 축하드립니다. 우리 문화를 세계에 알려 온 여러분의 땀과 노력이 결실을 맺은 것입니다. 정말 기쁘고 자랑스럽습니다. 우리 청와대에도 가장 눈에 잘 띄는 곳에 '직지' 동판 모형이 놓여져 있습니다. 우리 민족은 뛰어난 창의력과 장인정신으로 세계 속에 빛나는 과학기술과 문화를 창조해왔습니다. '직지' 가 그 좋은 본보기입니다.

이제 선조들이 물려주신 훌륭한 문화 역량을 오늘에 이어받아 보다 새롭고 창조적인 문화산업 발전에 힘써야겠습니다. 나아가 문화의 디지털화를 통해서 우리 문화를 세계에 알리는 일에 적극 나서야 하겠습니다. 지역문화를 발굴하고 육성하는 것도 중요한 과제입니다. 지역의 문화를 교육과 산업에 잘 결합시켜 지방화 시대를 이끄는 동력으로 삼아 나가야 할 것입니다. 청주시가 추진하는 '직지 세계화'는 그 시금석이 될 것입니다. 국가균형발전은 물론 문화강국 대한민국을 열어 가는 밑거름이 되어 줄 것으로 기대합니다. 오늘 뜻깊고 즐거운 시간이 되시기를 바라며, 여러분의 건강과 행복을 기원합니다.

감사합니다.

한국자유총연맹 창립 50주년 축하 메시지

2004년 6월 16일

안녕하십니까? 한국자유총연맹이 창립 반세기를 맞았습니다. 진심으로 축하를 드립니다.

지난 반세기는 기적과 신화의 역사였습니다. 우리 국민들은 100배가 넘는 경제성장과 세계에 자랑할 만한 민주주의를 이룩해 냈습니다. 그 길의 선두에 여러분이 계셨습니다. 그동안 세상은 많이 바뀌었지만, 여러분의 나라 사랑은 변함없이 뜨거운 것 같습니다. 우리 모두가 바라는 조국의 모습은 한결같습니다. 스스로의 힘으로 자유와 안보를 책임지는 당당한 자주독립국가, 바로 그것입니다. 참여정부는 어떤 상황에서도 대처할 수 있는 철통같은 안보태세를 갖추어 나가고 있습니다. 한·미동맹도 더욱 군건히 발전시켜 나갈 것입니다. 한반도의 평화정착을 위해 남북간 신뢰증진에도 지속적인 노력을 기울이고 있습니다. 여러분의 응원이 큰 힘이 되고 있습니다.

이제 자유민주체제를 지키는 일 뿐만 아니라 내실있게 다지는 일에도 힘을 모아 주셔야겠습니다. 무엇보다 대화와 타협의 문화를 뿌리내려야 합니다. 입장의 차이가 있더라도 상대를 존중할 줄 알고, 반대를 하더라도 합리적으로 타협할 줄 알며, 경쟁은 하되 결과에 깨끗이 승복하는 자세와 역량을 키워 가야겠습니다. 그래서 성숙한 민주주의를 우리 생활 속에 정착시켜 나가야 하겠습니다. 다시 한번 창립 50주년을 축하드리며, 여러분 모두의 건강과 행복을 기원합니다.

감사합니다.

김선일 씨 사건과 관련한 대 국민 담화문

2004년 6월 23일

국민 여러분,

참으로 비통한 심정을 금할 수가 없습니다. 김선일 씨의 무사귀환을 바라는 국민들의 간절한 기도와 많은 노력에도 불구하고 불행한 소식을 전해 드리게 된 것을 매우 안타깝고 송구스럽게 생각합니다.

고인의 절규하던 모습을 생각하면 지금도 가슴이 미어지는 것 같습니다. 머리 숙여 고인의 명복을 빕니다. 부모님과 가족들의 애통함을 그 무엇에 비길 수 있겠습니까? 마음으로부터 깊은 애도의 뜻을 전합니다. 큰 충격과 슬픔에 잠겨 있는 국민 여러분께도 깊은 위로의 말씀을 드립니다.

국민 여러분,

무고한 민간인을 해치는 행위는 어떤 이유로도 용납될 수 없습니다. 테러는 반인륜적인 범죄입니다. 테러행위로 얻을 수 있는 것은 아무것도 없습니다. 결코 테러를 통해서 목적을 달성하게 해서는 안 됩니다. 우리는 이러한 테러행위를 강력히 규탄하며 국제사회와 함께 단호하게 대처해 나갈 결심임을 밝혀 드립니다. 거듭 강조하지만 우리의 파병은 이라크와 아랍 국가에 적대행위를 하려는 것이 아닙니다. 이라크의 복구와 재건을 돕기 위한 것입니다. 이미 이라크 현지에서 활동하고 있는 서희·제마부대가 이를 증명해 주고 있습니다.

우리 국민의 안전은 무엇보다도 중요합니다. 다시는 이와 같은 불행한 일이 발생하지 않도록 우리 교민과 국민의 안전을 지키는 데 정부는 최선을 다해 나가도록 하겠습니다. 거듭 고인의 명복을 빌며, 가족들께 깊은 위로의 말씀을 드립니다.

제54주년 6·25 참전용사 위로연 연설

2004년 6월 25일

존경하는 6·25 참전용사 여러분, 이상훈 재향군인회장과 군 원로 여러분,

6·25전쟁 54주년을 맞아 우리의 자유와 평화를 지키기 위해 고귀한 목숨을 바치신 용사들의 희생을 기립니다. 그때의 상흔으로 아직도 고초를 겪고 계신 분들과 유가족 여러분께 충심으로 위로의 말씀을 드립니다. 아울러 멀리 해외에서 오신 참전용사 여러분께 따뜻한 환영의 인사를 드립니다.

내외 귀빈 여러분,

김선일 씨에 대한 살해 만행사건은 우리에게 엄청난 충격과 분노를 안겨 주었습니다. 테러는 어떤 이유로도 용납될 수 없는 범죄행위입니다. 반드시 근절돼야 합니다. 저는 이 반인륜적인 테러행위를 강력하게

규탄하면서, 국제사회와 협력해서 원칙에 따라 단호하게 대응해 나갈 것임을 다시 한 번 분명히 밝힙니다.

참전용사 여러분,

6·25전쟁은 우리에게 씻을 수 없는 상처와 슬픔을 남겼습니다. 수백만 명이 목숨을 잃거나 부상을 당했고, 국토는 그야말로 초토화되었습니다. 1천만 이산가족의 고통은 아직도 계속되고 있습니다. 이와 같은 동족상잔의 비극이 또다시 되풀이되어서는 안 됩니다. 이 땅의 평화를 지키고 우리 민족이 공존공영하는일, 이것이 6·25전쟁이 우리에게 주는 역사적 과제라고 생각합니다. 참전용사 여러분의 희생에 보답하는 길이 될 것입니다.

지금 우리의 안보는 굳건합니다. 철통같은 안보태세를 유지하고 있습니다. 미래의 어떠한 상황에도 대비할 수 있는 자주국방 역량을 갖추어 나가고 있습니다. 미국을 비롯한 자유우방과의 동맹도 그 어느 때보다 공고합니다. 어떤 경우에도 한·미 연합방위태세가 약화되는 일은 없을 것입니다. 전쟁위기설로 치닫던 북핵문제도 지금 6자회담을 통해 해결책을 찾아 가고 있습니다. 반드시 대화를 통해 평화적으로 해결될 것입니다. 북핵문제가 해결되면 남북간 협력은 더욱더 본격화될 것입니다.

참전용사 여러분,

6·25전쟁과 남북분단이 남겨 놓은 휴전선 비무장지대가 달라지고 있습니다. 열흘 전부터 선전방송이 완전히 중단되었습니다. 지난 50여년간 반목과 대립을 부추기며 총성만큼 시끄럽게 울려대던 확성기가 철거되고 있습니다. 여러분이 피와 땀으로 지켜낸 고지, 고지에 평온이 찾

아들고 있습니다. 육지만이 아닙니다. 이 달 초 남북 양측은 서해상에서의 우발적인 무력충돌을 방지키로 합의하고, 이미 여러 조치들을 실천하고 있습니다. 꽃게철만 되면 불안이 감돌던 서해바다가 이제 어느 정도 안심할 수 있는 수준이 되어가고 있습니다. 이 모두가 하루아침에 아무런 대가 없이 이루어진 것이 아님을 우리는 잘 알고 있습니다. 여러분이 몸 바쳐 지켜주신 덕분입니다.

우리는 참전용사 여러분을 결코 잊지 않을 것입니다. 참전용사 여러분, 늘 건강하십시오.

감사합니다.

한·일 양국 친선협회 대표단 초청 오찬연설

2004년 6월 28일

존경하는 사이토 주로 일·한 친선협회 회장, 김수한 한·일 친선협회 회장, 그리고 회원 여러분,

정말 반갑습니다. 여러분을 청와대에 모시게 된 것을 매우 기쁘게 생각합니다. 얼마 전 취임하신 사이토 회장께도 축하인사를 드립니다. 양국 친선협회는 지난 30년 가까이 한·일간 민간외교 창구로서 두 나라의 우호협력과 신뢰증진에 크게 기여해 왔습니다. 특히 일·한 친선협회는 전국적인 조직을 갖추고, 재일 한국인의 지방참정권을 비롯한 권익향상에 많은 노력을 기울여 오셨습니다. 한·일 관계 발전에 공헌해 온 여러분의 업적과 노고에 대해서 깊은 존경과 감사의 말씀을 드립니다.

내빈 여러분,

우리는 국교정상화 40주년이 되는 내년을 '한·일 우정의 해'로 정

했습니다. 40년 전 연간 1만명에 불과했던 양국간 왕래가 이제는 하루 1만여명으로 늘어났습니다. 지난해에는 김포~하네다간 직항로가 열리고, 일본 대중문화의 개방도 지속적으로 이루어지고 있습니다. 일본에서도 한국드라마 '겨울연가'의 인기가 아주 높다고 들었습니다. 그야말로 '가깝고도 가까운 이웃'이 된 것입니다. 이처럼 활발한 민간교류를 더욱 확대해 나가는 것이 매우 중요합니다. 자유무역협정 등을 통해서 두 나라 관계를 미래지향적인 동반자 관계로 발전시켜 나가야 하겠습니다. 양국간 우호협력의 증진이야말로 동북아시아의 평화와 번영을 위한 토대가 될 것입니다.

내빈 여러분,

김선일 씨에 대한 살해만행사건은 국제사회의 공분을 일으키고 있습니다. 우리 국민에게 말할 수 없이 큰 충격과 분노를 안겨 주었습니다. 테러는 인류 공동의 적입니다. 반인륜적인 테러에 대해서는 국제사회가 공동으로 대처해서 반드시 근절시켜야 합니다.

내빈 여러분,

지난 주말 베이징에서는 북핵문제 해결을 위한 의미있는 진전이 있었습니다. 제3차 6자회담에서 한반도 비핵화에 대한 의지를 재확인하고, 핵문제의 평화적 해결을 위해 단계적 조치를 취해 나가기로 합의했습니다. 이와 같은 진전에는 일본의 역할이 컸다고 생각합니다. 특히 고이즈미 총리의 방북을 포함한 일·북 관계의 개선도 6자회담의 진전에 큰 도움이 되었다고 생각합니다. 북핵문제는 반드시 대화를 통해 평화적으로 해결될 것입니다.

한·일 양국 지도자 여러분,

이번 총회를 거듭 축하드리며, 여러분 모두 즐겁고 편안한 시간되시길 바랍니다.

감사합니다.

서해교전 전몰장병 2주기 추모 메시지

2004년 6월 29일

서해교전 2주년을 맞아 목숨 바쳐 우리의 바다를 지켜낸 해군용사들의 거룩한 희생을 기리며, 삼가 명복을 빕니다. 천금보다 귀한 자식과 남편을 잃은 유가족 여러분에게 깊은 위로의 말씀을 드립니다. 아울러 해군장병 여러분의 노고를 높이 치하합니다. 고(故) 윤영하 소령, 한상국 중사, 조천형 중사, 황도현 중사, 서후원 중사, 박동혁 병장을 우리는 결코 잊을 수 없습니다. 그들의 애국적 헌신은 우리 모두가 우러러 보는 귀감이 되고 있습니다. 용사들의 고귀한 희생이 오늘 우리가 누리는 평화의 디딤돌이 되었습니다. 다시는 이와 같은 안타까운 희생이 없어야 합니다. 장병들이 사수했던 서해바다는 남북 장성급 군사회담을 계기로 긴장이 완화되고 평온을 유지하고 있습니다. 함포를 겨누었던 남북의 함정들이 서로 교신하며 우발적인 충돌을 사전에 방지하고 있습니다. 참으로 놀라운 변화가 아닐 수 없습니다.

그러나 이런 가운데에 일어난 김선일 씨 살해 만행사건은 우리에게 엄청난 충격과 분노를 안겨 주었습니다. 테러는 반인륜적 범죄행위입니다. 어떤 경우에도 결코 용납될 수 없습니다. 정부는 국민의 안전을 최우선으로 만반의 대책을 강구해 나갈 것입니다. 장병 여러분의 어깨 위에 국민의 안전이 걸려 있습니다. 전쟁과 테러로부터 국민을 지키는 것이 여러분의 첫번째 임무입니다. 더욱 철저한 안보태세를 확립해서 국민의 생명과 재산을 지키는 데 한치의 소홀함도 없어야 하겠습니다. 특히 무적해군의 전통을 이어받은 해군장병 여러분은 우리의 영해를 물샐틈없이 지켜줄 것을 당부합니다.

다시 한번 고인들의 명복을 빌며, 해군과 해병대 장병 여러분의 무운과 건승을 기원합니다.

7월

사회복지사무소 개소 축하 메시지

2004년 7월 1일

사회복지사무소가 문을 열게 된 것을 매우 기쁘게 생각합니다. 진심으로 축하드립니다. 사회복지사무소는 일 잘하는 정부, 대화 잘하는 정부를 만들기 위한 노력의 하나입니다. 인력의 효율적 배치와 전문성 강화를 통해서 사회복지 서비스의 질을 한 단계 더 높이고, 어려운 이웃에게 한 걸음 더 다가서는 계기가 될 것입니다.

지금 경제가 매우 안 좋습니다. 서민이 피부로 느끼는 경기는 더욱 어렵습니다. 저도 어려운 분들의 고단한 삶을 가슴 깊이 느끼고 있습니다. 참여정부는 사회안전망을 보다 내실 있게 보강해서 국민 모두가 더불어 잘 사는 사회를 만드는 데 최선을 다해 나갈 것입니다. 최소한 돈이 없어 병원에 못 가고, 하루하루 끼니를 걱정하는 일은 없도록 해 나가겠습니다.

여러분이 하는 사회복지 업무는 무엇보다 소중한 일입니다. 어려운 분들은 여러분의 말 한 마디에 큰 위로를 받고, 손길 하나에 새 힘을 얻습니다. 여러분이 잘해 주셔야 정부도 칭찬받을 수 있습니다. 국민들이 여러분을 보면서 '항상 든든하고 의지할 만하다'는 생각을 가질 수 있도록 최선을 다해 주시기 바랍니다. 저와 정부도 여러분의 근무환경 개선을 위해 지속적으로 노력하겠습니다. 이번에 시범운영되는 사회복지사무소가 제대로 자리잡을 수 있도록 정부와 지방자치단체를 비롯한 우리 모두가 함께 힘을 모아 가야 하겠습니다.

다시 한번 사회복지사무소의 개소를 축하드리며, 여러분의 건강과 행복을 기원합니다.

제9회 여성주간 기념 참여정부 보육비전 선포식 메시지

2004년 7월 1일

안녕하십니까?

제9회 여성주간을 진심으로 축하합니다. 아울러 참여정부의 보육비전을 선포하게 된 것을 매우 뜻깊게 생각합니다. 최근 여성계에는 좋은 일들이 많이 있었습니다. 여성 국회의원이 두 배 이상 크게 늘었고, 보육업무도 여성부로 이관됐습니다. 청와대에 균형인사를 담당하는 비서실이 신설되고, 그 비서관을 여성이 맡고 있습니다. 과거 '남성만의 무대'로 여겨지던 분야에서도 여성의 활약이 눈부십니다. 이제 말 그대로 '여성의 시대'가 열리고 있습니다. 모두가 여러분의 헌신적인 노력 덕분입니다.

그래도 여전히 넘어야 할 장벽은 많습니다. 특히 보육은 여성에게 참으로 어려운 고민거리입니다. 지금도 아이냐 직업이냐를 두고 갈등하는 여성들이 많습니다. 이런 고민을 해결해 주어야 출산율도 올라가고 경제도 성장할 것입니다. 더 중요한 것은 아이를 제대로 키우는 일입니다. 최적의 보육환경을 만드는 것이야말로 가장 인간적이고 가장 도덕적이며 또 미래를 위한 가장 가치 있는 투자다, 저는 그렇게 생각합니다. 보육예산 만큼은 최우선 순위로 배정해 나갈 것입니다. 구체적인 보육정책은 여성부를 중심으로 하나하나 실천해 나갈 것입니다. 정부가 의지를 가지고 하겠습니다. 여러분의 많은 협조와 성원을 부탁드립니다. 이번 여성주간이 '함께 일하고, 같이 키우는 행복한 사회'를 만들어 가는 소중한 계기가 되기를 기대합니다.

감사합니다.

경희대학교 UN 평화공원 및 NGO단지 착공식 축하 메시지

2004년 7월 2일

안녕하십니까?

UN 평화공원과 NGO단지의 착공을 진심으로 축하드립니다. UN과 NGO 협의체에서 오신 손님 여러분을 환영합니다. 경희학원 관계자 여러분의 노고에도 감사를 드립니다.

NGO는 이제 우리 사회를 이끌어 가는 또 하나의 중심입니다. 정부와 시장의 한계를 보완하면서 인권, 환경, 빈곤과 같은 문제들을 해결하는 데 큰 힘이 되고 있습니다. 저도 NGO 활동을 통해서 인권과 사회정의에 눈을 떴습니다. 시민운동가들의 열정과 사명감을 보면서 많은 것을 느끼고 또 배웠습니다. UN평화공원과 NGO단지의 건립은 그래서 더욱 반가운 일이 아닐 수 없습니다.

세계 NGO들의 연대와 정보교류의 중심지로서 큰 발전이 있길 기대합니다. 여러분 모두 건강하고 행복하십시오.

감사합니다.

2004년도 제1회 추가경정예산안 제출에 즈음한 국회 시정연설

2004년 7월 5일

존경하는 국회의장, 그리고 국회의원 여러분,

2004년도 제1회 추가경정예산안과 6개 기금운용계획 변경안을 국회에 제출하고 심의를 요청드리고자 합니다. 의원 여러분께서도 잘 아시는 대로 지금 경제가 어렵습니다. 특히 내수경제가 매우 안 좋습니다. 소비와 투자가 좀처럼 살아나지 않고 있습니다. 여기에 고유가 현상 등 세계 경제의 불확실 요인이 증대하고 있어 가뜩이나 어려운 경제를 더욱 힘들게 하고 있습니다. 이에 따라 서민과 중소기업의 어려움이 말할 수 없이 큽니다.

정부는 서민생활의 안정과 중소기업의 활력회복을 위해 최선을 다하고 있습니다. 무엇보다 투자 활성화와 일자리 창출에 정책적 노력을 집중하고 있습니다. 이를 더욱 촉진하기 위해 추가경정예산안과 기금운용계획 변경안을 편성하게 되었습니다. 의원 여러분의 이해와 협조를 부탁드립니다.

의원 여러분,

먼저 추가경정예산안에 대해서 말씀드리겠습니다. 이번 추가경정예산안의 규모는 총 1조 8,283억원입니다. 재원으로는, 일반회계 세계잉여금 중 세외수입 부족분을 보충하고 남는 5,033억원을 우선 활용하도록 하겠습니다. 나머지 1조 3,250억원은 국채발행을 통해 조달할 계획입니다. 대상사업은 서민생활의 안정과 중소기업의 경영난을 완화할 수 있는 분야에 중점을 두었습니다. 이와 함께 사업효과가 크고 연내에 집행가능한 사업을 우선적으로 선정하였습니다.

좀더 구체적으로 말씀드리면, 3만 1천명에 대한 일자리 창출 등 서민생활 안정을 위해서 5,627억원을 반영하였습니다. 또한 중소기업 신용보증 확대, 재래시장 활성화 등에 7,150억원을 지원하고, 성장잠재력 확충사업을 위해 700억원을 배정하였습니다. 이와 같이 추가경정예산을 편성할 경우 2004년도 일반회계 예산규모는 118조 3,560억원에서 1조 7,833억원이 증가한 120조 1,393억원이 되며, 이는 지난해 예산에 비해 1.7%가 증가한 금액입니다.

다음으로 국민주택기금 등 6개 기금의 운용계획 변경안에 대해서 말씀드리겠습니다. 기금운용계획 변경안 역시 서민생활을 안정시키고 장애인·여성 등 취약계층을 지원하기 위한 것입니다. 그 재원은 기금 여유자금 4,737억원, 복권 수익금 1,193억원, 예산 출연금 400억원 등 총 6,330억원입니다. 이를 통해 25.7평 이하 공공분양주택 지원규모를 당초 3만 4천호에서 5만호로 늘리고, 가정·성 폭력 피해여성에 대해 상담료와 치료비를 지원하며, 국가유공자를 위해 보훈병원의 의료장비를 확충할 계획입니다. 아울러 저소득층 근로자에 대한 장학금 지원대상을 6천명에서 8,600명으로 확대하고, 지방문화 활성화를 위해 지방문예회관, 복합문화공간 등을 확충토록 지원할 것입니다. 이번 추가경정예산과 6개 기금운용계획 변경을 포함한 재정지출 확대는 어려움을 겪고 있는 민생을 안정시키고, 소비·투자 등 내수부문의 경기회복을 촉진하는 데 기여할 것입니다. 국회에서 확정해 주시는 대로 신속하게 집행해서 소기의 성과를 거둘 수 있도록 정부는 최선을 다하겠습니다. 의원 여러분께서 이와 같은 취지를 깊이 이해하셔서 2004년도 제1회 추가경정예산안과 6개 기금운용계획 변경안을 심의·의결하여 주시기를 바랍니다.

감사합니다.

외국공무원교육과정 20주년 수료생 초청행사 축하 메시지

2004년 7월 5일

여러분, 반갑습니다. 우리나라를 다시 찾아 주신 여러분을 진심으로 환영합니다.

지난 20년간 중앙공무원교육원을 다녀간 외국 공무원이 93개국 2,100여명에 이른다고 들었습니다. 외국공무원과정이 여러분 하시는 일에 보탬이 되기를 바랍니다. 우리 대한민국은 역동적인 변화를 지속하고 있습니다. 정부는 정부대로, 민간은 민간대로 끊임없이 혁신하며 경쟁력을 높이기 위해 노력하고 있습니다.

세계 열한번째 경제규모에 걸맞은 투명하고 공정한 시장을 만들어 가고 있습니다. 대화와 타협의 민주주의 문화를 뿌리내려 가고 있습니다. 남북관계도 화해와 협력의 길로 한 발 한 발 나아가고 있습니다. 이를 통해 국민소득 2만 달러의 선진 경제, 평화와 번영의 동북아 시대를 열어 가고자 합니다.

여러분은 우리의 좋은 친구입니다. 두 나라를 잇는 우정의 다리입니다. 우리 정부는 여러분과의 인연을 늘 소중하게 간직할 것입니다. 앞으로도 더욱 긴밀한 교류와 협력을 나누게 되기를 바랍니다.

여러분 모두 즐겁고 뜻깊은 시간 보내십시오. 감사합니다.

국제행정학회 및 국제행정교육기관연합회 공동학술대회 개막식 축사

2004년 7월 14일

존경하는 장 마리 아탄가나 메바라 IIAS(국제행정학회) 회장, 알란 로젠바움 IASIA(국제행정교육기관연합회) 회장, 그리고 내외 귀빈 여러분,

국제행정학회와 국제행정교육기관연합회의 공동학술대회를 진심으로 축하드립니다. 이처럼 권위있는 행사가 우리나라에서 열리게 된 것을 매우 기쁘게 생각합니다. 세계 각국에서 오신 회원 여러분을 진심으로 환영합니다. 저는 오늘 이 자리에 오기 전에 이 건물 1층에서 열리고 있는 '정부혁신 국제박람회'를 돌아봤습니다. 각국의 정부혁신이 얼마나 빠른 속도로 진행되고 있는지 실감할 수 있었습니다.

참석자 여러분,

우리 한국은 지난 40년 동안 정부가 주도하는 일사불란한 체제를 통해서 고도의 경제성장을 이룩했습니다. 권위적이지만 능률적인 정부

가 인적·물적 자원을 동원하면서 성장의 중요한 축을 담당해 왔습니다. 그러나 이제 행정환경은 근본적으로 바뀌었습니다. 시민사회의 성장과 함께 국민의 권리의식과 참여욕구가 크게 신장되었습니다. 권위적인 정부는 더 이상 용납되지 않습니다. 뿐만 아니라 권위적인 정부로서는 지금과 같은 혁신주도형 경제시대를 앞서갈 수도 없습니다.

저는 새로운 변화에 대응해서 정부를 어떻게 혁신하느냐에 우리나라의 미래가 달려 있다고 생각합니다. 시장의 힘과 역할이 물론 크기는 합니다만, 시장을 효율적으로 돌아가게 하는 것은 역시 정부의 몫입니다. 이런 점에서 정부혁신은 시장경쟁력, 나아가서는 국가경쟁력의 토대가 된다고 생각합니다. 우리가 추구하는 정부혁신의 목표는 분명합니다. 세계 10위권의 경쟁력을 갖춘 투명하고 효율적인 정부, 문턱은 낮아지고 문은 활짝 열려있는 봉사와 참여의 정부, 중앙과 지방이 함께 국가발전을 이끌어 나가는 분권화된 정부, 바로 그것입니다. 그래서 저는 원칙과 신뢰, 공정과 투명, 대화와 타협, 분권과 자율을 국정의 원리이자 정부혁신의 좌표로서 강조해 오고 있습니다.

우선 대통령 직속으로 정부혁신지방분권위원회를 설치하고, 행정 전 분야에 걸쳐 100개의 혁신 로드맵을 만들었습니다. 이미 가시적인 성과가 시작됐습니다. '국가인재 발굴 및 관리 시스템'을 구축하고, 중앙부처 국장급 직위에 대한 부처간 인사교류를 단행했습니다. 예산의 총액배분과 자율편성제도도 시행하고 있습니다. 이 밖에도 정책평가 시스템이라든지, 공직자 부패 방지대책, 정부통합전산망 구축사업이 하나하나 착실히 진행되어 가고 있습니다.

'선택과 집중의 원칙'에 따라서 버려야 할 일은 과감하게 버리고, 고쳐야 할 시스템은 고쳐 나가고 있습니다. 나아가 불합리한 관행과 문화까지 개선해 가고 있습니다. 국민은 주권자로서, 정부는 진정한 봉사자로서 제자리를 찾아가고 있습니다. 이러한 정부혁신은 바로 '거버넌스(governance)의 변화'라고 할 수 있겠습니다. 특히 전자정부의 구현은 이러한 변화에 크게 기여하고 있습니다.

내외 귀빈 여러분,

여러분은 3년 후에 열리는 다음 공동학술대회에서 새롭게 변화된 대한민국 정부의 모습을 다시 보게 될 것입니다. 저는 지금 우리가 추진하고 있는 정부혁신이 반드시 성공할 것이라고 확신합니다. 무엇보다도 학습하고 토론하는 문화가 공직사회에 뿌리내리고 있습니다. 학습 없이 혁신에 성공한 일은 없습니다. 자발적으로 만들어진 학습조직은 끊임없이 아이디어를 창출하는 정부혁신의 샘터 역할을 하고 있습니다.

혁신의 성공사례들이 공직사회에 빠르게 확산되고 있는 것도 매우 긍정적인 변화의 하나입니다.

이외에도 성공을 확신할 수 있는 근거는 많이 있습니다. 저와 국무위원을 비롯한 리더들의 혁신의지가 그 어느 때보다도 강합니다. 타율적인 방식이 아니라 공직사회 스스로 문제를 진단하고 대안을 찾아가는 활동을 활발하게 하고 있습니다. 나아가 시스템의 혁신을 통해서 지속적이고도 근본적인 변화를 추구하고 있습니다. 우리는 이와 같은 과정에서 정부간의 교류, 또 오늘과 같은 학술회의를 통해서 혁신을 앞서서 성공시킨 나라들의 사례들을 배워왔습니다. 그리고 이제 꾸준한 노력과 성공을 통해서 많은 국가들이 우리 한국을 벤치마킹할 수 있도록 적극적인 봉사를 아끼지 않을 것입니다.

학회와 연합회 회원 여러분,

저는 이번 학술대회가 '거버넌스'를 주제로 선택한 것은 대단히 시의적절하다고 생각합니다. 서로의 경험과 학문적 성과를 나누고, 보다 나은 대안을 찾는 뜻깊은 학습의 장이 되기를 바랍니다.

우리나라에 머무시는 동안 즐겁고 유익한 시간 보내십시오.

감사합니다.

제35회 국제물리올림피아드 개회식 축사

2004년 7월 16일

여러분, 반갑습니다.

오늘 이 자리는 유난히 밝게 느껴집니다. 세계 70여개국을 대표하는 보배들이 한자리에 모여서 그런 것 같습니다. 앞서 펼쳐진 '과학공연'도 아주 신선하고 흥미로웠습니다. 제35회 물리올림피아드가 우리나라에서 열리게 된 것을 매우 기쁘게 생각합니다. 무엇보다 미래의 노벨상 수상자 여러분을 만나게 되어 기쁩니다. 해외 참가자 여러분을 진심으로 환영합니다. 대회의 성공적인 개최를 위해 애써 주신 고르즈코프스키 국제물리올림피아드 총재와 황정남 대회장, 그리고 관계자 여러분께 감사드립니다. 훌륭한 제자를 길러 내신 선생님들께도 존경과 축하의 박수를 보냅니다.

이 자리에 참석하신 과학영재 여러분,

저는 법률가 출신이지만 늘 과학의 세계를 동경해 왔습니다. 법의 심판은 사람이 하는 일이지만, 과학이야말로 하느님의 섭리와 대화하는 것이라고 생각했기 때문입니다. 지금도 저는 과학서적을 보는 것이 즐겁습니다. 과학에 대한 학습과 탐구에서 즐거움을 찾는 여러분이 부럽기까지 합니다. 21세기는 과학기술인이 변화와 발전을 주도해 가는 시대입니다. 여러분과 같이 창의와 열정을 지닌 사람들이 이끌어 가는 시대인 것입니다. 그런 점에서 여러분은 우리 모두의 희망입니다. 여러분이 있기에 우리는 더욱 풍요롭고 행복한 미래를 꿈꿀 수 있습니다. 여러분의 노력 여하에 따라 백만명, 천만명, 아니 인류사회 전체의 미래가 달라질 수 있습니다. 여러분의 뛰어난 재능과 끊임없는 탐구가 조국의 발전은 물론 세계의 평화와 번영에 크게 기여하게 되기를 기대합니다. 아울러 지금 공부하고 있는 분야는 물론 다양한 취미와 폭넓은 사고를 가진 과학자가 되어 주길 바랍니다.

내외 귀빈 여러분,

우리나라는 수천년 동안 쌓아온 독창적인 과학기술 전통을 가지고 있습니다. 우수한 인적자원이 많습니다. 변화의 속도가 빠르고 역동적입니다. 이를 바탕으로 한국은 과학기술 혁신을 국가발전의 최우선 전략으로 추진하고 있습니다. 우수한 학생들이 과학자의 꿈을 키우고, 과학의 합리성과 창의성이 지배하는 '과학기술 중심사회'를 구축하기 위해 부단히 노력하고 있습니다.

특히 기초과학의 육성과 창의적인 인재양성에 전력을 다하고 있습니다. 얼마 전에는 노벨 물리학상 수상자 한 분을 한국과학기술원 총장으로 모신 바 있습니다. 이 자리에 계신 러플린 박사가 바로 그분입니다. 세계의 과학영재들이 함께 모여 지혜를 겨루는 이번 행사도 기초과학에 대한 관심을 높이고 청소년들의 과학 열기를 북돋우는 데 큰 도움이 될 것입니다.

참가 학생 여러분,

이 자리에 오신 여러분은 이미 성공의 주인공들입니다. 편안한 마음으로 그동안 갈고 닦은 실력을 마음껏 발휘하십시오. 아울러 세계의 친구들과 우정을 나누고 한국의 문화를 이해하는 좋은 기회가 되기를 바랍니다. 다시 한번 이번 대회를 축하드리며, 여러분 모두의 행운을 빕니다.

감사합니다.

매경이코노미 창간 25주년 축하 메시지

2004년 7월 16일

매경이코노미 창간 25주년을 진심으로 축하합니다. 임직원과 애독자 여러분에게 따뜻한 인사의 말씀을 전합니다. 매경이코노미는 오랜 연륜과 훌륭한 전통을 가진 대표적인 주간 경제전문지입니다. 경제와 관련한 다양한 뉴스와 깊이 있는 분석으로 우리 경제발전에 크게 기여해 왔습니다. 경제인들의 좋은 길잡이로서, 경제정책 수립의 조언자로서 많은 역할을 해 왔습니다.

지금 우리는 혁신주도형 경제로 나아가고 있습니다. 이를 성공시키기 위해 기술혁신과 인재양성, 신성장동력 확충, 국가균형발전에 모든 역량을 집중하고 있습니다. 수도권과 지방이 함께 발전하고 노와 사, 대기업과 중소기업이 서로 협력하는 상생의 경제를 이루는 데에도 많은 노력을 기울이고 있습니다.

저는 혁신주도형 경제와 상생의 경제모델, 이 두 가지야말로 우리 경제를 새롭게 도약시킬 수 있는 최선의 전략이라고 생각합니다. 우리 경제의 비전과 전략에 대한 국민적 공감대를 이루는 데 매경이코노미를 비롯한 경제 전문지들의 큰 활약을 기대합니다. 합리적인 비판과 함께 미래지향적인 대안 발굴에도 더욱 힘써 주실 것을 당부드립니다.

거듭 창간 스물다섯 돌을 축하드리며, 매경이코노미의 무궁한 발전을 기원합니다.

압둘라2세 요르단 국왕을 위한 만찬 건배사

2004년 7월 24일

존경하는 압둘라2세 국왕 폐하.

우리나라는 1년 중 지금이 가장 더울 때입니다. 이런 때에는 폐하께서 즐겨 하신 스쿠버 다이빙이 아주 좋을 듯합니다. 그만은 못하겠지만, 반가운 손님과 친선을 나누는 것도 꽤 괜찮은 피서방법이라고 생각합니다. 조금 전 폐하의 시원시원한 말씀을 들으면서 그런 생각을 해보았습니다.

나는 오늘 정상회담에서 요르단과 중동의 미래를 내다보는 폐하의 통찰력에 큰 감명을 받았습니다. 지금 요르단이 중동에서 가장 역동적인 경제발전을 이루고 있는 것은 폐하의 지도력 덕분일 것입니다. 폐하께서 선왕이신 후세인 국왕의 뜻을 이어받아 기울여 오신 중동평화 노력을 높이 평가합니다. 아울러 한반도 평화와 북핵문제 해결에 많은 관심을 가져 주신 데 대해 감사를 드립니다.

방금 우리는 '이중과세 방지협정'을 비롯한 네 건의 협정을 체결했습니다. 양국관계가 한층 도약할 수 있는 디딤돌이 마련된 것입니다. 우리 두 나라의 경제협력 전망은 매우 밝습니다. 요르단의 견실한 성장, 우리의 세계적인 IT 경쟁력 등이 이를 뒷받침해 주고 있습니다. 우리 두 나라의 긴밀한 우호협력은 중동과 동북아의 평화와 번영에도 큰 힘이 될 것입니다. 이번 폐하의 방문을 계기로 양국이 더욱 굳건한 동반자가 될 것으로 확신합니다.

국왕 폐하의 건승과 우리 두 나라 국민의 우의와 협력을 위한 건배를 제의합니다. 하나 더 보태겠습니다. 지난 한·요르단 축구경기에서 한국이 이기기를 바랐는데 이기지 않고 비기기를 잘했다는 생각이 듭니다. 한·요르단 모두 8강에 진출해 좋은 성과를 거두기를 바라며, 함께 건배를 제의합니다.

미국 '한국전 참전용사 위로연' 메시지

2004년 7월 27일

오늘은 한국전 정전협정 51주년이 되는 날입니다. 이 날을 맞아 미국 워싱턴에서 참전용사 여러분을 위한 자리를 마련하게 된 것을 매우 뜻깊게 생각합니다. 나는 비록 여러분과 함께하지 못하지만, 여러분의 헌신과 노고를 늘 잊지 않고 있습니다. 깊은 감사의 말씀을 전합니다. 한국전에서 고귀한 생명을 바치신 전몰용사들의 고귀한 희생을 기리며 삼가 명복을 빕니다.

여러분은 자유와 민주주의를 수호하기 위해 우리와 함께 싸웠습니다. 피와 땀과 눈물로 세계 평화의 길목을 지켜냈습니다. 그런 면에서 여러분이야말로 우리의 진정한 친구들입니다. 여러분의 헌신은 오늘 우리가 누리는 자유와 평화의 밑거름이 되었습니다. 대한민국은 이제 세계 11위의 경제강국, 활력이 넘치는 민주주의의 나라로 성장했습니다. 세계의 평화와 번영에 기여하는 당당한 나라가 되었습니다. 여러분 모두 이 놀라운 발전에 대해 큰 자부심을 가져 주시기 바랍니다.

지금도 남북한은 분단되어 있습니다. 그러나 상황은 크게 달라지고 있습니다. 남북간의 인적·물적 교류가 더욱 확대되고 있습니다. 정전이후 처음 남북 장성급 군사회담이 열리고 비무장지대의 비방방송도 중단되었습니다. 개성공단 건설을 비롯한 여러 분야의 협력이 활발히 이루어지고 있습니다.

여러분이 우려하는 북핵문제도 6자회담으로 해결의 실마리를 찾아가고 있습니다. 반드시 대화를 통해 평화적으로 해결해 나갈 것입니다.

반세기를 이어온 한·미 동맹은 매우 굳건합니다. 앞으로도 한반도는 물론 동북아의 안정을 유지하는 버팀목 역할을 할 것입니다. 한·미 동맹의 산증인인 여러분의 변함없는 관심과 성원을 당부드립니다.

여러분, 더욱 건강하시고 행복하십시오.

감사합니다.

8월

2004 전국농업경영인대회 축하 메시지

2004년 8월 4일

농업경영인 여러분, 안녕하십니까?

전국농업경영인대회를 진심으로 축하드립니다. 힘든 여건 속에서도 우리 농업을 지키고 발전시키기 위해서 땀 흘리고 계신 여러분께 깊은 감사를 드립니다. '농업' 하면 걱정이 앞섭니다. 특히 농산물 개방에 대한 우려가 아주 큽니다. 정부도 항상 귀 담아 듣고, 또 비상한 각오로 대처하고 있습니다. 그러나 피할 수 없는 일이라면 맞서서 이겨낼 수밖에 없습니다. 우리 농업의 체질을 강화하는 계기로 삼아야 합니다.

어렵다고 하지만 저는 우리 농업에서 희망을 봅니다. 바로 12만 농업경영인 여러분이 있기 때문입니다. 참신한 아이디어로 일구어낸 성공사례들을 많이 들었습니다. 정부도 힘껏 돕겠습니다. 이미 지난해 말에 종합적인 대책을 마련했습니다만 앞으로도 여러분의 의견을 들어 지속적인 정책을 마련해 나가겠습니다.

최선의 해법은 농업의 경쟁력을 키우는 것입니다. 실효성 있는 대책으로 여러분의 창의적이고 자발적인 노력을 최대한 뒷받침하겠습니다. 희망은 만들어가는 것입니다. '해보겠다'는 의지와 자신감을 가집시다. 우리 모두 합심해서 경쟁력 있는 농업, 살기 좋은 농촌을 향해 힘차게 나아갑시다. 여러분의 건승을 기원합니다.

감사합니다.

제59주년 광복절 경축사

2004년 8월 15일

존경하는 국민 여러분, 그리고 해외 동포 여러분,

쉰아홉 돌 광복절을 온 국민과 함께 경축합니다. 아울러 오늘을 있게 하신 애국선열들의 높은 뜻을 기립니다. 불의와 압제에 굴하지 않고 일제에 맞서 싸운 선열들의 빛나는 정신이 있었기에 지금 우리는 당당할 수 있습니다. 선열들의 희생과 공로가 오늘의 대한민국을 있게 했습니다. 모든 것을 바쳐 독립된 나라와 불굴의 민족혼을 물려주신 애국선열들께 머리 숙여 경의를 표합니다. 독립유공자와 유가족 여러분께도 깊은 존경과 감사의 말씀을 드립니다.

국민 여러분,

우리는 선열들이 꿈꾸었던 풍요롭고 힘있는 나라를 건설하기 위해 지난 반세기 동안 땀흘려 왔습니다. 선열들은 전쟁의 잿더미 위에서 세계 11위의 경제를 이룩해낸 우리를 자랑스러워하실 것입니다. 군사독재를 물리치고 민주주의를 꽃피워낸 우리가 대견스러울 것입니다. 지금 아테네에서 뛰고 있는 우리의 장한 아들딸들을 보면서 1936년 베를린에서 쌓였던 울분도 이제는 풀리셨을 것입니다. 지금까지 이룩한 경제적 성취와 민주주의의 발전은 우리 국민의 위대한 역량을 보여 준 신화와도 같은 역사입니다.

그러나 우리 국민의 저력은 여기서 멈추지 않습니다. 한 단계 더 도약한 대한민국을 만들기 위해 새로운 도전에 나서고 있습니다. 국민들이 정치의 당당한 주역으로 나섰습니다. 지난 수십년간 계속된 지시와 통제의 굴레를 이제 벗어던졌습니다. 국민의 힘으로 투명하고 깨끗한 정치를 실현해 가고 있습니다. 이제 누구도 국민 위에 군림할 수 없는 시대, 국민 모두가 적극적으로 참여하고 앞장서 이끌어 가는 시대, 명실상부한 국민주권의 시대가 열리고 있는 것입니다.

민주주의의 진전에 발맞추어 우리 경제도 변화하고 있습니다. 정부가 경제를 이끌어 가던 관치시대를 벗어나 시장경제의 자율성과 창의성을 높여 나가고 있습니다. 정경유착과 불공정거래, 독점의 횡포를 근절하면서 공정하고 투명한 시장을 만들어 가고 있습니다. 이제 오로지 실력으로 경쟁하는 시장이 만들어질 것입니다. 반칙과 특권이 설 땅은 없을 것입니다. 열심히 기술을 혁신하고 인재를 키운 기업이 성공하는 시대가 될 것입니다. 그만큼 우리 경제는 경쟁력이 높아지고 체질도 튼튼해지게 됩니다. 지금 우리 앞에 많은 과제가 놓여 있지만 대한민국은 놀라운 속도로 변화하고 있습니다. 보다 나은 내일을 향해 전진하고 있습니다. 이렇게 새로운 대한민국을 만들어 가는 것, 이것이야말로 선열들의 뜻을 받들고 그 희생에 보답하는 길이라고 확신합니다.

국민 여러분,

그러나 지금 이 시간 우리에게는 애국선열에 대한 존경만큼이나 얼굴을 들기 어려운 부끄러움이 남아 있습니다. 광복 예순 돌을 앞둔 지금도 친일의 잔재가 청산되지 못했고, 역사의 진실마저 제대로 밝혀지지 않았기 때문입니다. 애국선열들이 하나뿐인 목숨까지 내놓고 투쟁했던 그 시간에 민족을 배반하고 식민통치를 앞장서 대변했던 친일행위가 여전히 역사의 뒤안길에 묻혀 있습니다. 더욱 부끄러운 일은, 역사의 바른 길을 걸어온 독립투사와 그 후손들은 광복 후에도 가난과 소외에 시달리고, 오히려 친일에 앞장섰던 사람들이 사회 지도층으로 행세하면서 애국지사와 후손들을 박해하기도 했다는 사실입니다. 심지어 한때는 친일 인사가 독립운동가의 공적을 심사하는 어처구니없는 일이 벌어지기도 했습니다. 독립운동을 했던 사람은 3대가 가난하고 친일했던 사람은 3대가 떵떵거린다는 뒤집혀진 역사인식을 지금도 우리는 씻어내지 못하고 있는 것입니다. 우리는 이 왜곡된 역사를 바로잡아야 합니다. 진상이라도 명확히 밝혀서 역사의 교훈으로 삼아야 합니다. 이제 와서 반민족 친일파를 처벌하고 그들의 기득권을 박탈하는 일은 현실적으로 어려울 것입니다.

과거로 돌아가자는 것은 더더욱 아닙니다. 올바른 미래를 창조하기 위해서입니다. 역사는 미래를 창조해 나가는 뿌리입니다. 우리 아이들에 정의와 양심이 살아 있는 바른 역사를 가르칠 때 그들이 바른 미래를 만들어갈 수 있기 때문입니다. 오늘 우리가 이 자리에 모여서 59년 전 광복의 의미를 되새기는 이유도 바로 여기에 있을 것입니다.

분열과 갈등을 걱정하는 분들이 계십니다. 화합하고 포용하자고 하십니다. 그런데 왜 진실을 밝히는 일에 의견이 갈리고 대립이 있어야 하는지 저는 이해할 수 없습니다. 진실은 합심해서 밝혀야 하는 것입니다. 진실이 밝혀져서 부끄러운 일이 있다 해도 회피할 일이 아닙니다. 밝힐 것은 밝히고 반성할 것은 반성해야 합니다. 그 토대 위에서 용서하고 화해할 때 진정한 용서와 화해가 있을 수 있습니다. 그것이 진정으로 국민의 힘을 하나로 모으는 길이라고 저는 생각합니다.

존경하는 국민 여러분,

반민족 친일행위만이 진상규명의 대상은 아닙니다. 과거 국가권력이 저지른 인권침해와 불법행위도 그 대상이 되어야 합니다. 진상을 규명해서 다시는 그런 일이 없도록 해야 할 것입니다. 저는 이 자리를 빌려 지난 역사에서 쟁점이 됐던 사안들을 포괄적으로 다루는 진상규명특별위원회를 국회 안에 만들 것을 제안드립니다. 이미 국회에서는 진상규명과 관련하여 열세 건의 법률이 추진되고 있습니다. 그러나 법안마다 기준이 다르고 이해관계가 엇갈리기 때문에 개별적으로 다루기가 어려운 것이 사실입니다. 국회가 올바른 진상규명이라는 원칙에만 동의한다면 구체적인 방법은 국민 여러분의 의견을 수렴해서 충분히 합의해낼 수 있을 것입니다. 그리고 그동안 각종 진상조사가 이루어질 때마다 국가기관의 은폐와 비협조 문제가 논란의 대상이 되어 왔습니다. 그러나 이번만은 그런 시비가 없어야 할 것입니다. 고백해야 할 일이 있으면 기관이 먼저 용기 있게 밝히고 새롭게 출발해야 합니다.

물론 부담도 있을 것입니다. 권위와 국민의 신뢰가 무엇보다 중요한 국가기관이 스스로 부끄러운 과거를 들추어 내는 것은 힘든 일입니다. 그러나 더 큰 신뢰를 쌓고 올바른 권위를 세우기 위해서도 더 이상 진실을 묻어 두어서는 안 됩니다. 그동안 여러 이유로 수십년을 미루어 왔습니다. 언젠가는 해야 할 과제라면, 반드시 풀어야할 역사적 과업이라면 지금 우리가 해야 합니다. 지금이 질곡의 역사를 직접 경험한 세대가 생생하게 증언할 수 있는 마지막 기회입니다. 그래서 내년에는 역사를 바로잡아 가고 있다는 확신을 가지고 광복 예순 돌을 이 자리에서 다시 기념할 수 있게 되기를 간절히 바랍니다.

국민 여러분,

지금 우리가 겪고 있는 분열과 반목도 우리의 굴절된 역사에서 비롯된 것입니다. 친일과 항일, 좌우 대립, 독재와 민주세력간에 서로를 인정하지 않는 대결의 시대가 오랫동안 계속되어왔습니다. 특히 과거 독재정권이 정략적인 목적으로 지역을 가르고 차별과 배제를 되풀이하면서 갈등과 불신의 골은 더욱 깊어졌습니다. 이제 이 분열의 역사에 종지부를 찍어야 합니다. 무엇보다도 상대를 존중하고 대화와 타협을 통해 문제를 풀어 가는 성숙한 민주주의 문화를 뿌리내려야 할 것입니다. 부당한 차별을 바로잡고, 사회적 약자와 소수자들에게 더 많은 관심과 배려를 기울여야 합니다.

정책이 아니라 지역으로 갈려 감정적인 대립을 일삼는 지역구도 정치도 이제는 고칠 때가 됐습니다. 지역구도를 극복할 수 있는 선거구제

개편에 관한 정치권의 큰 결단을 다시 한번 호소합니다.

국가발전과 국민통합의 심각한 장애가 되고 있는 수도권과 지방간의 불균형도 더 이상 방치할 수 없습니다. 더 악화되기 전에, 다시 돌이킬 수 없는 상황이 되기 전에 반드시 해결해야 합니다. 신행정수도 건설과 국토균형발전을 통해서 수도권은 한 차원 높은 질적 발전을 모색하고, 지방도 각기 특성 있는 발전의 길을 걸어가야 합니다.

존경하는 국민 여러분,

광복의 기쁨을 되새기는 오늘, 선열들께 면목이 없는 또 하나의 현실은 바로 남북 분단입니다. 지구상에 냉전의 벽이 허물어진 지 십수년이 지났지만 한반도는 여전히 냉전체제를 벗어나지 못하고 있습니다. 당장 통일이 이루어지기는 어려울 것입니다. 그러나 통일이 되는 그날까지, 전쟁의 위험을 없애고 남북 교류와 협력을 확대해 가는 일은 한시도 멈출 수 없습니다. 참여정부는 역사적인 6·15공동선언의 정신을 하나하나 착실하게 실천해 나가고 있습니다. 분단 이후 처음으로 남북 장성급 군사회담이 열려 군사적 신뢰구축을 위한 토대를 마련해 가고 있습니다. 밤낮 없이 울려대던 비무장지대 선전방송도 휴전 50년여년 만에 사라졌습니다.

올림픽에서 남과 북이 손에 손을 잡고 입장하는 모습도 더 이상 낯설지 않습니다. 얼마 전 개성에서는 남북이 힘을 모아 민족의 대역사를 새로이 시작했습니다. 올해 말 시범 가동되는 개성공단 건설이 2012년 모두 마무리되면 여의도 면적의 열 배나 되는 남북 공동번영의 터전이 마련됩니다. 그렇게 되면 남북 모두가 커다란 경제적 이익을 얻을 수 있을 것입니다. 나아가 한반도에서 전쟁위험이 감소되고, 우리 경제의 대외신인도도 높아지는 일석삼조의 효과를 거둘 수 있게 됩니다.

올 가을에는 경의선이 연결되고 도로도 개통됩니다. 지난 반세기 동안 끊어졌던 민족의 혈맥이 다시 이어지고, 장차 육로를 통해 중국과 러시아, 유럽까지 가는 시대가 열리는 것입니다. 이렇게 펼쳐질 밝은 미래를 위해서도 북핵문제는 반드시 평화적으로, 그리고 조속히 해결되어야 합니다. 우리는 북핵문제가 해결되면 북한의 개혁·개방을 지원하기 위한 포괄적이고도 구체적인 계획이 있음을 이미 밝혔습니다. 이제 북한 당국이 결단을 내려야 할 단계입니다. 그래서 7천만 겨레가 함께 손잡고 평화와 공영의 길을 열어 나가야 합니다. 이와 함께 우리와 북한, 그리고 미·일·중·러가 참여한 6자회담의 소중한 경험을 살려 동북아시아의 평화와 번영을 위한 새로운 협력 틀을 발전시켜 나갈 수 있을 것입니다.

존경하는 국민 여러분,

지금 우리에게 필요한 것은 자신감입니다. 우리의 운명을 스스로 만들어갈 수 있다는 믿음입니다. 우리의 50대, 60대, 70대 어른들은 그야말로 무에서 유를 창조하며 여기까지 왔습니다. IMF 외환위기도 그 어느 나라보다 빨리 극복해낸 우리 국민들입니다. 아직 그 후유증이 남아 있기는 하지만 오히려 경제체질을 바꾸는 좋은 계기가 되고 있습니다. 일본 경제가 10년간의 침체 늪에서 이제 막 벗어나고 있지만, 우리도 지난 몇 년 동안 더 착실하게 구조조정을 해 왔고 혁신과 창의력이 주도하는 경제로 빠르게 변화시켜 나가고 있습니다. 중국의 고속성장도 부러워하거나 두려워할 일이 아닙니다.

미래 경쟁력의 원천인 기술력과 효율적인 시장 시스템, 민주주의 문화, 그 어느 면에 있어서나 우리는 보다 발전된 내일을 기대할 수 있습니다. 그럼에도 지금 우리는 스스로의 미래에 관해 자신감을 갖지 못하고 있습니다. 중국의 미래는 밝게 보고 일본의 현재도 높이 평가하면서 정작 우리 자신에 대해서는 지나치게 비하하는 경향이 있습니다. 당장 피부로 느끼는 경제가 어렵기 때문에 국민 모두가 걱정하고 있는 것이 사실입니다. 그러나 지나친 비관과 불안감, 그리고 자기비하는 도움이 되지 않습니다. 연초부터 지속해 온 일자리 창출과 투자 활성화, 민생회복의 노력도 머지않아 효과를 나타내게 될 것입니다. 그리고 장기적인 성장잠재력을 확충하는 노력도 게을리하지 않고 있습니다.

자만해서도 안 되겠지만 지금 우리의 역량에 대해서도 정확하게 평가해야 합니다. 그리고 그에 맞는 자신감을 가져야 합니다. 희망과 자신감을 가지고 힘차게 나아갈 때 우리의 미래가 열리는 것입니다.

안보에 대한 인식도 바로잡을 필요가 있습니다. 지금 우리는 100년 전 열강들의 틈바구니에서 사분오열하다가 국권을 빼앗긴 힘없는 나라가 결코 아닙니다. 우리의 역사와 영토를 지킬만한 충분한 힘을 가지고 있는 국가요 국민입니다.

이제 우리 국민이 어느 방향으로 가고자 하느냐에 따라서 동북아의 질서와 구도가 달라질 수 있습니다. 적어도 동북아의 미래를 예측하는 데 있어 대한민국의 선택은 결코 빼놓을 수 없는 중요 변수가 되고 있습니다. 그러나 아직도 자주국방을 얘기하면 마치 한·미 동맹을 해치는 것처럼 불안해 합니다. 우리의 달라진 역량에 대한 자신감 부족을 표현하는 것이라고 생각합니다.

자주국방은 한·미 동맹과 배치되는 것이 아니라 상호보완적입니다. 한·미 우호관계를 보다 굳건히 하고 미래지향적으로 발전시키기 위해서도 자주국방은 착실히 추진되어야 합니다. 미국에 대해 무조건 반대하는 목소리도 마찬가지입니다. 우리의 어제와 오늘, 그리고 내일에 대한 책임과 장애 사유가 모두 미국으로부터 비롯되고 있다는 외세결정론적 사고에 다름 아닙니다. 그래서는 우리가 만들어 나갈 능동적인 역사에 대한 대안이 나올 수 없습니다. 지난 10여년간 끌어 왔던 용산 미군기지 이전협상이 우리의 노력과 미국의 협조로 마무리 됐습니다. 한때는 청나라 군대가, 일제 때는 일본군 사령부가 주둔했던 바로 그 땅입니다. 무려 120여년간 외국군대가 주둔하던 서울의 한복판이 이제 우리 국민의 품으로 돌아옵니다. 모든 것이 우리가 하기에 달려 있는 것입니다. 오늘 우리의 꿈과 의지가 바로 내일의 역사를 만듭니다. 우리 스스로를 믿고 자신 있게 미래를 창조해 나갑시다.

국민 여러분,

우리가 가는 길은 분명합니다. 평화와 번영의 동북아 시대입니다. 그곳에 유럽인구의 네 배에 이르는 거대한 시장과 무한한 자원이 펼쳐져 있습니다. 의지를 가지고 일관되게 노력해 나간다면 우리는 이 지역에 협력과 통합의 새 질서를 만드는 중심적인 역할을 해낼 수 있습니다. 동북아의 경제 허브로 도약할 수 있는 미래가 우리 앞에 놓여 있습니다. 우리 함께 힘과 지혜를 모아 나갑시다. 그 통합된 힘으로 우리 운명을 자주적으로 개척해 나갑시다. 우리가 주도하는 대한민국의 새 역사를 만들어 나갑시다. 우리 모두가 우리 역사의 당당한 주인이 됩시다.

감사합니다.

농민신문 창간 40주년 축하 메시지

2004년 8월 15일

농민신문 창간 40주년을 진심으로 축하합니다. 임직원과 농업인 여러분께 따뜻한 인사의 말씀을 드립니다. 보릿고개가 힘겹던 1960년대 초에 출범한 농민신문은 그동안 우리 농민의 든든한 동반자가 되어 왔습니다. 농업인들의 지위향상과 영농정보 제공, 우수농산물 홍보에 많은 노력을 기울여 왔습니다. 농업발전에 크게 기여해 온 여러분의 노고를 치하합니다.

지금 개방문제를 비롯해서 농업인들의 걱정이 참 많습니다. 우리 모두가 함께 풀어 가야 할 국가적 과제입니다. 최선의 해법은 우리 농업의 체질을 강화하고 경쟁력을 키우는 것입니다. 농업문제 해결을 위한 정부의 의지는 그 어느 때보다 확고합니다. 지난해 말 앞으로 10년간 119조원을 투입하는 종합대책을 마련했습니다. 이런 대책 하나하나가 반드시 결실을 거둘 수 있도록 철저히 관리하겠습니다. 농업을 회생시키고 농촌과 도시가 더불어 잘사는 균형발전을 이루는 데 최선을 다하겠습니다.

농민신문의 역할은 크고도 무겁습니다. 정부와 농민, 생산자와 소비자를 이어주는 튼튼한 다리가 되어 주기 바랍니다. 다양하고 유익한 정보로 우리 농업의 활로를 제시하는 나침반이 되어 줄 것을 당부드립니다. 다시 한번 창간 40주년을 축하하며 큰 발전을 기원합니다. 농업인 여러분, 희망을 가지시고 더욱 힘내시기 바랍니다.

감사합니다.

한국기자협회 창립 40주년 기념식 축사

2004년 8월 17일

기자 여러분, 그리고 내빈 여러분, 대단히 반갑습니다.

오늘 40돌 기자협회 창립 기념일을 진심으로 축하드립니다. 저는 존경과 감사의 마음으로 가지고 이 자리에 왔습니다. 그리고 아울러서 큰 기대도 함께 가지고 왔습니다. 들어오면서 전시된 사진을 보고, 또 우리 이상기 기자협회 회장님 말씀을 들으면서 '역시 기자는 박해에 굴하지 않고 용기 있게 투쟁했던 그 시절의 업적을 가장 자랑스럽게 생각하고 있구나.' 하는 생각을 했습니다.

아직도 우리 회장님 인사말씀에서 비장함이 그대로 서려 있는 그런 느낌을 받았습니다. 저도 한때 좀 두려운 마음으로 망설이면서 약간의 박해도 받아 보고 또 나름대로 용기를 내 보기도 했던 터라 무척 친근한 느낌을 받습니다. 저는 오늘날 기자협회, 그리고 기자 일반이 지난날 투쟁의 역사를 아직도 자랑스러운 역사로 간직하고 있다는 점에 대해서 매우 공감합니다. 그리고 역시 희망과 기대를 가집니다.

모든 기자가 그렇게 하지는 않았습니다. 경우에 따라서는 많은 사람이 하지 않았던 일이 정당하다고 말할 수도 있을 것입니다. 오늘 그때와 같은 박해가 지금 당장은 없으니까 이제 그때 일은 잊어버리거나 감추어 버리고, 이제 '적당하게 살아왔던 사람들이 더 현명했노라.'고 얘기를 할 수도 있을 것입니다. 그런데 그렇게 하지 않고 어두웠던 시절의 그 기억을 계속 기념하면서 미래를 경계한다는 것이 무척 믿음직스럽고, '역시 기자라는 직업이 앞으로도 그렇게 편하고 순탄하게만 살 수 있는 직업은 아니겠구나.' 하는 안타까움도 함께 느낍니다.

저는 이제 분위기를 다르게 해서 여러분께 하나의 제안을 드려 보고 싶습니다. 권력에 대한 저항, 부당한 권력에 대한 저항이 있었습니다. 권력이란 무엇인가? 공동체의 운명 또는 방향을 결정할 수 있는 힘을 우리가 권력이라고 할 수 있지 않을까요. 그렇다면 '오늘 과연 누가 권력을 가지고 있는가'하는 질문을 여러분께 한 번 던져 보고 싶습니다.

전통적으로 권력은 군대를 지배하는 사람이 가졌습니다. 그 뒤에는 교회를 중심으로 하나님을 섬기는 일을 독점한 사람들이 권력을 가졌습니다. 또한 돈을 많이 가진 사람들이 그 공동체의 운명을 결정하는 데 결정적인 영향력을 행사했습니다. 그러나 이 모든 것 중에서도 정보를 지배하는 것은 모든 권력의 필수적인 요소가 아니었던가 이렇게 생각합니다. 다만 폭력에 의해 절대권력을 가진 과거의 지배세력은 스스로 정보를 생산하고 공급했기 때문에 정보와 권력이, 정치권력이 일체화되어 있었을 뿐입니다. 그때도 정보통제가 불가능했다면 아마 정치권력을 유지하기가 어려웠을 것이 아닌가 생각합니다.

오늘날 대중매체 시대에 정보를 관리하는 사람이 과연 누구인가? 저는 언론사, 언론인 여러분이라고 생각합니다. 여러분이 자랑스럽게 생각하는 그 박해는 바로 정보를 수집·가공·배급하는 일이 갖는 엄청난 권력적 요소 때문에 정치권력이 그것을 장악하려고 했고, 지배하려고 했고, 그렇게 해서는 안 되기 때문에 여러분이 박해를 받으면서 때로는 목숨을 걸고 인생을 걸고 싸웠던 것이 아닌가 생각합니다.

만일에 정치권력에 의해서 그와 같은 정보통제의 기도가 없다고 한다면, 앞으로도 없을 것이라고 한다면, 권력은 누구에게 있는가? 제가 일본을 가든 중국을 가든 외국의 정치 지도자들을 만날 때마다 '당신도 중요하지만 당신 나라 국민들이 어떤 생각을 가지고 있느냐 하는 것이 우리 동북아시아의 운명을 결정하는 가장 중요한 요소다. 이제는 그 어느 나라 지도자도 국민이 원하지 않는 것은 할 수 없을 것이다.'라고 말합니다. 국민이 무엇을 원하게 할 것인가 결정하는 힘은 지금 누가 가지고 있는가? 청와대에 있는 제가 가지고 있겠습니까? 아니면 집단으로서 여러분이 가지고 있는 것입니까? 항상 저는 이 질문을 던지면서 '권력은 누구에게 있는가' 하는 질문을 합니다.

정치 지도자가 국민으로부터 수임받았다 할지라도 우리의 경험은 언제나 남용될 가능성을 가지고 있습니다. 끊임없이 월권의 유혹을 받고 있습니다. 그렇기 때문에 언제나 잠재적으로 사회의 정의와 언론의 자유를 침해할 가능성을 가지고 있다고 생각합니다. 그러므로 여러분은 끊임없이 계속 경계해야 한다고 생각합니다만, 그런 것이 현실적으로 일어나지 않았을 경우에 스스로 권력자로서의 절제를 고민해 봐야 될 것이 아닌가, 그렇게 생각합니다. 그래서 과거 박해에 맞서 싸울 때보다 더 어려운 자기와의 싸움, 외부의 압제에 맞서서 싸우는 것도 커다란 용기이지만 자기 스스로 절제하면서 권력을 남용하지 않을 수 있다는 것, 절제할 수 있다는 것, 이것이야말로 진정으로 어려운 싸움이다, 저는 그렇게 생각합니다.

정치권력에 의한 언론자유의 위협도 중요하지만 자기 스스로의 자만이나 감정, 오기, 또는 이해관계나 그 밖에 언론사와의 관계, 제 사회세력의 영향이나 이해관계, 그것으로부터 자기 스스로를 지켜 나간다는 것이, 압제가 아닌 유혹으로부터 스스로를 지켜 나간다는 것이 얼마나 어려울까. 저는 조금 전에 이상기 회장님의 비장한 내용의 말씀을 들으면서, 그 비장함이 왜 아직도 살아 있어야 하는지에 대해서 곰곰이 생각하면서 이런 결론을 얻었습니다.

여러분도 매우 어려운 직접을 선택하셨다고 생각합니다. 앞으로도 매우 힘든 일이 많이 있을 것으로 짐작합니다. 외형상 어렵지 않더라도 한 분 한 분 기자라는 직업, 그 직업을 올바르게 수행한다는 것이 굉장히 힘들 것이라는 느낌을 받습니다. 그런 점에서 저도 무척 큰 공감을 가지고 여러분께 당부를 드리면서, 아울러서 큰 기대를 함께 가지고, 또 여러분이 그렇게 하듯이 저 또한 언론 자유를 존중하고 언론의 소중함을 잘 인식하는 그런 정치인으로서 할 바를 성실히 수행하겠다는 약속을 이 자리에서 드리겠습니다.

얼마 전에 제가 텔레비전 프로그램 하나를 보면서 '진실은 국익에 앞선다.'라는 표현을 들었습니다. 가슴이 뜨끔했습니다. 진실 얘기를 하면서 뜨끔했는데, 그 말에 동의합니다. 때때로 제가 대통령으로서 '과거의 진실을 묻어 놓고 지금 그것을 왜 밝히지 않느냐.'는 채근을 받으면서 무척 곤혹스러움을 느낍니다. 제가 대통령에 당선되고 난 뒤에, 취임을 하기 전에 한국의 원로 역사학자 한 분을 따로 찾아뵙고 '이와 같은 문제들을 어떻게 했으면 좋겠습니까?' 라고 상의를 드렸습니다. 그러나 경제가 어렵고 저 스스로에게도 여러 가지 정치적으로 어려움이 있고 해서 제대로 챙기지 못했습니다. 4·3사건의 1차 중간 결과가 나왔을 때, 그때 그 위원들과 총리에게도 '해방 이후에 국가 권력에 의해서 저질러졌던 인권의 침해나 가치의 파괴 같은 것은 우리가 바로잡아야 한다. 그래야 바른 역사를 배울 수 있고, 또 바로 배워야 무엇이 옳은 역사인지 바로 내다보고 바른 역사를 만들어 갈 것 아니냐'는 고민들을 말하곤 했습니다.

제가 지금 말씀드리는 것은 1년 반 가까운 세월 동안 뭐 하나 똑똑하게 해놓지 못한 데 대해서 '아직도 왜 진실을 밝히지 않느냐.'는 채근을, 재촉을 받으면서 느끼는 미안함과 난처함을 여러분께 그렇게 말씀드리는 것입니다. 그 질문에 대해서 떳떳하게 답변을 드릴 수 있는 대통령이 되려고 노력하고 있습니다. 그리고 질문에 대해서 당당하게 대답할 수 있는 정부를 제 임기 동안에 만들어 보려고 그렇게 노력하고 있습니다.

이제 마지막으로 한마디를 더 붙이면, 진실은 국익에 앞섭니다. 그러나 같은 뜻으로 진실은 기자의 감정이나 이해관계에도 우선해야 되고,

언론사와 그 시기에 특별히 힘을 가진 사람들의 이해관계에도 앞서야 한다는 당부말씀을 드리겠습니다. 여러분, 모두가 모자람이 있습니다. 저도 기자를 비방하고 탓하려면 탓할 것이 더러 있습니다. 또 여러분이 보시기에 저도 모자람이 많을 것입니다. 모자람을 질책하되 서로 애정을 가지고 미래에 대한 기대를 가지고 질책하고, 그러면서 서로 각자 자기 할 일들을 잘할 수 있게 그렇게 협력합시다.

옛날처럼 떳떳하지 못하게 유착하는 관계가 아니라, 그렇게 해서 서로 권세와 이익을 나누는 관계가 아니라, 대통령은 대통령으로서, 정치인은 정치인으로서, 기자는 기자로서, 그야말로 우리 새로운 공동체를 위해서 자기 역할을 다할 수 있게 우리가 절제할 것은 절제하고, 협력할 것은 협력하면서 지금보다는 더 나은 사회를 만들기 위해서 함께 노력하십시다.

감사합니다.

중소기업 신 산·학·연 협력 선포식 축하 메시지

2004년 8월 20일

안녕하십니까?

'중소기업 신 산·학·연 협력 선포식'을 진심으로 축하드립니다. 어려움을 겪고 있는 우리 중소기업에게 희망과 용기를 주는 참으로 뜻깊은 자리입니다. '산·학·연 전국협의회' 교수님과 연구원 여러분, 그리고 산업현장에서 땀 흘리고 계신 중소기업인과 근로자 여러분께 깊은 감사와 격려의 말씀을 드립니다. 산·학·연 협력은 정말 중요하고 절박한 과제입니다. 우리 경제가 나아가야 할 기술혁신의 성공 여부가 바로 여기에 달려 있기 때문입니다. 이제 대학과 연구소를 잘 활용하는 기업이 성공하는 시대로 갑니다. 대학도 기업과 적극 협력하면 더 큰 발전의 기회를 가지게 될 것입니다. 특히 지방대학을 잘 활용하는 기업, 중소기업과 잘 협력하는 대학에 더 많은 기회가 주어질 것입니다. 정부가 앞장서서 산·학·연 협력을 최대한 지원하겠습니다.

중소기업인 여러분, 힘내십시오. 이미 마련된 '중소기업 종합대책'이 차질없이 실천될 수 있도록 제가 직접 또박또박 챙겨 나가겠습니다. '이만하면 중소기업 할만하다'는 소리가 나올 때까지 지속적으로 노력하겠습니다. 중소기업을 기술혁신과 고용창출의 원천으로 육성해 나갈 것입니다.

정부와 산·학·연이 함께 힘을 모아서 중소기업의 활로를 찾아 나갑시다. 여러분의 노고에 거듭 감사드리며, 여러분 모두의 건승을 기원합니다.

감사합니다.

압둘라 말레이시아 총리를 위한 만찬사

2004년 8월 23일

존경하는 압둘라 바다위 총리 각하, 그리고 내외 귀빈 여러분,

오늘 우리의 오랜 친구인 말레이시아의 귀한 손님을 모시게 되어 매우 기쁩니다. 총리 각하와 일행 여러분의 방한을 진심으로 환영합니다. 각하께서는 그동안 우리나라에 대해 각별한 관심과 우의를 보여 주셨습니다. 며칠 전 양국 기업이 합작한 자동차 공장 준공과 관련해서도 많은 격려를 해 주셨다고 들었습니다. 특히 각하께서 20여년 전 마하티르 전 총리와 함께 입안하신 '동방정책'은 지금까지 양국 우호협력의 디딤돌이 되고 있습니다. 깊은 감사의 말씀을 드립니다.

우리 국민 역시 페낭 대교 건설을 비롯한 여러 분야에서 양국 협력이 크게 확대되어 온 것을 매우 자랑스럽게 생각합니다. 말레이시아가 1995년부터 성공적으로 추진해 온 푸트라자야도 우리의 신행정수도 건

설에 좋은 사례가 되고 있습니다. 지금 말레이시아의 발전은 매우 놀랍습니다. 지난해 사상 처음으로 수출 1천억 달러를 달성하고 7년 연속 무역흑자를 기록했습니다. 각하의 탁월한 지도력과 말레이시아 국민의 저력으로 이루어낸 성공에 경의를 표합니다.

총리각하,

나는 오늘 각하와의 정상회담을 통해 우리 두 나라가 명실상부한 동반자임을 다시 한번 확인했습니다. 양국은 매년 15만명이 왕래하고, 연간 교역량이 80억 달러를 넘어서는 아주 가까운 나라가 되었습니다. 교육·문화·관광·스포츠를 비롯한 민간교류도 매우 활발합니다. 특히, 우리의 평화번영정책에 대한 말레이시아의 적극적인 지지는 한반도 평화정착에 큰 힘이 되고 있습니다.

우리 양국은 이러한 유대를 바탕으로 동아시아 역내 협력을 선도해 나가고 있습니다. 동남아의 경제 허브인 말레이시아와 동북아의 중심에 위치한 우리나라의 긴밀한 협력은 동아시아를 하나의 공동체로 발전시키는 데 크게 기여할 것입니다. 이와 함께 말레이시아가 '비동맹회의'와 '이슬람회의기구' 의장국으로서 세계평화와 인류화합을 위해 더 많은 역할을 해 줄 것으로 기대합니다.

내외 귀빈 여러분,

압둘라 총리 각하의 건승과 말레이시아의 번영, 그리고 우리 두 나라의 영원한 우정을 위하여 축배를 들어 주시기 바랍니다.

독립유공자 초청 오찬 모두말씀

2004년 8월 25일

나라의 해방과 독립을 위해서 직접 헌신하신 독립유공자 여러분, 그리고 유족 여러분,

대단히 반갑습니다. 이렇게 모셔서 인사드리고 말씀을 듣는 기회를 우리가 가질 수 있다는 것만 해도 매우 기쁘고 감격스럽습니다. 조금 전에 김우전 회장님께서 몇 가지 국가의 시혜 사례를 하나하나 열거하면서 제게 고맙다는 말씀을 해 주셨습니다만, 저는 부담스럽습니다. 작은 일 몇 가지가 저의 공로로 그렇게 칭찬을 받으면 아직 이루어지지 않은 많은 일에 대한 책임도 제게 돌아올까 싶어서 걱정이 됩니다. 정말 우리 국가, 우리 사회가 해 놓은 일은 너무 적고 남은 일은 아직도 많은 것 같습니다. 그래서 마음은 바쁘고 또 한편 무겁습니다. 열심히 한 번 해 보겠습니다.

지난 8·15 광복절에 독립유공자와 유족들에 대해서 포상을 했습니다만, 그래도 아직 1만명이 안 됩니다. 프랑스 같은 나라는 불과 4~5년 동안 30만명이 정부로부터 공식적으로 레지스탕스로 인정받고 포상을 받았습니다. 그런데 우리는 36년이 아니고 의병의 시기까지 따지면 50~60년이 훨씬 넘는 그 긴 세월 동안 침탈의 역사를 겪어 왔는데, 아직 1만명밖에 포상하지 못했다는 것이 무척 부끄럽습니다.

그리고 독립운동사도 아직 제대로 다 발굴하지 못했습니다. 이것도 남은 큰 숙제라고 생각합니다. 여기에는 정부가 발굴하는 데 정성을 기울이지 않아서 묻혀진 역사도 있습니다. 그런 역사에 대해서는 지금 열심히 발굴을 위해 노력하고 있는 것 같습니다. 그러나 한편으로는 좌우 대립의 비극적인 역사 때문에 독립운동사의 한쪽을 일부러 알면서도 묻어 두고 있는 그런 측면도 있습니다. 저는 지금 우리의 체제 속에서 과거 독립운동 시기에 우리 선열들이 가졌던 이념과 사상이 어떤 평가를 받든 간에 역사는 역사라고 생각합니다. 있는 사실대로 다 밝혀져야 한다고 생각합니다. 내년이 광복 60돌입니다. 60돌이 다 되도록 아직 공로를 찾아서 포상할 분들마저도 다 포상하지 못하고 있다는 사실이, 아직도 포상을 계속해 나가고 있다는 사실이 정말 우리 유공자 여러분과 후손 여러분께 참으로 미안한 일입니다.

지금부터라도 마음먹고 챙겨서 역사적 사실을 다 발굴하겠습니다. 그동안에 공로가 있는 분들, 특별히 희생하고 헌신하신 분들에게 반드시 포상이 되도록 조치하고, 또 포상 대상이 아니더라도 역사적 기록으로서 공식확인을 반드시 해 두는 그런 노력을 하겠습니다. 좀더 박차를 가하도록 하겠습니다.

여러분이 다 경험하셨듯이 어느 정권이든 정권은 유한합니다. 대통령의 임기도 정해져 있습니다. 그렇지만 이와 같은 일은 매우 고귀하고 소중한 일로 누가 대통령이 되더라도 거역할 수 없는 일이고, 그 일을 하는 것을 가장 자랑스럽게 생각할 수 있는 국민적·사회적 분위기를 만들어야 합니다. 그래야만 우리 역사를 바로 찾고 민족정기를 바로 세우는 일이 계속될 수 있습니다. 그렇게 토대를 만들어 가는 데 제 임기동안 할 수 있는 최선을 다하도록 하겠습니다. 그 밖에도 더 드릴 말씀이 있습니다만, 여러분께서 많은 말씀을 해 주시리라고 생각합니다. 아무쪼록 오늘 모처럼 만나셔서 좋은 말씀 나누시고, 점심 맛있게 드십시오. 유익하고 기쁜 자리가 됐으면 좋겠습니다.

감사합니다.

BBC World 환경 캠페인 메시지

2004년 8월 25일

한반도에는 남북한을 가르는 155마일의 휴전선과 민간인이 들어갈 수 없는 비무장지대가 있습니다. 1953년 한국전쟁이 끝나면서 만들어진 비무장지대는 동서냉전의 마지막 유물로 남아 있습니다.

그러나 전쟁이 버려 놓았던 이 땅을 자연이 되살려 놓았습니다. 이제는 사라져가던 동·식물들의 보금자리가 되었습니다. 국제적 보호새인 두루미와 전 세계에 천여 마리밖에 남아 있지 않은 저어새가 서식하고 있습니다.

이곳을 자연과 환경의 중요성을 전 세계에 전하는 지구촌 생태공원으로 보존하고 싶습니다. 평화, 평화만이 이 꿈을 실현할 수 있습니다. 지구촌에 평화가 함께하기를 간절히 소망합니다.

9월

국군방송 창설 50주년 축하 메시지

2004년 9월 1일

국군장병 여러분, 안녕하십니까?

국군방송 50주년을 진심으로 축하합니다. 아울러 지금 이 시간에도 국방의 사명을 다하고 있는 장병 여러분의 노고를 치하합니다. 국군방송은 지난 반세기 동안 우리 장병들의 친근한 벗이 되어 왔습니다. 군과 국민을 이어주는 훌륭한 다리 역할도 해 왔습니다.

나는 아직도 군대시절을 생각하면 국군방송의 '위문열차'가 기억납니다. 힘찬 기적소리와 함께 시작되던 '위문열차'는 우리 장병들에게 큰 즐거움과 위안이 되었습니다. 국군방송은 이제 명실상부한 국방전문 방송으로 거듭나고 있습니다. 특히 내년부터 시작될 위성TV 방송은 새로운 도약의 전기가 될 것입니다. 앞으로 더 큰 발전을 기대합니다.

국군장병 여러분,

군은 조국을 수호하고 국민의 생명과 재산을 지키는 보루입니다. 우리 국민 모두는 장병 여러분을 정말 자랑스럽게 생각하고 있습니다. 더욱 사기충천하고 강력한 국민의 군대로 성장해 주기 바랍니다. 다시 한번 국군방송 50주년을 축하합니다.

장병 여러분, 모두 건강하십시오.

2004 충청권 벤처 플라자 축하 메시지

2004년 9월 2일

안녕하십니까?

'2004 충청권 벤처 플라자' 행사를 진심으로 축하드립니다. 충남, 충북, 그리고 대전이 함께 개최해서 더욱 뜻깊고 모양이 좋습니다. 애써 주신 관계자 여러분께 격려와 감사의 말씀을 드립니다. 지금은 지방의 혁신역량이 국가의 경쟁력을 좌우하는 시대입니다. 무엇보다도 지방 스스로 하겠다는 의지가 중요합니다.

지역의 혁신주체들이 유기적으로 결합하고 협력해서 비전을 세우고 의욕적으로 추진해 나갈 때 지방과 국가 모두가 함께 발전할 수 있습니다. 이번 행사처럼 지방정부가 발벗고 나서서 중소·벤처기업의 활로를 찾아 주는 일도 그 좋은 사례가 될 것입니다. 중소·벤처 기업인 여러분은 우리 경제의 희망입니다. 혁신주도형 경제체제에서는 여러분과 같이 아이디어와 기술력으로 승부하는 기업들이 성공할 것입니다.

자신감을 갖고 열심히 도전하십시오. 여러분에 대한 저와 정부의 관심은 각별합니다. 기술혁신과 고용창출의 원천이 될 수 있도록 힘껏 지원하겠습니다. 이번 행사가 큰 성과를 거두기 바라며, 여러분 모두의 건승을 기원합니다.

감사합니다.

디지털 방송 선포식 축사

2004년 9월 3일

존경하는 국민 여러분, 방송인과 내외 귀빈 여러분,

역사적인 디지털 방송시대의 개막을 진심으로 축하드립니다. 앞서 진행된 경과보고와 영상물, 잘 보았습니다. 앞으로 펼쳐질 디지털 방송시대가 정말 놀랍기만 합니다. 이것이야말로 기술의 혁명, 방송의 혁명이라고 생각합니다. 방송인을 비롯한 관계자 여러분의 노고에 깊은 치하의 말씀을 드립니다.

국민 여러분,

디지털 방송에 대한 우리의 기대는 매우 큽니다. 일상생활에서부터 국민경제에 이르기까지 그 파급효과가 막대하기 때문입니다. 고화질 HDTV는 올림픽 경기를 훨씬 더 실감나고 감동적으로 보여 주었습니다. 선수들의 땀방울과 숨소리 하나하나까지 느낄 수 있었습니다. 조만간 휴대전화나 PDA를 통해서도 언제 어디서나 디지털 방송을 즐길 수 있게 된다고 하니까 정말 기대가 큽니다. 특히 방송과 통신의 결합으로 이루어지는 쌍방향 서비스는 시청자들이 방송의 주인임을 실감하게 해 줄 것입니다. 시청자들의 참여가 더욱 확대될 것입니다. 과거와는 크게 다른 살아 있는 TV, 생각하는 TV가 된다고 합니다.

저는 무엇보다 디지털 방송시대를 우리의 기술로 열었다는 데 큰 자부심을 느낍니다. 정부는 그동안 디지털 방송을 차세대 성장동력의 하나로 삼아 집중적인 노력을 기울여 왔습니다. 이미 우리는 핵심부품에 있어서 세계 최고의 경쟁력을 확보하고 있습니다. 외국으로부터 수천억원의 로열티를 받을 만큼 기술력을 인정받고 있습니다. 인터넷 강국에서 이제 디지털 강국으로 도약하고 있습니다. 저는 어려운 우리 경제에 디지털 방송이 큰 활력소가 될 것으로 믿습니다. 2007년까지 방송과 관련 산업 분야에 모두 29조원에 이르는 시장이 창출될 것입니다. 세계 HDTV 수요가 올 한 해에만 1천만대가 될 것이라고 합니다. 우리의 내수시장과 수출산업에 활로가 트일 것으로 기대합니다. 이에 따른 고용효과도 매우 클 것입니다. 반도체와 휴대전화가 우리 경제에 크게 기여한 것처럼 디지털 TV가 그 이상의 역할을 하게 될 것으로 기대합니다. 정부도 최선을 다해 지원하겠습니다.

국민 여러분,

우리는 이번 디지털 방송시대의 개막과 함께 또 하나의 값진 성과를 거두었습니다. 바로 우리 사회의 갈등문제를 해결해 나가는 능력을 한 단계 높인 것입니다. 지난 수년간 디지털 방송의 전송방식을 두고 여러 가지 이견과 갈등이 있었습니다. 그러나 함께 대화하고 또 연구하는 가운데 모든 당사자들이 합의를 찾아냈습니다. 정말 뜻깊은 일이 아닐 수 없습니다. 이번 합의과정이 다른 분야의 갈등문제를 풀어가는 데에도 좋은 본보기가 될 것으로 생각합니다. 어려운 일을 잘 해결해 주신 여러분 모두에게 큰 박수를 보냅니다.

방송인 여러분, 내외 귀빈 여러분,

디지털 방송을 '꿈의 방송'이라고 합니다. 그러나 그 꿈은 기술과 하드웨어만으로 완성되지는 않을 것입니다. 알찬 내용으로 채워야 합니다. 디지털 방송에 맞는 새로운 콘텐츠를 적극적으로 개발해 나갑시다. 우리의 우수한 디지털 기술과 제품, 여기에 훌륭한 프로그램이 합쳐진다면 그 효과는 매우 클 것입니다. 이미 아시아에서 불고 있는 '한류열풍'이 우리의 역량을 입증해 주고 있습니다. 그런 면에서 오늘 이 자리가 '디지털 코리아, 더불어 문화 대한민국'을 꽃피우는 또 하나의 전기가 되기를 바랍니다. 다시 한번 여러분의 노력에 감사드리며, 디지털 방송의 무궁한 발전을 기원합니다.

감사합니다.

MBC 시사매거진 2580 특별대담 말씀

2004년 9월 5일

엄기영 : 귀한 시간 주셔서 고맙습니다.

대통령 : 예, 저도 감사합니다. 시사매거진 2580은 많은 국민들이 좋아하는 프로그램이고 나도 아주 좋아하고 자주 보는 알찬 프로그램입니다. 이 프로그램에 나와서 국민과 함께 대화할 수 있는 기회를 주셔서 감사합니다.

엄기영 : 얼마 전에 한국은행이 콜금리를 전격적으로 인하했습니다. 이것을 신호탄으로 소득세도 낮추고 재정도 확대하는 경기부양을 위한 그런 조치들이 잇따라 당정에서 발표가 됐는데요, 그만큼 우리 경제가 어렵다는 반증이기도 할 텐데요. 지금 대통령께서는 우리 경제상황을 어

떻게 파악하고 계십니까?

대통령 : 어렵죠. 소비가 살아나지 않아서 어렵고, 서민들이 특별히 어렵습니다. 기업 중에는 중소기업들이 어렵구요. 노동자들 중에서는 비정규직이 어렵습니다. 그러니까 특별히 어려운 계층들이 많습니다. 그러나 한편으로는 제가 하나 질문을 드려 보고 싶은데요, 올해 우리가 한 5% 가까이 성장할 거라고 합니다. 거의 크게 차이가 나지 않을 것으로 보는데요, 이 정도 성장을 하면 우리가 OECD 30개국 중에서 몇 위 정도의 성장률을 기록한다고 보십니까?

엄기영 : 상당히 상위그룹 같은데요.

대통령 : 상위지요. 대개 OECD 전체 중에서도 특히 한국이 성장률에서는 거의 1위가 될 것입니다. 작년도는 우리가 3.1% 성장했는데 이것은 OECD 국가 중에서 5위로 발표됐는데, 그 뒤에 이탈리아 통계가 나오고 이렇게 해서 우리가 7위 정도지요. 그리고 2002년에는 2위를 했고, 2001년도 역시 1위입니다. 그 당시는 아시아 여러 경쟁국가 중에서도 한국이 최고였습니다. 2001년 3.8%였는데 그때도 우리 경제가 다 죽는다고 굉장히 아우성이 컸습니다. 특히 언론의 제목을 보면 곧 경제가 가라앉고 파탄으로 가라앉을 것처럼 계속 보도가 됐습니다.

그래서 2001년도에 소비진작을 위해서 무리하게 부동산 규제들을 다 풀고 시스템을 바꾸어버렸습니다. 그리고 카드가 아주 남발되도록, 결과적으로 방치해 버린 것이죠. 2002년도에 우리가 7% 성장을 했는데 이것이 무리한 성장이었습니다. 주로 내수 기반의 성장이었는데, 우리가 운동을 너무 심하게 하고 나면 며칠 앓아 눕듯이 체력을 너무 많이 소모해 버린 거죠. 그것이 2003년에 우리의 3.1% 성장이고, 올해의 어려움이죠.

그래서 우리가 경제를 볼 때는 신호를 정확하게 읽어야 됩니다. 그리고 국민들이 경제를 정확하게 판단하고 있어야 됩니다. 그래야 무리한 정책이 나오지 않습니다. 내가 위기냐 아니냐를 놓고 위기라고 얘기하는 사람들에게 반론을 제기하는 이유는 책임을 안 지겠다는 것이 아니라 진단이 정확해야 한다는 것입니다. 그렇지 않으면, 아직 39도가 되지 않았는데 해열제를 자꾸 놓는 것과 마찬가지로 좋은 결과가 나오지 않는다는 것입니다.

정부는 결국 여론을 거역할 수 없습니다. 그런 것 때문에 우리가 전체적으로 경제의 성장률에 있어서는 문제가 없다는 것을 꼭 짚고 넘어가야 됩니다. 따라서 경기부양책을 함부로 써서는 안 됩니다. 부양책을 쓰더라도 반드시 서민경제, 서민소비, 서민들의 일자리, 이런 쪽에 집중해서 해야 됩니다. 그런데 지금 요구되고 있는 정책들은 그렇지 않은 것이 많습니다. 그런 점에서는 걱정을 좀 하고 있는 것이지요.

김은혜 : 대통령께서 평소 서민생활의 안정과 복지를 많이 강조해 오셨는데, 최근 소득세나 특소세 폐지정책을 보면 서민경제와는 좀 거리가 있어 보입니다. 물가는 오르고 실업률도 꽤 올라서 서민들 참 살기 힘들어졌다는 얘기를 많이 하는데요. 말씀하신 서민경제를 살리기 위한 복

안을 가지고 계신지요.

대통령 : 복안은 있습니다. 다만 한 가지 시간이 좀 오래 걸릴 수밖에 없다는 것이지요. 그래서 단기정책은 단기정책대로 하고 장기적으로 서민경제도 함께 살릴 수 있도록 대책을 세우겠습니다.

우리 경제가 제일 문제인 것은 전체적인 성장률의 문제가 아니라 격차의 문제입니다. 기술 격차, 정보의 격차, 그것이 대기업과 중소기업 간의 격차로 벌어져 있고, 노동자들 사이의 급여도 대기업과 중소기업이 너무 차이가 많이 나고, 또 정규직과 비정규직 사이에 차이가 많이 나지요. 이런 것은 단기적으로 해결되는 문제가 아니고 장기적인 문제이기 때문에 근본적으로 이 격차를 좁힐 수 있는 정책을 펼쳐 나가야 하는 겁니다.

지금 우리가 일반적으로 자꾸 경기부양책만 얘기를 하고, 심지어는 부동산 정책에 대해서도 자꾸만 좀 부양책으로 가야 된다는 쪽으로 계속해서 압력이 있기 때문에 어렵습니다. 하여튼 우리가 이 문제를 구조적으로 대응해 나가야 된다는 말씀을 드리고 싶습니다.

엄기영 : 사람들 만나다 보면 요즘 경기 어려워서 힘들어서 못 살겠다는 얘기가 후렴구처럼 들어가게 됩니다. 경제회복 처방이랄까, 경제운영의 큰 틀을 어떻게 잡고 계십니까?

대통령 : 단기적으로 재정정책, 금리정책, 또 조세정책을 함께 쓰지

요. 우리가 5% 수준의 성장을 가지고 있음에도 왜 쓰느냐 하면, 내수를 진작시키기 위해서 쓰는 것입니다. 우리 경제가 수출은 좋은데 내수가 워낙 나쁘거든요.

작년, 올해 추경 대 재정지출을 하고, 돈들이 대부분 다 서민들에게 가도록 하고 있지요. 그 다음에 특소세 같이 왜 소비재 세금을 낮추느냐, 전체적으로 경기를 진작시키는 데 이 부문이 매우 중요합니다. 이 부문의 소비가 일어나지 않으면 전체적으로 경기를 유지해 나가기 어렵기 때문입니다. 그것이 서민들에게 직접 가지는 않지만, 경기가 나쁠 때 가장 손해 보는 사람은 서민들입니다. 언제나 경기가 한꺼번에 나빠질 때 제일 먼저 고통을 받는 사람들이 서민들이고, 경기가 좋아질 때는 잘되는 사람들이 먼저 이득을 많이 보고, 서민들은 이득을 조금 보게 되는 경제구조가 되어 있습니다.

그렇기 때문에 경기의 변동이 심하지 않게 유지해 나가는 것은 서민경제에 매우 중요한 일입니다. 또 한 가지는 일하는 사람 100명 중에 35명이 자영업자들입니다. 미국은 이 비율이 100명 중에 8명 정도입니다. 우리는 35명이고요. 일본이 15명 정도입니다. 이 사람들은 쉽게 말해서 장사하는 사람들인데 경기를 가장 많이 타는 계층들이죠. 경기가 나빠지면 이 계층들이 어렵기 때문에 이제는 그 차상위계층들이 돈을 좀 쓸 수 있게 해 주어야 됩니다. 그래서 PDP 텔레비전이라든지 냉장고 또는 골프채 등등을 풀어 주는 것이지요. 그런 것이 소비의 분위기를 만들어낼 수 있다는 뜻에서 그렇게 푸는 것입니다.

엄기영 : 앞서 잠깐 부동산 말씀을 하셨습니다만 지금 바깥에서는 노무현 정부의 부동산 정책이 과연 이 기조를 끝까지 가져갈 수 있겠는가 노려보는 사람들이 꽤 많은 것 같습니다. 투기지역 좀 해제하고 규제조치를 완화하는 듯이 비쳐지면 집값이 막 움직이고 투기바람이 생깁니다. 아직 집 없는 50% 가까운 서민들의 고통이 가중되는 게 아닌가 하는 의구심을 가진 분도 계십니다.

대통령 : 집값은 현재 수준에서 안정시키는 것이 제일 좋습니다. 가장 이상적으로 얘기하면 금리수준, 물가수준으로 따라 오르게 하는 것이 가장 적당하다고 봐야 되겠죠. 그러나 전체적으로 집이 좀 고평가되었고 거품이 들어 있다고 봐서 물가만큼 따라 오르지 않으면 좋겠다고 생각합니다. 그러나 그 정도로 유지할 수 있을지는 나도 확신할 수 없습니다만, 적어도 일반 다른 물가 수준이나 금리 수준 그 이상으로는 절대 올라가지 못하게 묶는다는 것이 확고한 방침입니다.

저는 이런 중요한 정책은 그냥 전체적으로 맡겨만 놓고 지시만 하지 않습니다. 정책 하나하나를 놓고 제가 일일이 챙깁니다. 다른 정책은 그렇게 하지 않습니다. 부동산에 관한 한 하도 중요한 문제이기 때문에 챙깁니다. 그러나 부동산값이 내리게 하지 않는 것이 좋습니다. 부동산값이 내리면 우선 부동산 잡고 돈 빌려준 금융이 부실해지게 되고, 그 다음에 작은 집을 가지고 있던 사람들의 상실감이 커집니다. 그리고 이사를 가고 싶은 사람들도 엄두를 못 내게 되고, 그래서 부동산 뿐만 아니라 경기 자체에도 심각한 영향을 미칠 우려가 있습니다. 그래서 경제를 안정되게 유지해 가자면 부동산 가격이 현재수준에서 유지되는 것이 좋습니다.

그래서 경기 과열지구를 지정했다가도 필요가 없어지면 즉시 해제해 주는 신속하고도 유연한 정책을 구사하고 있습니다. 그리고 궁극적으로는 보유세를 올립니다. 재산세, 토지나 건물의 보유세를 올려서 투기 목적으로 부동산을 오래 보유하지 않도록 해 나가야 합니다. 그런데 이것은 시간이 오래 걸리기 때문에 여러 가지 수단으로 일단 묶어 놓고 보유세 제도를 하나씩 고쳐 나가고 있습니다.

김은혜 : 대통령께서 말씀하셨던 조세·금리·재정 정책을 들어보면 사실 성장과 분배 어느 하나 소홀한 게 있겠습니까? 그런데 최근 정부 정책이 성장에 좀 더 비중을 두는 기조의 변화가 눈에 띄는 것 같은데요.

대통령 : 성장 쪽에 새로운 변화가 나타났다고는 생각지 않습니다. 성장에 관해서는 굉장히 역점을 두어서 노력해 오고 있습니다. 조금 전에도 말씀드렸지만 경제가 성장하지 않고 제자리걸음을 할 때 제일 어려운 사람들이 역시 서민들입니다. 그래서 기업이 활발하게 돌아갈 수 있게 하는 것이죠. 그래서 어느 정부라도 기업의 활력을 죽이는 정책은 할 수도 없고 또 해서는 안 됩니다.

그래서 성장정책은 한시도 놓치지 않습니다. 다만 단기적으로 경기 부양책을 무리하게 써서 후유증을 남기면 안 된다는 것입니다. 예를 들면 1989년도에 우리가 증권시장의 주가를 올리기 위해서 2조 7천억원을 증시에다 풀어 버리고 그 다음에 경기부양책을 계속 쓴 결과, 1990년도에 집값이 엄청나게 올라서 많은 사람들이 자살하는 사태가 생겼습니다. 경제가 무리한 부양책 이후에 매번 심각하게 나빠지는 경우가 있기 때문에 그런 정책을 안 쓴다는 것이죠.

그래서 저는 강력한 성장정책을 쓰고 있지만, 그 효과는 참여정부 말년 또는 다음 정부 때 나타날 것이라고 생각합니다. 기술혁신, 인재양성, 자유롭고 공정한 시장질서, 상식이 통하는 원칙 있는 사회, 세계적으로 개방된 경제체제, 이런 큰 틀을 차근차근 다듬어 나가야 우리 경제가 장기적으로 경쟁력을 가질 수 있습니다. 그래서 저는 성장에 대해서 너무 걱정하지 않았으면 좋겠다고 자신 있게 말씀드리고 싶습니다.

김은혜 : 무리한 정책을 쓰지 않는 선에서 장기적인 잠재력을 확충하기 위해 분배보다는 성장정책에 좀더 비중을 두고 있다고 해석해도 되는지요?

대통령 : 분배보다는, 이렇게 말씀하시면 오해가 생길 수 있습니다. 성장과 분배는 선순환의 관계로 가야 합니다. 분배는 조금 전에 말씀드렸듯이 시장에서 일차적으로 일어납니다. 정부가 세금을 거두어서 나누어 주는 것은 재분배입니다. 재분배로 일차적 분배를 시정할 수 있는 것은 상당히 한계가 있습니다. 세금 거두는 데도 한계가 있고 주는 데도 한계가 있습니다.

결국 인재가 양성되고 기술이 혁신되어 서민층, 청년 실업자, 비정규직 노동자들의 기술이나 직업능력이 높아졌을 때 분배가 일어나는 것입니다. 그것이 올바른 성장정책이고 아울러 분배까지 해결되는 문제라고 생각합니다. 정부가 해야 되는 재분배에 관한 복지지출은 아주 빠른 속도로 성장해 가고 있습니다.

김은혜 : 말씀하신 성장동력 외에도 경제를 살리기 위해서 투자가 참 중요하다는 이야기를 많이 하십니다. 그런데 투자자들 사이에서는 현재 정부 정책의 일관성이 좀 떨어져서 예측이 불가능하다는 점이라든지, 아니면 이념적인 불확실성 혹은 반기업 정서 때문에 투자를 가로막는 장애요인이 되고 있다고 얘기하는 분들도 있는데요, 이에 대해서는 어떻게 생각하십니까?

대통령 : 우선 반기업 정서부터 얘기를 좀 하지요. 저는 근거 없는 얘기라고 생각하고요, 또 설사 국민들 사이에 반기업 정서가 있다 하더라도 대통령이나 정부가 반기업 정서를 만들었다고 생각지는 않습니다. 제가 취임하고 난 뒤에 그동안 전경련 행사 있을 때마다 가서 격려해주고 기업하기 좋게 해 주겠다고 약속하고, 따로 초청도 하고 여러 차례 그런 일 있었지 않습니까? 거기에 끼지 못하는 국민이 봐서는 너무 대기업 총수들만 깍듯이 챙기는 것 아니냐고 섭섭해하지 않을까요? 그런데도 반기업 정서를 정부가 만든다고 얘기하면 그건 매우 불공평합니다. 또 하나는 이념적인 성향인데, 어제 경제보좌관을 만나 저녁을 먹는데 자꾸 그 얘기를 해서 이 정부가 들어서서 친노동자 정책을 내놓은 거 있으면

한 번 내놔 봐라, 기업들에게 불리한 정책을 만든 거 있으면 한 번 내놔 봐라, 그러니까 소위 좌파적 정책이 있거든 내놔 봐라 했는데, 그게 별로 없어요.

일관성의 문제라는 것은 보기 나름입니다. 나는 지금까지 역대 정부 중에서 큰 흐름에 있어서 가장 일관성을 가지고 있는 정부라고 감히 자신합니다. 작은 정책 하나하나는 그때그때 계획을 세웠다가도 저항에 부닥치면 한 발 물러나거나 또 우회해 가기도 하는 우여곡절을 겪게 되어 있습니다.

아파트 분양가 공개문제에 관해서도 나는 비공개가 소신이지만 역시 정당의 의견을 존중하다 보니까 부분적으로 공개하는 쪽으로 가지 않습니까? 그런 것처럼 정책이라는 것은 일관성이 없어 보이지만 타협할 수 있는 범위 안에서의 융통성 있는 조화라고 봐야지요. 전체적으로 정부가 일관성이 없지 않습니다.

옛날에는 총수가 마음만 먹으면 참모들이 반대해도 얼마든지 투자할 수 있었습니다. 지금은 주주들이 전부 지켜보고 소송하고 합니다. 기업하는 사람들한테 불편한 제도를 참여정부 와서 만든 것이 하나 있다면, 집단소송제입니다. 분식회계나 주가조작으로 처벌받을 때 범죄행위에 대해서만 책임지는 수준의 집단소송제가 만들어진 것이거든요. 그리고 고쳐 달라고 하는 출자총액제한제도 안 고쳐 주었는데, 그것 때문에 투자 안 되는 게 아니라는 것은 이미 여러 연구기관 연구에서도 나와 있는 것입니다. 결국 경제상황이 바뀌니까 여러 가지로 불안하고 불편합니다.

그 심기가 서민들은 서민들대로, 또 경제를 이끌고 있는 대기업은 대기업대로 불편한 얘기들을 정부에 계속하는 것이지요. 정부가 필요해서 유지하는 규제도 그분들에게는 불편한 것이 있습니다. 국민 여론이 경제가 어렵다고 정부를 몰아 붙일 때, 정부로 하여금 그 정책에서 굴복하게 만들어야 되는 것이거든요. 우리나라뿐만 아니라 전 세계 기업가들이 경제가 어렵고 정부가 코너로 몰렸을 때 자기들에게 유리한 정책을 받아내는 것이니까요. 이런 것을 잘 가려 보는 우리 여론기능이 중요한 것이지요.

엄기영 : 노사문제도 우리 경제 수준으로 봐서는 한 단계 업그레이드가 되었으면 좋겠는데, 아직도 우리 노와 사는 적대적인 관계에 있는 것이 아닌가 하는 생각이 듭니다. 지금 역점을 두고 계시는 노·사·정 대타협은 기대해도 좋을지요?

대통령 : 노·사·정 대타협은 조금 더 지켜봐야겠습니다. 좀더 노력을 해 봐야겠습니다. 그러나 대타협이 되든 아니 되든 전반적으로 노사관계는 좀 안정되어 갈 것으로 봅니다. 또 반드시 안정되어야 합니다. 지금 노사관계가 잘되고 협력이 잘되는 기업들은 대체로 성공하고 있습니다. 협력이 안 되는 기업들은 아주 어려움을 겪고 있지요. 그래서 화합과 협력의 노사관계를 반드시 건설해야 합니다.

지금 우리 국민들이 일반적으로 알고 있기로는 노동자들이 너무 강경하고 전투적이다, 요구가 지나치다고 생각하고 있는데, 저는 사실 그렇게 보지 않습니다. 일반적으로 다수를 점하고 있는 중소기업의 노동자들은 아직도 강경하다고 보기 어렵고, 또 지나친 요구를 하고 있다고 절대 볼 수 없습니다. 그럼에도 불구하고 강경해 보이고 지나쳐 보이는 것은 몇몇 대기업들의 강한 노동조합이 그야말로 강경하고 때로는 지나치게 투쟁하기 때문이라고 저는 생각합니다. 그렇게 된 데에는 나름대로 역사적인 이유가 있지요. 그런 부분도 근래에 와서는 점차 스스로 한 발씩 절제하고 있는 것 같습니다.

김은혜 : 요즘 과거사 문제가 현안입니다. 대통령께서는 사회주의 계열의 독립운동도 평가해야 된다고 말씀하신 바 있는데요, 과거사 문제로 국가정체성 논란이 일고 있지만 과거사 규명에 역점을 두시는 이유를 좀 듣고 싶습니다.

대통령 : 우선 질문 중에 글자 하나를 고쳤으면 좋겠습니다. 말하자면 좌파적 계열의 독립운동도 평가해야 된다가 아니고, 정확하게 얘기하면 그것도 사실을 바로 조사하고 밝혀야 한다, 이렇게 되어 있습니다. 그리고 그때도 좌파라고 얘기하지 않고 좌우 이념대립 속에서 독립운동사에 묻혀져 있는 한 부분이 있다, 그 부분도 앞으로 발굴되어야 할 것이다, 또는 공개해야 한다, 이런 수준이죠. 평가라는 것은 좋게 본다는 뜻으로 되는데, 평가는 아닙니다.

역사는 사실대로 진실대로 우리가 밝히고, 그리고 후손들이 그 바른 역사를 있는 그대로 배우게 해야 됩니다. 역사라는 것은 우리에게 미래를 안내해 주는 교과서라고 봐야 됩니다. 지금 과거서 얘기하니까 거북해 하는 사람들이 많은데, 그분들도 역사는 배웠을 것입니다. 그런데 그분들이 거짓말 역사를 만들어서 후손들에게 가르쳐야 된다고 생각지는 않을 것입니다. 저는 그래서 역사는 내가 긴 설명을 할 필요 없이 그대로 밝혀야 한다는 것입니다.

두번째로 국가는 국민들에게 많은 의무를 요구합니다. 세금도 내라, 때로는 군대도 나와라, 총 들고 싸우라고 합니다. 그 외에도 많은 질서를 만들고 복종을 요구합니다. 그래서 근대 이후에는 모든 사고방식에서 옳고 그름을 판단하는 기준으로 그것이 국가의 목표에 부합하느냐를 가지고 해 왔습니다. 어떻게 보면 국가는 가치판단의 기준이죠. 엄청난 존재입니다. 그래서 국가는 언제나 정당해야 합니다. 국민들에게 도덕적으로 정당하다는 믿음을 주어야 하고 또 실제로 그것을 유지해 나가야 합니다. 국가의 도덕적 정당성에 대한 믿음이 없는 사회에서 국민들은 도덕적으로 행동하지 않습니다. 그리고 국가를 신뢰하고 정직하게 행동하지 않습니다. 매우 중요한 문제거든요.

그래서 국가가 저지른 과오는 더욱 철저히 밝혀야 합니다. 더욱 철저히 밝혀서 국민들 앞에 사죄할 건 사죄하고 앞으로 부도덕한 범죄는 다시 하지 않겠다는 맹세를 할 때라야 그 국가가 비로소 바로 갈 수 있고, 국민들이 비로소 그 국가 목표에 동참하고 열심히 노력할 수 있습니다. 대한민국이 성공하느냐 못하느냐 하는 것은 국가의 도덕적 신뢰를 바로 세우느냐에 달려 있습니다. 역사의 진실을 밝혀 나간다는 것은 바로 그런 의미를 갖고 있는 것이죠.

엄기영 : 내년이면 해방 60년이 되지 않습니까? 과거사 규명은 사실 진작에 이루어졌어야 되는데 지금 하려고 하니까, 또 정략적이 아니냐는 논란에 휩싸이게 되고 여론조사를 해 보면 과거사 규명은 좋은데, 지금 경제가 나쁘니까 적절한 시기가 아니지 않느냐는 의견들이 많은 것 같습니다. 어떻게 보십니까?

대통령 : 그렇게 해서 미루죠. 과거의 독재정권들이 국민들의 정당한 요구를 억압할 때 자주 써 왔던 것이 사회혼란, 국가안보, 그리고 경제개발, 그런 얘기였습니다. 1980년대 내내 경제혼란, 그랬습니다. 지나고 보면 1986년 11% 성장했습니다. 어렵더라도 해야 할 때 할 일을 해야 합니다. 어려우니까 초등학교 취학연령이 된 아이를 경제 좋아지면 가자, 그래서 2년, 3년 늦추어서 열한 살 돼서 초등학교 보내야 합니까? 그렇지 않습니다. 다 제때 학교 보내고 할 일 해도 다 잘할 수 있습니다. 지금도 우리 국민들이 그렇게 어리석다고 생각하면 그건 참 잘못입니다. 여론이 그렇게 가는 것은 국민의 짜증스러움의 표현이라고 생각해야 됩니다.

당장 과거사 조사해서 돈 생기는 거 아니고, 시끄럽기만 하고 짜증스럽기만 하니까 시끄럽다, 조용히 해라, 이런 거 아니겠습니까? 그리고 정치인들 당신들이 한다는 게 좀 믿기 어렵다, 순수성이 의심스럽다, 이런 것인데요, 전 그렇게 생각합니다. 순수성이 의심스럽다 안 의심스럽다가 중요한 것이 아니라, 정말로 그 일이 해야 될 일이냐 안 해야 될 일이냐, 해야 될 일이면 의심스러운 사람이 하더라도 받아들이는 것이 옳다고 봅니다. 의심스럽지 않은 사람이 언제 나타나겠습니까? 앞으로 역사의 진실을 밝히고자 노력하는 사람이 나왔을 때 그 사람이야말로 진정으로 믿을 만하다는 사람이 언제 나오겠습니까? 언제나 사회는 서로 생각을 달리하고 이해관계를 달리하는 사람들이 서로 갈등하게 되어 있습니다. 차제에 하고 넘어가야 합니다.

김은혜 : 남북관계에 대해서 여쭈어 보겠습니다. 최근의 남북관계가 좀 냉랭해진 것 같은데요. 탈북자 대거입국 이후에 시작해서 4차 6자회담 전망도 그리 밝아 보이지 않습니다. 앞으로 남북관계를 어떻게 전망하고 계시고, 혹시 남북간의 민족적 공조나 아니면 국제적 공조 중에서 어느 것에 더 무게를 두고 계시는지요?

대통령 : 마지막 질문부터 먼저 말씀을 드리죠. 민족공조나 국제공조라는 것을 배타적인 것으로 보거나 그중에 하나가 중요하다고 생각하면 우리는 문제를 해결하지 못합니다. 그 두 개는 어느 것도 우리가 포기할 수 없는, 다 가치 있는 일입니다. 결국 국제관계도 주로 한·미 관계, 한·일 관계지 않습니까? 한·미 관계를 우리가 서로 불신하거나 적대하는 관계로 만들어 놓고 남북문제, 민족문제가 잘 풀릴 수 없고요. 그 다음에 남북문제를 평화적으로, 우호적으로 잘 풀어가지 않고 동북아시아 전체의 국제질서가 원만하게 돌아가리라고 예측할 수도 없습니다. 궁극적으로는 한·미 관계도 그렇게 해서 되는 것은 아닙니다. 저는 두 개 다 함께 살려가야 한다, 두 개를 조화시켜 가야 한다, 그것이 우리의 어려움

입니다.

당분간 6자회담은 바르게 진전될 것으로 기대해서는 안 됩니다. 당분간 6자회담은 더디게 갈 것입니다. 어느 나라도 선거 앞두고 이런 문제를 일거에 해결할 수 있는 나라도 없거니와 또 선거를 앞둔 상대방하고 협상을 끝내려고 하는 일들도 잘 없습니다. 그래서 미국의 대통령선거가 있는 동안은 문제가 좀 더디게 진행될 것이라고 봅니다. 그러나 궁극적으로 이 문제는 평화적으로 대화를 통해서 해결될 것입니다. 북한도 개혁과 개방을 확실한 방향으로 이미 결정하고 돌이킬 수 없는 수준까지 왔다고 생각합니다. 돌이킬 수 없습니다. 물론 거기에는 우리 한국도 상당히 많은 역할을 했다고 봅니다.

여러 환경요인들이 겹쳐서 북한은 개혁·개방의 길로 확실히 들어섰고 미국도 이제 확실히 대화의 길로 들어섰습니다. 북한이 처음에는 주로 무력행사에 의지할 것처럼 가다가 그 다음에 평화적 해결이라고만 얘기했지 대화라고는 얘기하지 않았습니다. 평화적 해결이라고 쭉 가다가 마침내 대화로써 해결하겠다고 생각하게 되었습니다. 그 다음에 작년 APEC 때 미국도 한국 정부가 남북간 교류를 점점 더 발전시키는 것은 결국 북핵문제 해결에 해롭지 않고 오히려 도움이 된다고 하고 나왔습니다. 이제는 대화 아니고 돌아설 방법이 없습니다. 그렇기 때문에 결국 모두의 이해관계가 맞아떨어지고 타협을 하는데 우리가 흥정을 해 보지만, 마지막까지 한 푼이라도 더 깎으려고 하지 않습니까? 그런 관계들이 남아 있다고 저는 생각합니다.

엄기영 : 미국과의 관계를 여쭈어 보겠습니다. 주한미군 1개 여단을 이라크에 차출했고, 주한미군 자체를 감축하기로 발표가 되었습니다. 물론 미국의 해외주둔군 재배치라고 하는 큰 틀에서 이루어지는 것이라고 합니다만 한·미 동맹관계의 지금까지 과정에서 보면 과거에는 없었던 일이거든요. 그래서 이게 뭔가 크게 변하는 것 아닌가, 의구심을 갖는 분들이 많은데, 어떻습니까?

대통령 : 주한미군 감축·재배치는 미국 스스로의 전략입니다. 그리고 그것은 우리 한국에게 나쁘지 않은 변화입니다. 한국도 너무 오래 남에게 기대어 있는 것은 좋지 않습니다. 의지하는 것은 습관이 됩니다. 남의 보호를 받고 있으면 스스로 문제를 해결할 수 있는 그런 역량을 키우지 않게 되거든요. 가장 위험하다는 최일선을 미군한테 의지하고, 또 유사시에 거의 전적으로 미군의 작전통제를 맡기고, 이런 체제로 한국이 그냥 가서는 안 됩니다. 변화가 필요한 시기에 미국이 변화를 제안했습니다. 이때 우리 한국이 할 수 있는 것은 굳이 그렇게 매달릴 일은 아니라고 생각하고요. 그 다음에 노무현 정부가 마음에 안 들어서 빼는 거 아니냐는 정치적인 해석이죠. 그건 전혀 그렇지 않습니다. 한·미 관계가 많이 달라지고 있습니다. 달라진 것은, 한국 국민들의 변화에 대해서 미국이 상당히 놀라고 있습니다. 지난번 촛불시위를 보고 놀라고, 파병에 대해서도 놀라고 있고, 한국 정부의 변화에 대해서도 약간은 놀라고 있고요. 한국 정부가 미국에 할 말을 좀 하는 편이죠.

그러니까 그것도 좀 새삼스럽고, 한편으로는 미국과의 관계를 아주 심각하게 훼손하는 그런 방향으로 나가지 않을까 우려했는데 전혀 그런 것은 아닙니다. 그렇게 해서 변화는 수용하고 미국도 약간씩은 놀라지만 크게 놀라지 않고 잘 조정해 가고 있습니다. 그래서 저는 이대로 한 5년, 10년 지나가면 한국은 미국과 적어도 국제사회에서 대등한, 그런 자주 국가로서의 역량을 갖출 수 있을 것으로 생각합니다.

엄기영 : 부시 미국 대통령이 공화당 후보 수락연설을 하면서 미국의 참전에 도와준 나라들을 일일이 다 거명하면서 유독 한국은 뺐습니다. 그래서 세번째로 우리가 군대를 많이 파견했는데, 미국이 뭔가 불편해 하는 거 아닌가, 그런 생각도 사람들이 합니다. 앞으로 한·미 동맹관계는 어떤 방향으로 설정이 돼야 된다는 구상을 하고 계신지요?

대통령 : 미국은 세계적으로 중요한 정치세력일 뿐만 아니라 동북아시아에서도 빼놓을 수 없는 중요한 정치세력입니다. 강대국이지요. 앞으로 동북아시아에서 미국 스스로도 영향력 행사를 포기하지 않을 것이고, 우리 동북아시아에서도 그것을 찬성하는 쪽이 많을 것입니다. 왜냐하면 동북아시아가 앞으로 필요한 것은 세력균형 상태니까요. 미국이 빠져 버리고 중국과 일본이 패권경쟁을 하는 그런 상태보다는 미국도 포함되고, 러시아도 포함되고, 한국도 당당하고 그런 가운데 세력균형 상태가 유지되면서 과거와 같은 동서 대치선을 해소시켜 나가야 된다는 것이지요. 미국은 중요합니다. 그래서 앞으로도 국제적인 관계에서 우방국가이고 또 동북아시아에 있어서의 세력균형자로서 중요한 역할을 하는 관계로

가야 합니다. 또한 우리 한국은 어려운 일이 있을 때 동맹국으로서 서로 협력해 나가는 국가로 가는 것이 자연스러운 것이라고 봅니다.

김은혜 : 국가보안법 문제를 여쭈어 보겠습니다. 최근에 인권위원회가 국가보안법 폐지를 권고한 바 있는데요, 대법원에서는 국가보안법 폐지에 반대하는 판결을 내렸고요. 헌법재판소는 일부 조항에 대한 합헌판결을 내렸습니다. 국가보안법에 대한 대통령의 생각은 어떠신지 듣고 싶습니다.

대통령 : 국가보안법이 위헌이다 아니다, 해석이 갈릴 수 있습니다. 그러나 위헌이든 아니든 또 악법은 악법일 수 있습니다. 국가보안법을 가지고 법리적으로 자꾸 얘기를 할 것이 아니라 지난날 국가보안법이 우리 역사에 어떤 영향을 끼쳤는가, 어떤 기능을 했는가를 보면 알 수 있습니다.

대체로 국가를 위태롭게 한 사람들을 처벌한 것이 아니라 정권에 반대하는 사람들을 처벌하는 데 압도적으로 많이 쓰여 왔습니다. 말하자면 정권을 반대하는 사람들을 탄압하는 법으로 많이 쓰여 왔고, 그 과정에서 엄청난 인권탄압이 있었고, 비인도적인 행위들이 저질러졌습니다. 그래서 이것은 한국의 부끄러운 역사의 일부분이고 지금은 쓸 수도 없는 독재시대의 낡은 유물입니다.

지금 우리 국민이 주인이 되는 국민주권시대, 인권존중의 시대로 간다고 하면 그 낡은 유물은 폐기하는 것이 좋지 않겠습니까? 칼집에 넣어서 박물관으로 보내는 것이 좋지 않겠습니까? 어떻든 과거에 국가의 안정이란 이름으로 했던 일이지만 지금에 와서는 평가가 달라질 수밖에 없기 때문에 국가보안법을 너무 법리적으로 볼 것이 아니라 역사의 결단으로 봐야죠. 다른 일반 형법이 있습니다. 형법이 있고 국가를 보위하기 위해서 필요한 조항이 있으면 형법 몇 조항 고쳐서라도 국가보안법은 없애야 대한민국이 문명의 국가로 간다, 이렇게 말할 수 있는 것입니다. 그 정도의 상징성을 가지고 있는 것입니다.

엄기영 : 신행정수도는 충남 연기·공주로 확정이 됐지 않습니까? 물론 법적인 절차로는 전혀 하자가 없습니다만, 국민들이 보기에 여론수렴 절차가 부족한 게 아니냐는 생각을 좀 하고 있는 것 같은데 어떻습니까? 국민 설득이 필요하지 않을까요?

대통령 : 설득을 열심히 하겠습니다. 열심히 하는데, 언론은 중립으로 공정하게 써 주시면 좋겠다는 희망을 먼저 말씀을 드리고 싶습니다.

행정수도 건설문제는 대통령선거의 공약으로 나왔습니다. 찬반 논란을 꽤 뜨겁게 했습니다. 서울의 땅값이 내릴 것이냐 내리지 않을 것이냐, 비용이 얼마나 들 것이냐 많이 했습니다. 그 다음에 작년 연말에 국회 통과할 때도 토론이 굉장히 많았습니다. 법이 세 가지였는데 한나라당에서 브레이크를 잡았습니다. 그런데 각 지방자치단체 단체장들이 전부 들고일어나서 상당히 많은 토론이 있었습니다. 그때 언론이 쟁점화하지 않았죠. 그 점도 인정해야 됩니다.

물론 그만큼 심각하지 않았을지 모르겠습니다. 적어도 합법적 절차로서는 다른 많은 법들보다 신중하게 다루어졌습니다. 심지어 날치기한 법이 질서의 기초를 이루고 있는 일들이 한둘입니까? 이것은 날치기하지도 않았고 충분히 토론하고 야당이 다수당으로 했습니다. 이것이 그렇게 될 수 있었던 것은 당위성이 있기 때문입니다. 행정수도는 옮겨야 할 만한 그런 정당성이 있기 때문입니다. 1960년대부터 끊임없이 제기됐던 문제 아닙니까? 많은 지식인들도 그렇게 말해 왔고, 박정희 대통령도 준비를 다 갖추었다가 돌아가셨지 않습니까? 그리고 저는 지금까지 정치를 하면서 왜 행정수도를 못 옮기고 있을까? 옮겨야 되는데 옮겨야 되는데, 이 생각을 한 번도 잊어본 일이 없습니다.

그리고 지금 수도권이 이대로 가면 사람이 살 수 없습니다. 서울의 공기가 아니지 않습니까? 서울의 교통이 아니지 않습니까? 돈만 많으면 그게 수도입니까? 사람이 살기 좋아야 수도 아니겠습니까? 집값, 이런 건 앞으로 어떻게 해결할 겁니까? 행정수도가 다 해결하는 것은 아니지만 그것도 또 하나의 노력 아닙니까? 아주 중대한 노력입니다. 설득하겠습니다.

김은혜 : 얼마 전에 대학입시제도 개선안이 발표됐습니다만, 여러번 바뀌는 제도 때문에 학생과 학부모들이 느끼는 불안과 우려는 여전한 것 같습니다. 교육정상화를 위한 대통령의 구상이 있으시면 좀 밝혀 주십시오.

대통령 : 대학입시제도는 자꾸 바뀌어 왔습니다. 그런데 좋은 방향으로 잘되는 방향으로 바뀌어 왔습니다. 1994년도부터 문민정부에서 개혁위원회를 만들어서, 교육개혁안을 쭉 만들어서 1998년도 초 국민의 정부 들어설 때 개혁백서를 내서 이관을 했지요. 그것을 국민의 정부에서 여러 가지 토론과 검토를 거쳐 본 결과 그 안이 대체로 잘되어 있다고 보고 그대로 가기로 했습니다.

그 안에 따라서 2002년 대입제도가 만들어진 것이거든요. 2002년 대입제도라는 것은 대학의 선택폭을 좀더 많이 넓히는 그런 방식으로 돼 있는 것인데, 그것 때문에 학력이 나빠졌다, '이해찬 세대'라는 얘기가 나왔습니다만 그렇지 않습니다. 그건 잘된 변화고요, 이번에 발표한 2008년 입시는 한 발 더 나아간 것입니다. 이제는 수능을 과목별로 반영할 수 있게 하는 데서 끝나지 않고 수능 전체를 등급화해서 수능만 가지고는 학생을 뽑을 수 없게 만들어 놓았습니다. 수능만 가지고는 학생을 뽑을 수 없다면 무엇으로 뽑느냐? 학교 선생님이 채점한, 소위 내신을 반드시 고려하지 않으면 안 되게 만들어 놓았습니다. 결국 선생님한테 배우라는 뜻입니다. 공교육이 좀 좋아지게 집중되는 과정을 거쳐야 대학의 자체발전도 좋은 방향으로 갑니다. 그래서 갈지자로 왔다 갔다 바뀌는 것이 아니고 점차 교육의 다양성, 학교교육 창의성, 인성교육, 이런 것들을 높여 나가는 방향으로 가고 있기 때문에 조금 자세히 봐 주시면 좋겠습니다.

다만 한 가지, 과외열풍은 정부의 정책만으로는 도저히 잠재울 수가 없을 것이다, 어느 정도는 낮출 수 있지만 잠재울 수는 없을 것입니다. 우리나라 어머니들이 미국까지 가서 과외를 유행시킨다고 하더군요. 그러니까 이것은 높은 교육열과 경쟁의 열정이기 때문에 정책만으로 되는 것이 아닙니다. 조금 더 시간이 흘러서 과외를 한 사람이 성공하는 사회가 아니라, 과외하지 않고 사회가 요구하는 인간성이 건강한 사람, 스스로 탐구하고 토론하는 창의적인 사고를 기른 사람이 유리한 시대로 가면 과외가 점차 줄어들지 않겠습니까?

김은혜 : 무엇보다 과외 때문에 학부모들의 사교육비 부담이 커졌거든요. 교육에 있어서의 불평등, 빈부격차를 해소할 수 있는 정부차원의 노력이 진행되고 있는지도 궁금하거든요.

대통령 : 학교에서 열심히 공부해서 대학교에 갈 수 있고, 또 꼭 일류대학이 아니더라도 좋은 기회를 가질 수 있는 방향을 잡아서 열심히 노력해 가고 있습니다. 대학도 매우 다양하게 만들고 중등교육도 다양하게 만들어 가고 있습니다. 그리고 교육을 받기 어려운 여건에 있는 사람들에게는 여러 가지 경제적 지원을 해서 교육을 계속 받을 수 있게 하고, 특히 이공계 쪽에는 국채를 발행해서라도 교육비를 지원해서 교육의 기회를 골고루 가질 수 있도록 최선의 노력을 다해 나가려고 합니다.

지금 매우 발달한 방송과 인터넷이라는 문명의 이기를 잘 활용해서 과외비 주지 않아도 뒤떨어지지 않는 그런 교육을 하고, 시험으로만 모든 것이 승부 나지 않는 사회가 되도록 하고 있습니다. 과외 안 해서 사회적 경쟁에서 낙오하는 일은 없도록 반드시 해 나가겠습니다. 저뿐만이 아니라 한국 사회 전체가 그렇게 가고 있기 때문에 제 임기 이후에도 그렇게 갈 거라고 확신합니다. 그렇기 때문에 경쟁을 위해서 과외하는 것은 당장 포기하십시오. 적어도 지금 초등학생이라면 자신 있게 말씀드릴 수 있습니다. 또 그렇게 되도록 하겠습니다.

엄기영 : 개혁의 속도에 대해서 여쭙겠습니다. 노무현 대통령을 지지한 사람들, 또 지난 총선에서 열린우리당을 지지한 사람들은 뭔가 새로운 개혁을 바라고 있다고 볼 수 있지 않겠습니까? 그런데 지금 개혁과제는 산적해 있는데, 이걸 추진해 가는 정부·여당의 자세가 뭔지 불안해 보이거든요. 일부 개혁입법은 후퇴하고 있는 조짐까지 보이고 있고요. 어떻게 생각하십니까?

대통령 : 예를 들어 어느 것을 후퇴하는 걸로 보고 싶습니까?

엄기영 : 사법·언론·경제·교육, 이런 쪽에서 다들 중요하게 내걸고 있는 것들이 멈칫멈칫 하고 있지 않습니까?

대통령 : 우리가 오랫동안 개혁이 너무 더디고 하다 보니까 개혁에 무슨 갈증 같은 것이 생겼다고 봐야 합니다. 우리 한국의 개혁이 굉장히 빠른 속도로 이루어졌고 지금도 이루어지고 있는 상황입니다. 한국의 개혁 속도는 아마 세계 어느 나라도 감당하기 어려운 수준입니다. 지금 우리 국민들도 그 개혁의 속도를 감당하기 굉장히 어려워하고 있는 것이

사실이고요. 그것이 어쩌면 우리 갈등일지도 모르고요. 저는 그래서 개혁이 더디다고 하는 데 대해서는 그렇게 실감이 나지 않습니다. 일본만 해도 수십년간 사법개혁을 다루어 왔는데, 이번에는 될 것 같습니다.

언론개혁 얘기하는데, 언론이 어떻게 쓰느냐는 것도 중요하지만 우리 국민들이 언론에 어떻게 반응하느냐는 것도 대단히 중요합니다. 옛날에는 정치나 공직사회나 언론하고 적당하게 타협하려고 했습니다. 정부도 강자고 언론도 강력한 힘을 가지고 있는데, 강력한 사람들끼리 서로 타협하고 봐주고 하면 국민들이 얼마나 힘들겠습니까? 그러니까 언론을 보면 말도 잘 못하고 기가 죽고 그렇지 않습니까? 지금 정치권력과 언론의 서로 봐주기 같은 건 없죠? 완전히 없어져 버렸습니다. 지금 공무원들도 언론에 대고 봐 달라 소리 안 합니다. 그것에서부터 상호간에 주고받는 뒷거래가 전혀 없어져 버린 것입니다. 엄청난 변화입니다.

언론에 관한 제도적인 입법이 바뀌어도, 국민들의 태도가 바뀌지 않으면 법을 백 번 바꾸어도 소용이 없습니다. 그래서 제도개혁은 정당과 국회에서 좀 해 주기를 바라고, 제가 하는 일은 정부권력과 언론 사이에 서로 존중하고 각자 할 일을 하는 룰을 지켜 나가는 건전한 문화를 만들어 나가고 있으며, 굉장히 성공하고 있다고 평가합니다.

김은혜 : 분권형 국정운영을 여쭈어 보도록 하겠습니다. 분권형 국정운영은 그동안 권력은 나누어질 수 없다는 정치불문율에 비하면 상당히 주목할 만한 것 같습니다. 이 같은 결심의 배경과 성공가능성은 얼마나 보고 계십니까?

대통령 : 성공할 겁니다. 권력이 분산된 나라일수록 선진국입니다. 거꾸로 말하면 선진국일수록 권력은 많이 분산되어 있습니다. 미국이라는 국가가 원체 강하기 때문에 미국 대통령이 막강한 것처럼 그렇게 보이는데, 미국의 정치 안에서 보면 미국 대통령이 그렇게 막강하지 않습니다. 정당을 이래라 저래라 할 수도 없고, 당직을 임명할 수도 없고, 의회로부터 많은 견제를 받습니다. 의회의 많은 협력을 받지만 그것은 의회 자체의 판단, 대화와 협의에 의한 협력이지 명령에 의해서 되는 건 아닙니다.

우리 한국도 지금 그렇게 되었습니다. 다만 그럼에도 불구하고 한국은 전통적으로 당·정 협의를 통해서 정당이 정책을 주도해 갔던 문화를 가지고 있습니다. 또 대통령이 당을 지배하는 구조 속에서 결국 대통령의 권력이 유지되어 온 것입니다.

그러니까 총리 중심 국정운영이라는 것은 정당 중심 국정운영이라는 것을 말하는 것이죠. 물론 대통령이 주도해도 그렇다고 말할 수 있습니다만 대통령이 총리에게 보다 많은 권한을 넘기는 것은 국민들의 요구입니다. 그래서 국민들이 오랫동안 대통령의 일방적 권력을 보고 두려움을 가지고 있기 때문에 분권을 원했고, 또 거기에 맞추어서 우리가 공약했으니까 따라야 될 의무가 있습니다. 그 다음에 정당이 정치의 중심에 서서 책임지는 그런 정치로 가기 위해서 총리가 나서면 좋겠습니다. 그냥 이것 저것 다 덮어놓고 혼자 하는 것보다 둘이 나누어서 하면 더 많은 일을 더 신속하게 할 수 있지 않겠습니까?

그러니까 당장 정치적 관심사에서는 멀지만 장기적으로 국가경쟁력에 굉장히 중요한 부분, 10년, 20년 이후를 내다보는 중요한 정책과제는 내가 챙겨 가겠다는 것입니다. 또 법적으로 내가 최고의 결정권을 가지고 있기 때문에 부처간에 뭔가 합의가 안 되고 그런 것이 있으면 도와줄 수 있고, 이런 수준으로 가려고 합니다. 그렇게 하면 국정이 굉장히 능률적으로 될 것으로 보고 있습니다.

권력을 서로 분점하면서 조화롭게 조율해 갈 수 있는 사회는 그 수준이 한 단계 높아지는 것입니다. 비록 여당 내부이기는 하지만 각기 일을 나누어서 합리적으로 경쟁하고 협력해 나가는 관계를 만들어 내면 우리 정당문화나 정치문화를 한층 더 성숙시킬 수 있을 것이라고 생각합니다. 이것이 실험으로 끝나지 않고 실제 성공되기를 원합니다.

엄기영 : 장시간 고맙습니다.

대통령 : 수고하셨습니다.

ITU 텔레콤 아시아 2004 개막식 축사

2004년 9월 6일

내외 귀빈 여러분, 안녕하십니까?

'ITU 텔레콤 아시아 2004' 행사가 이곳 부산에서 열리게 된 것을 매우 기쁘고 뜻깊게 생각합니다. 요시오 우츠미 ITU 사무총장을 비롯한 참가자 여러분을 진심으로 환영합니다. 지금 우리는 인류역사상 최대의 격변기를 경험하고 있습니다. 언제 어디서나 필요한 정보의 소통이 가능한 유비쿼터스 시대가 오고 있습니다. 그야말로 지식과 정보, 문화 창조력이 이끌어가는 지식정보혁명의 시대입니다. 아시아 지역은 이러한 시대에 앞서갈 수 있는 충분한 조건을 갖추고 있습니다. 유구한 문화적 전통과 지적기반, 그리고 특유의 역동성이 바로 그것입니다. 실제로 최근 통계를 보더라도 세계 100대 IT 기업 가운데 아시아가 차지하는 비중이 올해 35%를 넘어서 날로 확대되는 추세입니다.

우리 대한민국도 예외가 아닙니다. 초고속 인터넷 보급률이 세계 1위를 기록하고 있고, 우리 국민의 3분의 2가 인터넷을 이용하고 있습니다. 또 이를 바탕으로 투명하고 효율적인 정부를 만드는 전자정부 구축에 박차를 가해 나가고 있습니다. IT 제조업의 경쟁력도 OECD 국가 가운데 가장 높은 수준인 것으로 평가받고 있습니다. 이제 대한민국은 정보화에 있어서 세계에서 가장 빠르게 발전하는 나라 중의 하나라는 것을 자신 있게 말씀드릴 수 있습니다.

그러나 우리는 결코 자만하지 않습니다. 새롭게 해야 할 일이 더 많이 남아 있습니다. 2010년까지 지금의 초고속 통신망을 광대역 통합망으로 대체하는 것을 비롯해서 정보화 기반을 지속적으로 확충해 나갈 것입니다. 이와 함께 차세대 이동통신과 지능형 홈네트워크, 디지털 TV와 각종 소프트웨어 산업을 새로운 성장 동력으로 육성해 가고 있습니다. 나아가 동북아 IT 허브 실현을 목표로 세계 유수 기업의 투자를 유치하는 데 집중적인 노력을 기울이고 있습니다. 저는 여러분의 한국 방문이 이러한 우리의 노력을 직접 확인하고, 앞으로 더 많은 협력 기회를 갖는 소중한 계기가 되기를 희망합니다.

존경하는 참석자 여러분,

아시아는 지금까지 그래왔던 것처럼 앞으로도 세계 경제의 견인차 역할을 담당하게 될 것입니다. 아울러 긴밀한 협력과 선의의 경쟁을 통해서 정보통신 기술을 아시아 공동번영의 촉매제로 활용해 나가야 할 것입니다. 한국도 그동안 이룩한 정보화 성과를 아시아 각국과 공유하고 이를 통해 세계 정보통신 발전에 적극적으로 기여해 나가고자 합니다.

이미 2003년부터 아시아를 비롯한 전 세계 36개국을 대상으로 '해외 IT 전문가 한국 연수 프로그램'을 시행해 오고 있으며, '인터넷 청년 봉사단'을 아시아 각국에 파견해서 소외계층의 정보화 교육을 돕고 있습니다. 앞으로도 아시아 지역 내 정보격차를 해소하는 데 지원을 아끼지 않을 것입니다.

다시 한번 'ITU 텔레콤 아시아 총회'의 개막을 축하드리며, '미래를 주도하는 아시아'라는 주제로 열리는 이번 행사가 참가국간에 지혜를 모으고 협력을 촉진함으로써 아시아의 밝은 미래를 여는 좋은 기회가 되기를 바랍니다. 한국에 머무시는 동안 즐거운 시간 되십시오.

감사합니다.

한국불교 태고종 제17세 종정 혜초 큰스님 추대법회 축하 메시지

2004년 9월 6일

한국불교 태고종 제17세 종정 혜초 큰스님 추대법회를 진심으로 축하드립니다.

철저한 자기 수행으로 불자들의 귀감이 되어 오신 혜초 종정 스님께서 앞으로 종단의 더 큰 발전을 이끌어 가실 것으로 기대합니다. 또한 한국 불교 태고종이 부처님의 가르침을 따라 우리 사회에 건강한 정신문화를 꽃피우고, 국민 통합의 길을 열어 가는 데 큰 힘이 되어 주시기를 바랍니다.

거듭 추대법회를 봉축드리며, 부처님의 대자대비하심이 여러분과 함께하기를 기원합니다.

제5회 중소기업 기술혁신대전 축사

2004년 9월 7일

여러분, 안녕하십니까?

'제5회 중소기업 기술혁신대전'을 진심으로 축하드립니다. 이번 전시회를 제가 꼭 보도록 여러분이 요청한 데에는 두 가지 이유가 있는 것 같습니다.

첫째는, 지금 중소기업 사정이 어려우니 힘을 좀 북돋워 달라는 의미가 있을 것입니다. 또 다른 이유는 우리도 이만큼 노력하고 있으니 정부가 더 열심히 지원해 달라는 뜻도 있을 것이라고 생각합니다. 예, 그렇게 하겠습니다. 곧 보게 될 기술혁신 사례들이 많이 기대가 됩니다. 여러분을 격려하는 것 이상으로 오히려 제가 큰 힘을 얻고 돌아갈 것 같습니다. 어려운 여건에서도 기술혁신에 매진하고 있는 중소기업인과 근로자 여러분 한 분 한 분께 각별한 격려와 감사말씀을 드립니다. 조금 전 수상하신 분들께도 마음으로부터 큰 축하의 박수를 보냅니다.

중소기업인 여러분이 무엇을 원하는지, 어떤 고충이 있는지 잘 알고 있습니다. 지금 중소기업 육성을 경제정책의 중심에 놓고 최선을 다하고 있습니다. 지난 7월 '중소기업 경쟁력 강화 종합대책'을 마련했고, 지난주에는 중소기업특별위원회도 전면 개편했습니다. 앞으로도 여러분의 의견을 들어서 지속적으로 보완해 나갈 것입니다. 결코, 대책을 위한 대책으로 끝나는 일은 없을 것입니다. 시간이 급한 것은 곧장 실행에 옮기고, 중장기적인 과제도 속도감 있게 추진해 나가겠습니다. 여러분이 겪고 있는 문제들이 체계적이고 실효성 있게 해결될 수 있도록 제가 직접 점검하고 확인해 나갈 것입니다.

핵심은 기술혁신과 이를 위한 인력양성입니다. 혁신의지와 능력을 갖추고 기술로 승부하겠다는 중소기업에 대해서는 우선적으로 힘닿는 데까지 최대한 지원할 것입니다. 기술개발에 앞장서는 중소기업 제품은 정부가 먼저 구매하고 적극 활용하겠습니다. 나아가 제대로 된 기술평가 시스템을 구축해서 '기술력 있는 기업이 곧 신용 있는 기업'이라는 사회적 인식을 정착시켜 가겠습니다. 산·학·연 연계를 통한 혁신역량 강화, 대기업과의 협력관계 구축, 유용한 기술의 사업화 지원에도 지속적인 노력을 기울이겠습니다. 이를 통해 현재 2,600여개인 '기술혁신형 중소기업'을 2008년까지 1만개 수준으로 확대해서 지역경제의 중심으로 육성해 나가고자 합니다.

중소기업인 여러분,

여러분은 우리 경제의 근간입니다. 기술혁신의 주체, 고용창출의 원천입니다. 국민소득 2만 달러 시대도 여러분이 성공해야 가능합니다. 자신과 긍지를 가지고 도전합시다. 중소기업 전체에 기술혁신의 열기가 후끈 달아오르도록 합시다. 실력 있는 젊은이들이 중소기업의 장래를 보고 몰려들게 해 보십시다. 아무쪼록 이번 행사가 중소기업과 기술혁신의 새 바람을 일으키는 계기가 되기를 바라면서, 여러분 모두의 건승을 기원합니다.

감사합니다.

제39회 전국기능경기대회 축하 메시지

2004년 9월 8일

안녕하십니까?

제39회 전국기능경기대회를 진심으로 축하드립니다. 시·도 선수단과 행사 관계자 여러분께 격려의 말씀을 드립니다. 전국기능경기대회는 기능인이라면 누구나 참가하고 싶은 기술의 경연장입니다. 우수한 기능 인력을 배출해서 세계 속에 '기술 한국'을 심는 데 크게 기여해 왔습니다.

우리 기능인들은 국제기능올림픽에서 열네 번이나 종합우승을 차지할 만큼 세계 최고 수준입니다. 여러분과 같이 탁월한 기능인들이 있다는 것은 큰 복이 아닐 수 없습니다. 여러분이 바로 국가의 경쟁력이고 성장의 동력입니다. 기술로 승부해야 합니다. 특히 산업현장에서 나오는 기술이야말로 곧바로 일류상품이 되는 알짜 기술입니다. 현장에서 뛰고 있는 여러분의 역할이 매우 중요합니다. 숙련된 기능에 만족하지 않고 새로운 기술개발에 앞장서 주시기 바랍니다.

정부도 기능인 여러분이 대접받는 사회를 만드는 데 최선을 다할 것입니다. 채택할 수 있는 모든 방안을 통해서 기술입국을 실현해 나가겠습니다. 반드시 그렇게 될 것입니다. 참가선수 여러분 모두 갈고 닦은 실력을 유감없이 발휘하시고, 앞으로 더 크게 성공하시기를 기원합니다.

감사합니다.

2004 광주비엔날레 개막식 축사

2004년 09월 10일

먼저 광주비엔날레 다섯번째 행사를 축하드립니다.

광주비엔날레를 처음 기획하시고 10년간 이끌어 오셨으며 오늘 다섯번째 비엔날레를 훌륭하게 준비해 온 광주시민 여러분, 그리고 문화예술인 여러분께 존경과 찬사를 드립니다. 아울러서 지금껏 조직적으로 이 행사를 이끌어 오신 재단 관계자 여러분에게도 치하의 말씀을 드립니다. 여러분의 노력으로, 그리고 여러분의 열정으로 앞으로도 광주비엔날레는 계속해서 성공하고 또 발전해 갈 것입니다. 광주비엔날레가 오늘 이처럼 성공적으로 추진되고 있는 데에는 광주의 오랜 문화적인 전통과 시민 여러분의 열정이 있기 때문입니다.

비엔날레가 성공했듯이 광주는 앞으로 문화도시로서 성공할 것입니다. 한국 문화의 중심이 될 것입니다. 그러나 거기에서 그치지 않고 아시아의 문화중심, 세계의 문화중심으로 그렇게 발전해 갈 것입니다. 조금 전에 말씀드렸듯이 여러분은 그만한 자산을 갖고 있기 때문입니다. 오랜 문화의 역사, 문화와 예술을 사랑하는 시민들의 열정, 그리고 이것을 꼭 성공시키겠다고 하는 광주 지도자 여러분의 결의가 있기 때문입니다.

하나 더 보태겠습니다. 중앙정부도 확실하게 여러분이 성공할 수 있도록 지원을 할 생각입니다. 할 수 있는 모든 수단을 다 동원할 것입니다. 그리고 광주는 문화의 뿌리가 될 것입니다. 오늘날 대중문화에 있어서 대량 소비자를 외면할 수 없을 것입니다. 따라서 대중문화의 대량 소비처는 역시 수도권일 수밖에 없는 한계를 가지고 있습니다. 그러나 대중문화에 이르기까지 모든 문화가 성공하기 위해서는 오랫동안 씨 뿌리고 가꾸는 노력이 필요합니다. 장구한, 피땀어린 문화의 육성과 축적과정이 반드시 필요합니다.

저는 그것은 대량 소비처에서 반드시 성공하는 것이 아니라 광주·전남과 같은 오랜 역사의 뿌리를 가지고 있는 곳에서 성공할 수 있는 것이라고 생각합니다. 그래서 저는 대량 소비처가 아니라 문화의 무궁한 창조처로서, 문화의 뿌리로서 광주·전남의 성공을 예견하고 그래서 이것을 국가적 사업으로 지원해야 한다고 결정한 것입니다.

문화의 시대는 광주의 시대가 될 것입니다. 문화는 사람들이 추구하는 가장 높은 수준의 목표입니다. 삶을 넉넉하고 풍요롭게 하기 때문입니다. 그러나 요즘 문화가 돈이 되는 시대가 됐습니다. 광주·전남, 특히 호남지역이 제조업의 시대, 산업생산의 시대에 많은 소외를 느끼며 살아왔습니다. 그러나 오늘날 우리나라의 제조업 GDP는 생산액의 30%, 고용의 20%를 넘지 못합니다.

이제 이미 지식기반 서비스, 그리고 문화·예술·관광·레저 서비스 분야로 경제의 중심이 이동되고 있습니다. 이 시대에서 가장 큰 가능성을 가진 분야가 문화산업이라고 말할 수 있을 것입니다. 따라서 앞으로의 시대에 있어 중요한 산업적 축의 하나가 문화산업입니다. 문화산업은 공장에서 만들어질 수 있는 것이 아니고, 축적된 삶의 환경과 사람들의 가슴속에서 만들어지는 것이기 때문에 저는 전통적 예술, 순수한 예술이 우수한 곳에서 문화산업도 성공할 수 있는 경쟁력이 키워지는 것이다, 그렇게 생각합니다.

따라서 문화산업이 경제의 가장 중요한 부분이 됐을 때 광주는 단지 문화도시만이 아니라 문화산업을 무한히 발전시킬 수 있는 마르지 않는 샘의 역할을 함으로써, 그야말로 문화수도의 역할을 하게 될 것이다, 그렇게 예측합니다. 거저 되는 것은 아닐 것입니다. 많은 광주시민들, 전남도민들이 중앙정부가 뭔가 좀 해줄 것이라고 기대하고 있는 것 같습니다. 이것은 생각을 좀 바꾸어 주십시오. 중앙정부가 아무리 나선다고 광주가 문화수도가 되는 것은 아닙니다.

광주시민 여러분, 그리고 전남도민 여러분이 하나로 뭉쳐서 힘을 합치고 머리를 짜내고 어느 도시에서도 발견할 수 없는 새로운 창조적 분위기가 샘솟아 오를 때, 그때 외부의 지원이 비로소 도움이 될 것입니다. 광주를 문화수도로 만들어 나가는 원동력은 바로 이곳 광주·전남에 있고, 그 주체는 바로 광주·전남 시민·도민 여러분입니다. 정부는 도와 줄 수 있을 뿐입니다. 그러나 그저 돕지 않고 최선을 다해서 돕겠습니다.

20년, 30년 뒤에는 소외감이 아니라 문화를 가지고 서울이 부럽지 않은 도시, 아시아의 어느 나라에도 뒤지지 않는 그런 도시가 되도록 함께 노력합시다. 오늘 개막되는 비엔날레의 큰 성공을 바라고, 아울러서 우리가 멀리 계획하고 있는 광주 문화수도 계획도 큰 성공을 거두도록 기원하면서 인사말씀을 드립니다.

감사합니다.

제7차 세계국가인권기구대회 축사

2004년 9월 14일

존경하는 루이스 아보 유엔 인권고등판무관님, 모튼 키애룸 ICC 의장님, 그리고 내외 귀빈 여러분,

제7차 세계국가인권기구대회를 축하드리며, 세계 각국에서 오신 참석자 여러분을 진심으로 환영합니다. 여러분은 인권보호 활동을 하고 계십니다. 국가기관에서 일을 하시든 시민사회단체에서 일을 하시든 그것은 결코 쉬운 일은 아닙니다. 소외와 박해, 그리고 고통받는 사람들을 위한 따뜻한 가슴, 그리고 열정과 헌신이 필요한 일입니다. 때로는 정부 그 밖의 권력과 맞서기도 해야 하는 어려운 일입니다. 그러나 여러분의 이와 같은 노력의 덕분으로 세상은 점점 더 발전해 왔고, 내일에 대한 희망을 가질 수 있게 해준다고 생각합니다. 그런 의미에서 여러분께 존경과 감사의 인사를 드립니다.

우리나라에도 인권을 유린당한 어려웠던 시절이 있었습니다. 그러나 우리는 국민의 힘으로 이를 극복했습니다. 이제 인권과 민주주의의 새 장을 열어 가고 있습니다. 아픈 역사를 경험한 만큼 다시 그 시절로 돌아가는 일은 결코 없을 것입니다. 뿐만 아니라 국제인권 수호와 신장을 위해서도 더 크게 기여하는 나라가 되기 위해서 노력하고 있습니다.

내외 귀빈 여러분,

노벨평화상 수상자인 김대중 전 대통령께서 국가인권위원회를 만든 것은 2001년의 일입니다. 민주화가 상당히 진척되었던 그 시기에 인권위원회를 만드는 것이 새삼스럽다고 생각하는 분들도 있었습니다. 하지만 돌이켜 보면 그것이 우리 인권사에 역사적인 전환점이 되었습니다. 과거 수십년 동안 누적되어 온 많은 인권문제들이 그때부터 본격적으로 다루어지기 시작했습니다.

그동안 국가인권위원회에 접수된 진정건수는 1만건을 넘어섰고, 위원회의 시정권고는 90% 이상이 받아들여지고 있습니다. 이를 토대로 인권침해 소지가 있는 여러 법률과 제도들이 개선되었고, 또 개선되어 가고 있습니다. 사회적으로 부당한 차별을 없애고, 여성·아동·장애인을 비롯한 사회적 약자를 배려하는 일에도 많은 노력을 기울이고 있습니다. 이러한 성과가 단지 인권위원회라는 좋은 제도 때문만은 아니라고 생각합니다. 아무리 좋은 제도가 있더라도 운영하는 사람이 잘해야 좋은 결과가 나온다고 생각합니다.

인권위원회는 대통령이 위원장과 위원을 임명하기는 하지만, 업무에 있어서 완전히 독립하여 독자적인 권한을 행사하고 있습니다. 때로는 대통령이 승인한 정부정책을 전면으로 반대해서 대통령을 아주 곤란한 처지에 빠뜨리는 일도 있습니다. 경험해 보지 못했던 사람들이 '국가기관의 의사가 왜 그렇게 서로 갈라지느냐, 대립하느냐.'고 질문했습니다. 저는 그때 '대통령과 다른 주장을 하라고 만들어 놓은 것이 인권위원회다.' 이렇게 답변해 준 일도 있습니다.

이런 과정을 거쳐서 우리 인권위원회는 국민의 신뢰를 받고 있습니다. 좋은 제도에 이를 운영하는 분들의 의지와 열정이 있었기 때문에 가능한 일입니다. 그러나 인권위원회는 수사기관과는 달라서 과거 모든 인권침해 행위에 대해서 직접 조사하기는 어렵습니다. 이를 규명하기 위해서 지금 국회가 진실과 화해를 위한 특별법 제정을 추진하고 있습니다. 정부도 인권침해의 어두운 과거들을 자발적으로 조사하고 고백하려고 준비하고 있습니다. 이를 계기로 대한민국은 모범적인 인권국가로 다시 출발하게 될 것입니다. 반드시 인권선진국가가 되도록 하겠습니다.

존경하는 참석자 여러분,

이번 대회를 우리나라에서 개최한 것은 여러모로 그 뜻이 깊다고 생각합니다. 무엇보다 저는 이것을 국제사회가 우리나라를 인권과 민주주의의 나라로 평가하고 있다는 의미로 받아들이고 싶습니다. 또 앞으로 국제적인 인권문제에 더 많은 관심을 가져 달라는 희망의 표현이라고 생각합니다. 여러분의 기대에 어긋나지 않도록 열심히 노력하겠습니다. 다시 한번 이번 대회를 축하드리며, 여러분 모두의 건승을 기원합니다.

감사합니다.

대한민국 임시정부 기념사업회 창립총회 축하 메시지

2004년 9월 15일

대한민국 임시정부 기념사업회 창립총회를 진심으로 축하합니다. 관계자 여러분의 노고에 존경과 감사를 드립니다. 대한민국 임시정부는 독립운동의 중심으로서 일제의 탄압을 이겨내고 조국 광복을 이루어 냈습니다. 참여정부도 대한민국 임시정부의 자랑스런 법통 위에 서 있습니다.

역사는 미래를 세워 가는 주춧돌입니다. 있는 그대로 밝히고 올바르게 가르쳐야 합니다. 자랑스런 역사는 따라야 할 이정표로, 안타까운 역사는 반성과 교훈으로 삼아야 합니다. 그래야만 정의와 희망이 넘치는 내일을 열어 갈 수 있습니다. 힘들고 어렵다고 미뤄서는 안 됩니다. 이제라도 역사를 바로잡아서 국민의 힘을 하나로 모아 가야겠습니다.

그런 면에서 기념사업회의 출범은 뜻깊은 일이 아닐 수 없습니다.

임시정부를 기념하는 일은 우리의 자긍심을 살려 당당하고 힘있는 나라를 만들어 가는 정신적 토대가 될 것입니다. 참여정부는 선열들이 물려주신 민족자존의 역사를 바로 세워 나가는 데 더욱 힘쓸 것입니다. 무엇보다 독립유공자와 그 후손들이 자랑과 긍지를 가질 수 있도록 최선을 다하겠습니다.

기념사업회의 출범을 거듭 축하드리며, 많은 분들의 성원과 관심 속에 큰 발전을 이루시기를 기원합니다.

제6회 지방의제21 전국대회 축하 메시지

2004년 9월 16일

올해로 여섯번째 맞이하는 '지방의제21 전국대회'를 진심으로 축하드립니다.

그동안 지방의제21 관계자 여러분은 환경보전 뿐만 아니라 지속가능한 지역발전에 헌신해 오셨습니다. 200여개의 지역단체가 추진하고 있는 사업만도 연간 3천건에 이른다고 들었습니다. 여러분이 얼마나 열정적으로 활동하고 있는지를 잘 보여 주고 있다고 생각합니다. 여러분의 노고에 깊은 감사를 드립니다.

지금은 지역혁신 없이 국가발전을 생각할 수 없는 시대입니다. 말 그대로 자치의 시대, 혁신의 시대가 되었습니다. 참여정부는 지방분권과 지역균형발전 전략을 역점적으로 추진하고 있습니다. 무엇보다 중요한 것은 지방 스스로의 의지와 역량입니다. 지방이 주도해서 발전의 동력을 창출해야 합니다. 지방대학과 기업, 시민단체, 언론, 그리고 지방자치단체가 함께 협력체계를 구축해서 의욕적으로 혁신에 나설 때 지방도, 국가도 희망찬 미래를 열게 될 것입니다.

지방의제21 관계자 여러분의 역할은 더욱 커질 수밖에 없습니다. 다양한 지역현안을 해결하면서 쌓아 온 여러분의 경험이 지역혁신을 성공시키는 소중한 자산이 되기를 기대합니다. 이번 대회가 각 지역의 모범사례를 나누고, 건강한 지역문화를 확산시켜 나가는 뜻깊은 자리가 되기를 바랍니다.

여러분 모두의 건강과 행복을 기원합니다.

감사합니다.

농어촌 사랑 국회장터 축하 메시지

2004년 9월 17일

안녕하십니까?

희망과 사랑의 큰 장터가 열렸습니다. 정말 반갑고 고마운 일입니다. 행사를 준비하신 분들, 그리고 참여하신 모든 분들께 감사를 드립니다. 농산물 개방과 잦은 태풍으로 농어민 여러분의 시름과 고충이 말할 수 없이 큽니다. 국민 여러분의 따뜻한 격려가 큰 힘이 될 것입니다. 지금, 여러분이 그렇게 하고 계십니다. 얼마 있으면 민족의 명절 추석입니다. 우리 농어촌을 한 번 더 생각하고, 우리 먹을 거리가 하나라도 더 많이 차례상에 올려지기를 바랍니다.

농어민 여러분, 힘내십시오. 농어촌을 걱정하는 많은 국민들이 있습니다. 모두가 발벗고 나서고 있습니다. 이렇게 작은 마음들을 모아 가면 반드시 길이 열릴 것입니다. 정부도 최선을 다해 돕겠습니다. 아무쪼록 이번 행사가 큰 성공을 거두게 되기를 바랍니다.

감사합니다.

2004 세계한민족축전 축하 메시지

2004년 9월 18일

'2004 세계한민족축전'을 진심으로 축하드립니다.

고국을 찾아 주신 동포 여러분, 정말 반갑습니다. 따뜻한 환영의 인사를 드립니다.

600만 해외 동포 여러분은 대한민국의 힘이요, 자랑입니다. 저는 지난해 다섯 차례의 해외순방을 통해서 그것을 새삼 확인했습니다. 현지 사회에서 훌륭한 시민이 되어 열심히 살고 계시는 모습을 보면서 한민족의 저력을 다시 한번 실감했습니다. 특히 우리의 2세, 3세들이 다방면에 걸쳐 두각을 나타내고 있는 것에 큰 자랑과 긍지를 느꼈습니다. 내일부터 방문할 카자흐스탄과 러시아에서도 이런 사실을 거듭 확인하게 될 것입니다.

많은 역경을 이겨내고 자랑스런 한국인으로 살아가고 계시는 여러분 한 분 한 분께 큰 격려의 박수를 보냅니다. 동포 여러분의 간절한 소망은 우리 조국이 힘있고 당당한 나라가 되는 것이라고 생각합니다. 지금 우리는 국민소득 2만 달러 시대, 평화와 번영의 동북아 시대를 열기 위해서 최선을 다하고 있습니다. 세계 어디서나 어깨를 펴고 자랑할 수 있는 대한민국을 만들겠습니다. 여러분도 함께 힘을 모아 주시기 바랍니다. 계시는 동안 즐겁고 편안한 시간 보내시고, 돌아가시거든 교민 모두에게 우리 국민이 보내는 안부인사를 전해 주시기 바랍니다.

늘 건강하고 행복하십시오.

나자르바예프 카자흐스탄 대통령 내외 주최 오찬답사

2004년 9월 20일

존경하는 나자르바예프 대통령 각하 내외분, 그리고 귀빈 여러분,

나와 우리 일행을 따뜻하게 환영해 주신 각하 내외분과 카자흐스탄 국민 여러분께 진심으로 감사드립니다. 우리 속담에 '백번 듣는 것보다 한 번 보는 것이 낫다'는 말이 있습니다. 어제 이곳 아스타나에 도착해서 그 말을 실감했습니다. 중앙아시아 중추국가인 카자흐스탄의 활력을 피부로 느낄 수 있었습니다. 각하께서 추진해 온 '카자흐스탄 2030 비전'과 '산업혁신 성장전략'이 거두고 있는 성과라고 생각합니다. 각하의 지도력과 카자흐스탄 국민의 저력에 경의를 표합니다.

대통령 각하,

나는 대한민국 국가원수로는 처음으로 카자흐스탄을 방문했습니다. 각하께서 작년 11월 방한한 이후 열 달 만입니다. 그만큼 우리는 가

까운 친구가 되었습니다. 실제로 지난해 교역량이 무려 87%나 늘었습니다. 올해는 58% 늘어났습니다. 양국 경제의 잠재력이나 상호보완성을 생각하면 앞으로 더욱 확대될 것이 틀림없습니다. 우리 기업이 카자흐스탄의 자원개발과 경제 인프라 구축에 참여하는 것도 좋은 사례가 될 것입니다. 우리의 기술과 자본, 그리고 카자흐스탄의 자원과 우수한 인력이 합쳐지면 그 효과는 매우 클 것입니다.

우리 두 나라는 공통의 목표를 가지고 있습니다. 그것은 바로 카자흐스탄은 중앙아시아 중심국가로, 대한민국은 동북아 '평화와 번영의 허브'로 도약하는 것입니다. 이를 위해 우리는 서로에게 꼭 필요한 동반자라고 생각합니다. 카자흐스탄은 지금까지 북핵문제 해결을 비롯한 우리의 '평화번영정책'을 한결같이 성원해 주셨습니다. 우리 또한 중앙아시아 역내 안보협력과 신뢰구축을 위한 카자흐스탄의 노력을 적극 지지합니다. 끝으로 이곳에 살고 있는 10만여명의 우리 동포들에 대한 여러분의 깊은 배려에 감사드리며, 지속적인 관심을 부탁드립니다.

내외 귀빈 여러분,

나자르바예프 대통령 내외분의 건강과 양국의 우정을 위하여 건배를 제의합니다.

푸틴 러시아 대통령 내외 주최 만찬답사

2004년 9월 21일

존경하는 블라디미르 푸틴 대통령 각하 내외분, 그리고 귀빈 여러분,

나와 우리 일행을 이처럼 따뜻하게 환영해 주신 데 대해 진심으로 감사드립니다. 우리 내외는 많은 한국인들처럼 러시아 문학과 예술을 좋아합니다. 그래서 러시아의 찬란한 역사와 문화를 직접 체험할 수 있는 이번 방문을 매우 기쁘게 생각합니다. 특히 7% 가까운 고도성장으로 활력이 넘치는 경제에 깊은 인상을 받았습니다. 나뿐만 아니라 전 세계가 새로운 러시아의 경이로운 변화와 발전을 주목하고 있습니다.

각하께서는 'GDP 2배 증가', '국민복지 증진', '국가안보 강화' 전략을 통해 부강한 러시아를 만들어 가고 있습니다. 지난 대선에서 70%가 넘는 압도적인 지지를 받은 것도 바로 이러한 업적 때문일 것입니다. 「나의 삶 나의 길」이라는 각하의 자서전도 우리 국민에게 많이 읽혀지고 있

습니다. 각하의 탁월한 지도력과 러시아 국민의 저력에 경의를 표합니다.

대통령 각하,

나는 오늘 각하와의 정상회담을 매우 뜻깊게 생각합니다. 우리 두 나라가 평화와 번영의 확고한 동반자임을 거듭 확인했습니다. 이번 정상회담을 계기로 무역과 투자를 비롯한 여러 분야에서 양국간 실질협력이 크게 확대될 것으로 믿습니다. 특히, 철도 연결과 시베리아 극동 개발, IT, 우주기술 협력 등은 두 나라 관계를 한 단계 더 도약시키는 토대가 될 것입니다. 북핵문제 해결을 위한 상호협력을 더욱 강화하기로 한 것도 매우 뜻있는 일이라고 생각합니다. 우리는 북핵문제를 반드시 대화를 통해 평화적으로 풀어 나갈 것입니다. 이를 위한 6자회담의 진전과 러시아의 더 많은 역할을 기대합니다.

우리는 핵문제가 해결되면 북한을 지원하기 위한 포괄적이고 구체적인 방안을 이미 마련해 놓고 있습니다. 남북간에 평화와 신뢰를 확고히 정착시키고, 동북아에 협력과 통합의 새로운 질서를 만들어 가고자 합니다. 이와 함께, 국제협력을 바탕으로 세계 평화를 정착시켜야 한다는 각하의 강력한 의지에 나는 전적으로 동감합니다.

우리는 테러와 대량살상무기 확산, 환경오염, 마약 등 초국가적인 위협에 공동으로 대처해 나가야 합니다. 이 달 초 러시아에서 발생한 테러행위는 결코 용납될 수 없는 만행입니다. 우리 국민을 대신해서 다시 한번 깊은 위로의 말씀을 드립니다. 테러로는 어떠한 목적도 달성할 수 없다는 것을 국제사회가 분명하게 보여 주어야 합니다. 대한민국은 이를 위한 국제적인 협력에 적극 동참할 것입니다. 러시아 이주 140주년을 맞는 15만 우리 동포들은 두 나라 관계발전에 큰 힘이 됩니다. 이제는 러시아의 모범적인 시민으로 그 역할을 다하고 있습니다. 각하와 러시아 정부의 깊은 배려에 감사드리며, 앞으로 더 많은 관심을 부탁드립니다.

이 자리에 계신 귀빈 여러분,

푸틴 대통령 각하 내외분의 건승과 우리 두 나라의 영원한 우정을 위해서 건배를 제의합니다.

모스크바 대학교 초청 연설

2004년 9월 22일

존경하는 사도브니치 총장님, 그리고 교수와 학생 여러분,

지성과 개혁의 산실인 이곳 모스크바대학에서 여러분을 만나게 된 것을 매우 기쁘게 생각합니다. 여러분의 따뜻한 환영에 감사드립니다. 249년 전 로모노소프 박사께서 설립한 '엠게우'는 러시아와 인류문명의 진보에 크게 기여해왔습니다. 여섯 명의 노벨상 수상자, 그리고 세계 지성사에 훌륭한 발자취를 남긴 여러분의 선배들은 이 대학의 위대한 자산입니다. 여러분은 러시아를 이끌어 갈 내일의 지도자들입니다. 여러분이 그리는 꿈은 바로 러시아의 미래가 될 것입니다. 나아가 세계의 미래가 될 것입니다.

학생 여러분,

여러분의 눈은 지금 어디를 바라보고 있습니까? 지금 세계의 시선

은 동북아시아로 집중되고 있습니다. 많은 사가들도 세계 문명의 중심이 유럽과 북미를 거쳐 동북아로 이동하고 있다고 합니다. 이미 동북아시아는 세계 GDP의 20%를 생산하고 있으며, 매우 빠른 속도로 성장하고 있습니다. 10여년 후에는 30%에 이를 것이라는 전망까지 나오고 있습니다. 여기에는 세계 4분의 1의 인구와 첨단기술, 풍부한 자원이 있습니다. 머지않아 세계 경제의 중심으로 부상할 것입니다. 신흥경제대국 브릭스(BRICs) 네 나라 중에 러시아와 중국, 이 두 나라가 동북아에 있습니다.

유라시아에 걸쳐 있는 러시아는 오래 전부터 동북아의 주요 국가로서 커다란 영향을 미쳐왔습니다. 지금 푸틴 대통령께서도 미래 국가전략으로 극동 시베리아 개발을 추진하고 있습니다. 모스크바는 유럽에 속해 있고 여러분과 나는 지금 그 유럽에 있지만, 우리가 동북아를 주목해야 할 이유가 바로 여기에 있습니다. 이 지역에 EU와 같은 협력과 통합의 질서가 형성된다면, 그야말로 동북아에는 새로운 역사가 열릴 것입니다. 세계 경제는 물론 세계가 평화의 질서로 나아가는 데도 크나큰 기여를 하게 됩니다. 러시아 또한 새로운 도약의 기회를 갖게 되고, 특히 시베리아는 획기적인 번영의 계기를 맞이할 것입니다. 이처럼 희망찬 평화와 번영의 동북아 시대가 우리 앞에 있습니다. 여러분과 내가, 러시아와 한국이 함께 추구할 만한 가치 있는 목표가 아니겠습니까?

그러나 학생 여러분,

이러한 목표를 이루기 위해서는 아직도 많은 과제들이 남아 있습니다. 동북아는 제국주의 시대를 거치면서 침략과 수탈로 인한 전쟁과 고통의 역사를 가지고 있습니다. 그 상처는 아직도 아물지 않았고, 해결되지 않은 아픈 역사는 분쟁의 불씨로 남아있습니다. 역사분쟁과 영토문제 등이 바로 그것입니다. 또한 냉전체제가 해체된 지금도 불신과 적대의 대결구도가 완전히 해소되지는 못했습니다. 이러한 상황에서 당장 통합의 질서로 나아갈 수는 없을 것입니다. 공동의 이익과 신뢰를 높일 수 있는 경제 분야부터 시작해야 합니다.

우선 물류·에너지·정보통신 네트워크를 구축해서 공동번영의 토대를 마련해가야 합니다. 그리고 궁극적으로는 역내 교역자유화를 통해 경제통합을 이루어야 합니다. 경제가 통합되면, 이것은 역사의 경험에 따라 다자간 안보협력으로까지 발전해 나갈 수 있을 것입니다. 과거 유럽이 철강과 석탄을 매개로 경제공동체를 이루고, 그 바탕 위에서 평화와 공존의 질서로 나아간 것이 좋은 사례가 될 것입니다.

이런 과정이 성공적으로 추진되려면 먼저 전제되어야 할 것이 있습니다. 바로 사고의 대전환입니다. 동북아 각국의 지도자들과 국민들의 마음속에 화해와 협력, 신뢰와 공존의 새로운 패러다임이 자리잡아야 하는 것입니다. 언제 다시 국수주의가 등장하고 불신과 적대감정이 되살아날지 모른다는 우려가 아직도 잠재하고 있습니다. 이와 같은 불신과 적대의 대결적 감정을 뛰어넘어야 합니다. 그랬을 때 동북아는 진정한 협력과 통합의 공동체를 향해 나아가게 될 것입니다.

학생 여러분,

러시아는 동북아 시대의 빼놓을 수 없는 당사자이자 결정적인 역할을 할 수 있는 힘있고 큰 나라입니다. 무엇보다 동북아 지역의 평화구조를 만드는 데 핵심적인 역할을 할 수 있습니다. 이미 6자회담의 일원으로 참여해서 북핵문제의 평화적 해결을 위해 노력하고 있습니다. 6자회담이 성공하면 동북아 다자 안보협력의 실현을 위한 좋은 이정표가 될 것입니다. 러시아는 또 철도연결과 에너지 개발 등을 통해서 동북아 경제협력의 가교가 될 수 있을 것입니다. 동시베리아 가스가 파이프라인을 통해 한국과 중국, 일본으로 공급되고, 서울을 출발한 기차가 '철의 실크로드'를 타고 시베리아와 모스크바를 거쳐 파리, 런던에까지 가는 날도 머지않아 오게 될 것이라고 저는 확신합니다.

학생 여러분,

한국은 동북아 요충에 자리잡고 있습니다. 이로 인해 과거 100년 전 주변 열강들의 침탈 대상이 되기도 했습니다. 동북아 질서에 아무런 영향도 행사할 수 없었습니다. 그러나 이제는 다릅니다. 동북아에 새로운 질서를 여는 데 주도적으로 참여할 준비와 역량을 갖추고 있습니다. 대륙과 해양을 잇는 관문이자 세계 11위의 경제력을 가진 나라입니다. 앞선 물류, IT기반도 갖추고 있습니다.

또한 주변 어느 나라도 침략한 일이 없고, 그래서 주변 어느나라부터도 경계의 대상이 아닌 전통적인 평화세력입니다. 식민과 분단, 동족상잔의 전쟁까지 치른 우리 국민의 평화에 대한 열망은 남다릅니다. 남북관계도 화해와 협력의 길로 착실히 나아가고 있습니다. 2000년 남북한 정상이 합의한 6·15공동선언의 정신이 하나하나 실천되고, 올 가을에는 반세기 넘게 끊어졌던 남북간 철도와 도로도 연결됩니다. 이러한 노력은 한반도는 물론 동북아 안정의 디딤돌이 될 것입니다.

학생 여러분,

결국 한·러 협력이 중요합니다. 양국은 냉전시대를 제외하고는 역사적으로 우호친선관계를 지속해 온 오랜 친구입니다. 수교한 지 120년, 우리 동포들이 러시아에 이주한 지 140년이나 되었습니다. 러시아는 일제 강점기에도 우리의 자주독립을 지원해 주기도 했습니다. 지금도 경제·문화 교류는 물론 두 나라간에 연간 10만명이 왕래하고 있으며, 이 대학에만 200여명의 한국 유학생이 공부하고 있습니다. 앞으로 우리 두 나라는, 내가 어제 푸틴 대통령과 선언한대로 상호 신뢰하는 포괄적 동반자가 될 것입니다.

친애하는 학생 여러분,

자유롭게 왕래조차 할 수 없었던 불과 십수년 전만 해도 지금의 우리 두 나라 관계를 예상했던 사람은 거의 없었습니다. 우리가 가고자 하는 동북아 시대도 결코 희망만은 아닙니다. 여러분과 같이 꿈을 가진 젊은이들의 의지와 노력에 달려 있습니다. 저의 꿈은 꿈으로 끝날지 모르지만, 여러분의 그 꿈은 현실이 될 것입니다. 저는 동북아의 미래를 지금 여러분을 통해 보고 있습니다. 오늘 이곳에서 여러분을 만난 것을 아름다운 추억으로 간직하겠습니다. 여러분의 학문적 성취와 모스크바 대학교의 무궁한 발전을 기원합니다.

감사합니다.

한·러 경제인 초청 오찬연설

2004년 9월 22일

나와 우리 일행은 매우 따뜻한 대접을 받았습니다. 러시아 정부에서 주의 깊게, 그리고 정성스럽게 우리의 방문을 준비해 주셨습니다. 푸틴 대통령과 러시아 국민들께 이 자리를 빌려 다시 한번 감사말씀을 드립니다. 푸틴 대통령과 나의 회담은 발표된 것보다 좀더 좋은 성과가 있었습니다. 구체적인 합의사항과 더불어서 그 바탕을 이루고 있는 양국의 이해관계 또는 공동이익의 전망에 관해서 깊이 인식을 공유하게 되었습니다.

과학기술 분야에 있어서 양국 정부간, 기업간 협력은 많은 가능성을 가지고 있고 우리 모두의 기대 또한 큽니다. 양국은 기존의 연구주제별 협력관계를 넘어서 장기적이고 체계적인 공동연구로 협력수준을 높이자는 데 합의했습니다. 이와 같은 합의는 기초과학기술, 산업기술 뿐만 아니라 항공·우주기술, 방위산업기술에까지 모두 적용되는 원칙입니다. 앞으로 양국간 과학기술 협력은 한층 더 심화될 것으로 기대합니다.

에너지를 비롯한 자원개발에 대해서 나와 푸틴 대통령은 똑같은 제안을 서로 준비하고 있었습니다. 한국은 투자를 통해서 자원개발에 참여하기를 원하고 있고, 러시아 또한 한국 자본이 참여해 줄 것을 원하고 있다는 점을 확인했습니다. 다만 러시아가 아직 자원개발에 관한 정책과 체계를 완전히 확정한 것은 아닌 것으로 판단되고, 우리 한국도 러시아 자원개발에 필요한 정도의 조직과 자본을 제도적으로 준비해 놓고 있지는 않은 것이 사실입니다.

러시아 에너지 자원의 생산은 우랄산맥을 넘어 시간이 흐를수록 시베리아로 그 중심이 이동되어 가고 있습니다. 따라서 러시아에 있어서 한국이 적당한 에너지 파트너라는 점은 틀림없습니다. 한국도 장기적으로는 에너지를 안정적으로 확보할 필요가 있습니다. 두 나라간의 에너지 협력은 피할 수 없는 일이라고 표현할 만큼 절실한 것입니다.

앞으로 한·러 간의 협력방법에 관해서 좀더 많은 대화가 필요하다고 생각합니다. 저는 돌아가면 에너지 자원 개발 투자체제를 다시 한번 정비하고 만반의 준비를 신속하게 갖출 생각입니다. 기업하시는 여러분께서도 이번 러시아 방문에서 새로 합의한 사항이나 취득한 정보에 맞게 필요한 준비를 하실 것을 권고해 드리고 싶습니다. 이와 같은 구체적인 준비와 협상이 필요하다는 사정은 러시아 정부나 기업도 마찬가지라고 생각합니다. 양국간의 에너지 자원 협력은 순수하게 경제적 원칙대로 한다고 하더라도 대단히 효율적인 것입니다. 그러나 이러한 협력은 경제적 효율성 말고도 상당히 중요한 전략적 효과를 함께 가지고 있습니다.

철도를 중심으로 한 물류와 에너지 자원, 정보통신 네트워크 같은 분야에서 양국간의 긴밀한 협력은 한반도는 물론 동북아의 평화와 번영에 결정적으로 기여하게 될 것입니다. 경제의 성공은 국제적인 평화와 국내적인 정치안정의 토대 위에서 가능한 것입니다. 그러므로 이것은 정부와 기업인 여러분 모두에게 전략적으로 매우 중요한 문제라고 생각합니다. 이와 같은 이유로 푸틴 대통령도 극동 에너지 자원 협력에 대해서 매우 적극적이고, 저도 좀더 속도가 빨랐으면 좋겠다는 조급함을 느낄 만큼 적극적입니다. 앞으로 기업인 여러분이 경제적 측면에서 협력이 가능하다고 판단하신다면 양국 정부는 이를 적극적으로 지원할 것입니다.

2003년 양국간의 무역액은 41억 달러입니다. 한국이 러시아로부터 수입한 것이 25억 달러이고, 러시아로 수출한 것이 16억 달러여서 계산상으로는 약 9억 달러 정도 한국이 무역적자를 기록하고 있습니다. 그러나 러시아 지도자들을 만나보면 러시아에 대한 한국의 투자가 대단히 부족하고, 적극적이지 않다는 느낌을 가지고 있었습니다. 한국과 러시아의 경제협력 관계는 무역을 통해서 많은 이익을 얻는 것도 중요하지만 장기적이고 지속적으로 쌍방이 이익을 얻을 수 있는 상호보완적인 관계를 찾아내야 한다고 생각합니다.

한국 기업의 투자가 소련연방의 해체과정, 그 뒤의 정치적 불안정, 1998년 모라토리엄 같은 사건 때문에 처음의 기대보다는 많이 위축되어 버린 사실을 알고 있습니다. 그렇지만 2000년 이후 러시아의 정치·경제가 매우 안정되어 있고, 전국민이 미래에 대한 확신을 가지고 역량을 모으고 있기 때문에 앞으로는 한국 기업들이 더 적극적인 관심과 계획을 가질 것으로 생각합니다.

저는 지도를 보면서 러시아가 참 큰 나라라고 생각했습니다. 그리고 과학기술을 비롯해서 러시아가 가진 역량과 잠재력을 보면서 여전히 대국이고 강국이라고 생각하고 있습니다. 그런데 여기 와서 받은 인상은 문화적으로도 아주 훌륭한 선진국이라는 것입니다. 경제적 협력과 공동이익을 위해서, 동북아의 평화와 안정과 번영을 위해서, 그리고 세계 평화를 위해서 러시아는 많은 역할과 가능성을 가지고 있습니다. 그 기대에 맞도록 앞으로 한·러 관계 발전에 더욱더 힘을 기울이겠습니다. 아울러 오랜 역사와 높은 문화적 수준을 가진 러시아와의 활발한 교류는 한국의 문화발전에 크게 기여할 수 있으리라고 생각합니다. 이 많은 가능성을 현실로 실현하기 위해서 저희도 노력하겠습니다만, 기업인 여러분도 열심히 하셔서 큰 성공을 거두게 되기를 바랍니다.

감사합니다.

추석 귀향 메시지

2004년 9월 25일

여러분, 안녕하십니까?

지금쯤 고향으로 부지런히 가고 계시겠지요? 고속철도가 개통돼서 이제 귀향길도 좀 나아졌는지 모르겠습니다. 고향 가는 길은 언제나 들뜨고 마음 설레입니다. 올해도 즐겁고 뜻깊은 추석이 되시기를 바랍니다. 어려운 이웃도 한 번쯤 돌아보는 넉넉한 추석이 되었으면 좋겠습니다.

명절 연휴에 더 바쁘게 일하는 분들이 계십니다. 국군장병과 경찰관, 소방관 여러분, 그리고 고향에 가지 못하는 분들께 위로와 감사의 말씀을 함께 드립니다. 해외에 계신 분들도 모두 즐거운 한가위 되십시오.

국민 여러분,

많이 힘드시지요? 추석 대목이 없다, 추석상 차리기가 너무 빠듯하다, 이런 말들을 들으면 제 마음도 한없이 무겁습니다. 그러나 여러분, 희망을 가집시다. 나아질 것입니다. 지금 모든 역량을 집중해서 경제회복에 힘쓰고 있습니다. 그 효과를 피부로 느낄 수 있도록 최선을 다하겠습니다. 물가와 부동산 가격만큼은 반드시 안정시키겠습니다. 추석 연휴만이라도 이런저런 걱정 잠시 놓으시고, 가족들과 함께 즐거운 시간 보내시기 바랍니다.

여러분, 고향 잘 다녀오십시오.

자이툰 부대 장병 격려 메시지

2004년 9월 28일

친애하는 자이툰 부대 장병 여러분,

얼마나 노고가 많습니까? 당당하고 늠름한 여러분의 모습, 늘 잊지 않고 있습니다. 여러분의 충정과 헌신에 깊은 치하와 위로의 말씀을 드립니다. 오늘은 우리의 큰 명절 추석입니다. 이런 날에는 더욱 가족들이 보고 싶고, 고향 생각이 날 것입니다. 그래서 합참의장이 현지에 가서 여러분과 함께 추석을 보내도록 했습니다.

여러분은 대한민국 국군을 대표하는 자랑스러운 용사들입니다. 이라크에 무사히 도착해서 잘 적응하고 있다는 보고는 받았습니다. 서희·제마 부대가 각국 언론의 많은 찬사를 받았던 것처럼 자이툰 부대도 주어진 임무를 성공적으로 수행할 것으로 확신합니다. 지휘관을 중심으로 일치단결해서 이라크의 안정과 재건에 최선을 다해 주기 바랍니다. 이라크 국민들은 여러분을 통해 대한민국을 보게 될 것입니다. 여러분 모두가 대한민국의 얼굴이라는 큰 자부심을 가지고 우리 군의 명예를 더욱 높여 줄 것을 당부합니다.

우리 국민 모두 여러분을 성원하고 있습니다. 임무를 훌륭하게 마치고 건강한 모습으로 귀국하길 바랍니다. 다시 한번 여러분의 노고를 치하하며 무운을 기원합니다.

아테네 장애인 올림픽 대표선수단 격려 메시지

2004년 9월 28일

선수단 여러분, 안녕하십니까?

대한민국을 대표해서 훌륭한 경기를 펼쳐 주신 여러분께 깊은 감사와 격려의 말씀을 드립니다. 우리 국민 모두는 대표 선수 여러분을 정말 자랑스럽게 생각하고 있습니다. 여러분의 도전은 승패를 떠나 그 자체로 아름답고 감동적입니다. 어려운 여건 속에 있는 많은 사람들에게 희망과 자신감을 심어 주고 있습니다. 땀흘려 준비한 만큼 끝까지 최선을 다해 주시기 바랍니다.

저와 참여정부는 우리 사회가 장애인 여러분과 함께 갈 수 있도록 열심히 노력할 것입니다. 선수 여러분의 처우 개선에도 더 많은 관심을 기울이겠습니다. 오늘은 민족의 명절 추석입니다. 가족과 떨어져 있지만, 기쁘고 즐거운 한가위 되시기를 기원합니다.

10월

第56주년 국군의 날 기념사

2004년 10월 1일

친애하는 국군장병 여러분, 그리고 내외 귀빈 여러분,

건군 56주년 국군의 날을 진심으로 축하합니다. 지금 이 시각에도 조국수호의 사명을 다하고 있는 국군장병 여러분의 노고를 치하합니다. 우리 군의 초석을 놓으신 창군 원로와 예비역, 그리고 주한미군 장병 여러분에게도 깊은 감사의 말씀을 드립니다.

우리 군은 6·25 전쟁 당시 목숨 바쳐 자유민주주의를 수호했고, 그 이후 계속된 대결과 긴장 속에서도 국방의 막중한 임무를 훌륭히 수행해 냈습니다. 이제는 지구촌 곳곳에서 세계의 평화와 안정에 기여하고 있습니다. 자이툰 부대 장병들도 이라크에 무사히 도착해서 전후복구에 땀흘리고 있습니다.

나는 군 통수권자로서 우리 군의 눈부신 발전에 큰 자부심을 가지며, 장병 여러분에게 무한한 신뢰와 격려의 박수를 보냅니다.

국군 장병 여러분,

우리는 그동안 이라크 파병과 주한미군 재조정, 북핵문제 등 어려운 안보상황을 잘 극복해왔습니다. 무엇보다 우리 안보의 최대 불안요인이었던 북핵문제를 6자회담을 통해 평화적으로 관리해 나가고 있습니다. 뿐만 아니라 남북간 장성급 군사회담이 분단 이후 처음 열려 비무장지대와 서해상의 긴장을 해소할 수 있는 토대를 마련하기도 했습니다. 아직은 남북간 군사적 신뢰구축이 초보적인 수준에 머무르고 있지만, 이렇게 시작했다는 사실만으로도 큰 진전이라고 생각합니다. 이와 함께 미국의 세계전략 변화에 따른 주한미군 재조정 문제를 슬기롭게 풀어 나가고 있습니다. 우리의 능동적인 자세와 미국의 적극적인 협력으로 힘든 과제를 오히려 한·미 동맹의 질적인 향상과 자주국방 능력 강화의 계기로 만들어낸 것입니다.

지난주에 가진 한·러 정상회담에서도 한반도 긴장완화와 평화증진, 북핵문제 해결을 위한 상호협력을 강화하기로 했습니다. 이제 우리는 반세기에 걸친 공고한 한·미 동맹의 토대 위에 일본·중국·러시아와의 적극적인 협력관계를 구축함으로써 우리의 안보환경을 한층 개선할 수 있게 되었습니다.

국군장병 여러분,

우리 군은 이미 세계 어디에 내놓아도 손색이 없는 '정예강군'으로 성장했습니다. 그러나 아직 충분하지는 않습니다. 우리의 안보를 우리 스스로 지킬 수 있는 자주국방 역량을 갖추는 데 집중적인 노력을 기울여야 합니다. 독자적인 작전수행 능력과 정보역량 강화, 인력의 정예화와 전력의 첨단화를 지속적으로 추진해 나가야 합니다. 우리의 역량에 대한 자신감을 가지고 부족한 전력을 차근차근 보완해 나간다면, 적어도 대북억제만큼은 우리가 주도할 수 있는 능력을 머지않아 갖추게 될 것입니다. 자주국방과 한·미 동맹은 우리 안보의 중요한 두 축입니다. 우리의 안보에 대한 자주적 역량을 갖추어 나갈 때, 한·미 동맹도 더욱 굳건하고 미래지향적으로 발전해 나갈 수 있을 것입니다. 앞으로도 한·미 동맹은 한반도와 동북아의 평화와 안정을 위해 지속적인 역할을 수행하게 될 것입니다.

다음으로, 국방개혁을 일관되고 강력하게 추진해 나가야 합니다. 과거에도 국방개혁을 위한 여러 조치들이 시도되었습니다. 그러나 일부 운용상의 개선만 있었을 뿐 본격적이고 구조적인 개혁은 아직 이루어지지 못했습니다. 무엇보다 군 스스로의 강력한 혁신의지가 필요합니다. 국방조직의 전문화, 문민화와 같은 혁신을 통해서 국방운영의 효율성과 합리성을 한층 더 높여야 합니다. 이를 바탕으로 정보화·과학화된 기술집약적 전력구조로 발전시켜 미래전 수행에 대비해야 합니다. 또한 한국군 주도의 작전수행이 가능하고, 통합전력을 잘 발휘할 수 있는 체제를 구축해야 할 것입니다. 국방개혁에 대한 각계각층의 의견을 적극 수렴해서 국방장관을 중심으로 근본적이고 지속적인 개혁을 추진해 주기 바랍니다.

친애하는 국군장병 여러분,

군의 진정한 힘은 드높은 사기에서 비롯됩니다. 장병들의 사기와 복지증진은 우리 군의 발전에 매우 중요한 핵심전력입니다. 정부는 노후

하고 협소한 병영시설을 개선하고, 장병들의 복지수준을 지속적으로 개선해 나갈 것입니다. 제대군인의 취업문제에도 더 많은 노력을 기울일 것입니다. 국가와 국민을 위해 충성을 다하는 여러분의 명예가 존중되고, 그에 상응하는 예우를 받을 수 있도록 최선을 다하겠습니다.

끝으로 장한 아들딸들을 국방의 일선에 보내 주신 부모님과 가족 여러분에게 각별한 감사의 말씀을 드립니다. 다시 한번 장병 여러분의 노고를 치하하며, 여러분의 무운과 건승을 기원합니다.

감사합니다.

제8회 노인의 날 축하 메시지

2004년 10월 4일

안녕하십니까?

노인의 날을 진심으로 축하드리며, 어르신 여러분께 존경과 감사의 인사를 올립니다.

어르신 여러분이 지난 반세기 동안 이루어 내신 일들은 정말 놀라운 것입니다. 우리의 젊은이들이 세계와 당당하게 경쟁할 수 있는 기반을 여러분께서 만들어 주셨습니다. 충분히 존경받을 자격이 있습니다. 존경받아야 합니다. 그런 사회가 건강하고 희망이 있는 사회입니다.

정부도 올해 노인복지 예산을 25% 정도 늘리고 이것저것 챙기고는 있습니다만, 아직도 많이 부족합니다. 더 열심히 노력하겠습니다. 일자리도 더 만들고, 노인을 우대하는 제도도 계속 확대해 나갈 것입니다. 무엇보다도 어르신들의 경제적 어려움을 덜고 건강을 지켜드리는 데 많은 관심과 노력을 기울이겠습니다.

우리 사회는 어르신 여러분의 경륜과 지혜가 필요합니다. 국민소득 2만 달러 시대를 향해 힘차게 나아갈 수 있도록 많이 격려해 주시고, 도와주십시오. 어르신 여러분, 잘 모시겠습니다. 늘 건강하십시오.

광주문화방송 창사 40주년 축하 메시지

2004년 10월 8일

광주문화방송 창사 40주년을 축하드립니다. 광주시민 여러분, 그리고 전남도민 여러분께도 함께 축하인사를 드립니다.

광주MBC는 알찬 정보와 공정한 보도로 지역사회의 눈과 귀 역할을 톡톡히 해왔습니다. 특히 집중캠페인 '이제 희망을 이야기합시다'는 시청자들의 큰 호응을 얻고 있다고 듣고 있습니다. 앞으로 더 유익하고 사랑받는 방송이 되기를 바랍니다.

지금 광주는 새로운 도약을 준비하고 있습니다. 대한민국 문화중심, 아시아 문화 허브가 바로 그것입니다. 광주가 지닌 훌륭한 문화예술 전통은 이를 위한 든든한 토대가 될 것입니다. 여기에 시민 여러분의 열정과 창조적 분위기가 더해진다면 문화중심의 꿈은 반드시 실현될 것입니다. 광주MBC의 역할이 역시 중요합니다. 지역의 혁신주체들을 이어 주고 힘을 결집해서 발전의 동력을 만드는 데 앞장서 주시기 바랍니다. 거듭 창사 40돌을 축하드리며, 시청자 여러분의 가정에 건강과 행복이 가득하시기를 기원합니다.

감사합니다.

한·베트남 경제인 초청 오찬연설

2004년 10월 10일

먼저 휴일임에도 불구하고 이렇게 성대한 자리를 마련해 준 부 티 엔 록 베트남 상공회의소 소장과 박용성 회장을 비롯한 양국 경제인 여러분께 감사인사 드립니다.

오늘은 특별한 날입니다. 하노이가 해방된 지 50주년이 되는 날입니다. 이 뜻깊은 날에 양국의 경제인들이 함께 모여서 대화를 나누고, 저도 여러분과 대화할 수 있는 기회를 갖게 되어서 기쁘게 생각합니다. 저는 오늘 오전에 르엉 주석 각하와 만나서 2시간에 걸쳐서 양국관계에 대한 많은 논의를 했습니다. 논의의 3분의 2 정도는 양국의 경제발전과 경제협력에 관련된 것이었습니다. 무역과 투자뿐만 아니라 인프라 투자, 원자력 발전 등에 대한 협력, 문화교류, 그리고 직업 교육·훈련을 비롯한 노동협력 등 광범위한 주제를 가지고 진지한 대화를 나누었습니다.

그 자리에서는 호앙 쭝 하이 베트남 산업부 장관과 한국의 이희범 산업자원부 장관이 지금 진행되고 있는 구체적인 사업에 관한 보고를 했습니다. 전체적으로 결론을 말씀드리면 오늘 양국 정상의 대화는 실질적으로 내용이 있었고, 그 대화의 결과는 모두에게 아주 만족스러운 것이었습니다.

저는 베트남을 방문하면서 양국의 경제협력에 있어서 당장의 협력과 이익도 중요하지만 좀더 장기적으로 공동의 이익을 도모할 수 있는 얘기를 하고 싶었습니다. 말하자면 잠시 몇 가지 사업을 하는 데서 끝나는 것이 아니라 양국 정부간 또는 기업간·경제인간 장기적 협력관계가 더 중요하다고 생각했던 것입니다. 물론 회담과정에서 장기적인 협력관계에 관해서 논의했습니다. 그러나 방문과정에서는 너무 장기적인 얘기만 해서는 안 되겠구나 싶을 만큼 양국간에 여러 가지 협력사업들이 활발하게 벌어지고 있다는 사실을 알고, 한편으로는 놀라고 한편으로는 매우 기뻤습니다. 저는 한국이 베트남의 두번째 투자국으로 성장했다는 사실과 더불어 지금 진행되고 있는 교역규모가 49억 달러 정도 된다는 보고를 받았습니다. 인프라와 전력은 경제발전을 위해 필요한 기본적인 사업이기 때문에 베트남이 얼마만큼 활발하게 내일을 준비하고 있는가 하는 것을 금방 느낄 수 있었습니다.

또한 참여를 희망하는 한국 기업도 일시적으로 상품 몇 개를 팔고 떠나는 것이 아니라 자본과 금융, 기술, 그리고 장기적인 경영전략에 관한 많은 것들을 종합적으로 결합해서 베트남에 든든하게 뿌리를 내리고 있다는 사실을 알았습니다. 장기적인 협력관계, 글자 그대로 장기적인 동반자 관계가 지금 바로 구축되어 가고 있다는 것을 뜻하는 것입니다. 정말 기쁘게 생각합니다. 제가 베트남에 올 때 가지고 온 숙제는 베트남에서 한국을 비롯한 외국 기업의 투자환경을 개선하는 문제를 베트남 정부와 어떻게 협의하느냐 하는 것이었습니다. 이 문제에 관해서는 여러분이 오늘 아침 이 자리에서 베트남 계획투자부 투자국장으로부터 매우 희망적인 보고를 받은 것으로 알고 있습니다.

이 자리에 계신 한국 기업인 여러분께 한 말씀 드리겠습니다. 베트남에 투자하십시오. 확신을 갖고 투자하십시오. 왜냐하면 베트남 경제는 반드시 성공할 것이기 때문입니다. 오늘 아침 부 티엔 록 베트남 상의회장이 말씀하신 대로 이제 홍강의 기적이 이루어질 것이기 때문입니다. 저는 확신하지 않는 일을 가지고 빈말로 덕담하기를 좋아하지 않습니다. 근거를 가지고 말씀드리는 것입니다. 어제 오후에 EU 집행위원장과 약 두 시간에 걸친 대담이 있었습니다. 그 자리에서 룩셈부르크 총리께서 한국이 그렇게 빠른 시간 안에 경제성장을 거두었던 이유가 뭐냐고 질문했습니다.

저는 첫번째 이유를 사람이라고 했습니다. 잘 교육받는 사람, 그리고 반드시 성공하고야 마는 왕성한 의욕을 가지고 있는 사람들, 표정이 희망에 차 있고 밝고 활발하게 움직이는 사람들, 그 사람들이 기적을 이루었다고 말했습니다.

두번째는 그 사람들이 마음껏 기량을 발휘하고 경쟁할 수 있는 시장, 그리고 세계로 열려 있는 개방된 시장이 그 사람들을 더욱더 유능하게 만들었다고 말했습니다. 그 밖에 중화학 공업 전략을 비롯한 많은 경제정책과 전략이 있었지만 그것은 오히려 부차적인 것이라 생각합니다. 저는 이번 베트남 방문 중에 이 하노이 거리에서 그 사람들을 발견했습니다. 바로 내가 자랑했던 한국 사람들보다 훨씬 밝고 훨씬 활발하고 의욕에 넘치는 사람들을 발견했습니다. 이것은 홍강의 기적은 이루어질 것이라는 제 견해를 뒷받침하는 증거입니다. 어떻게 생각하십니까?

양국 기업인 여러분께 제가 외람되게 한 말씀 드리겠습니다. 장기적인 관점에서 멀리 내다보고 상호간의 신뢰를 축적해 가는 노력을 해 주셨으면 좋겠습니다. 한국 정부는 베트남과의 협력에 있어서 개별적인 상품에 관한 기술이든, 경영에 관한 것이든, 정부 운영에 관한 것이든 기술과 노하우를 가지고 협력하는 데 인색하지 않을 것입니다. 한국 기업인 여러분도 기술이전 사업의 경험을 전수하는 데 좀더 개방적인 생각을 가지고 적극적이었으면 좋겠다는 제 의견을 말씀드립니다.

지금 한국 기업들이 희망하고 있는 많은 분야에서 방대한 사업참여를 하기 위해서는 보다 더 많은 투자적 관점에서의 접근이 필요하고, 그러기 위해서는 한국 기업들이 해외에서 활발하게 사업할 수 있도록 자본과 금융을 뒷받침하는 국내적인 시스템이 필요할 것이라는 잠정적인 판단을 하고 있습니다. 이 문제에 관해서는 앞으로 한국으로 돌아가서 기업인들께서 제게 많은 조언을 해 주시면, 우리 기업들이 베트남에 와서 활발하게 활동할 수 있는 금융이나 자본의 토대를 마련하는 데 정부가 좀더 적극적으로 노력해 볼 생각입니다.

단순 노동협력의 차원을 넘어서 직업교육의 측면, 또 일반기술이 아니라 고급기술 분야에서의 협력을 비롯해서 경영의 노하우, 행정의 노하우 등을 베트남과 협력하는 일을 적극적으로 추진하겠습니다. 나아가 베트남 정부가 문화·예술 분야에서의 인력양성과 협력을 원하는 것을 알았습니다. 좀더 폭넓은 분야의 협력이 이루어지도록 정부로서도 최선을 다하겠습니다.

담보가 없어도 돈을 빌려 줄 수 있는 사람이 있습니다. 바로 능력이 있고 희망과 자신감을 가지고 있고 자존심을 가진 사람입니다. 이런 사람은 반드시 성공하고 반드시 신의를 지킨다는 것을 의미합니다. 오늘 아침 호치민 선생 묘소를 다녀왔습니다. 나는 베트남의 역사와 그 역사를 사랑하는 베트남 국민들의 자존심을 매우 존경합니다. 베트남의 성공을 바랍니다. 아울러 한국과 베트남의 협력이 원활하게 이루어지고, 또 베트남의 성공이 한국의 성공이 되고 한국의 성공이 베트남의 성공이 되기를 간절하게 바랍니다.

감사합니다.

쩐 득 르엉 베트남 주석 내외 주최 만찬답사

2004년 10월 10일

존경하는 쩐 득 르엉 국가주석 각하 내외분, 그리고 귀빈 여러분,

각하 내외분과 베트남 국민 여러분의 따뜻한 환영에 진심으로 감사 드립니다. 방금 각하께서 해 주신 좋은 말씀 매우 고맙게 생각합니다. 지난 닷새 동안 하노이에 있으면서 깊은 인상을 받았습니다. 여러 면에서 우리나라와 비슷하다는 것, 시민들이 자신감에 차 있다는 것, 그리고 각하에 대한 국민의 존경심이 대단하다는 것을 느낄 수 있었습니다.

어제 막을 내린 ASEM 정상회의는 매우 성공적이었습니다. 이번 회의에 참석한 각국 정상들이 이구동성으로 칭찬을 아끼지 않았습니다. 베트남의 국제적인 위상을 다시 한번 확인해 준 자리였다고 생각합니다. 베트남은 1990년 이래 '도이모이 정책'을 통해 고도성장을 지속해 오고 있으며, 이제는 인도차이나의 중심국가로 자리매김하고 있습니다. 나는

'공업화된 근대국가 건설'이라는 베트남의 목표가 반드시 실현될 것으로 확신합니다. 각하의 탁월한 지도력과 베트남 국민의 저력에 깊은 존경과 경의를 표합니다.

주석 각하,

우리 두 나라 관계는 매우 역동적으로 발전하고 있습니다. 수교한 지 10여년에 불과하지만, 수십년에 걸쳐서도 쌓기 어려운 큰 성과를 이루었습니다. 베트남에는 800여개에 달하는 우리 기업이 진출해 있고, 한국의 베트남 투자만도 44억 달러에 이르고 있습니다. 올 들어 지난달까지 베트남을 찾은 한국인은 15만명으로서 외국인 관광객 중 가장 빠른 증가율을 보이고 있습니다. 이곳 베트남에서도 한국 드라마의 인기가 매우 높다고 들었습니다. 우리 두 나라는 그만큼 가까운 이웃이 되었습니다. 오늘 각하와의 정상회담에서 합의한 대로 우리 두 나라의 포괄적인 동반자 관계는 앞으로 더욱 발전해 나갈 것입니다.

주석 각하,

베트남은 그동안 우리의 평화번영정책을 적극 지지해 주었습니다. 특히 각하께서는 북핵문제의 평화적 해결과 북한의 개혁·개방 등에 각별한 관심을 가져주셨습니다. 남북한을 모두 방문한 바 있는 각하께서 한반도의 평화정착에 더 많은 역할을 해 주실 것을 부탁드립니다.

귀빈 여러분,

주석 각하 내외분의 건강과 베트남의 번영, 그리고 우리 양국의 영원한 우정을 위하여 건배를 제의합니다.

감사합니다.

호치민시 인민위원장 주최 만찬답사

2004년 10월 11일

레 탄 하이 인민위원장 내외분, 그리고 귀빈 여러분,

여러분의 따뜻한 환영에 진심으로 감사드립니다.

나는 이번에 베트남과 인도 국빈방문, ASEM 정상회의를 마치고 또 다른 일정으로 오늘 이 곳에 도착했습니다. 인도차이나의 중심도시 호치민을 꼭 보고 싶었기 때문입니다. 베트남 고도성장의 기관차 역할을 하고 있는 호치민은 듣던 대로 활기에 차 있습니다. 호치민 전 주석의 이름처럼 베트남 경제에 '빛을 가져온 도시'라고 생각합니다. 지금 우리나라를 비롯한 많은 외국 기업들의 투자가 이곳에 몰리고 있습니다. 이처럼 역동적인 도시를 만들어 온 인민위원장님을 비롯한 호치민 시민 여러분의 저력에 경의를 표합니다.

귀빈 여러분,

나는 어제 하노이에서 쩐 득 르엉 주석과 정상회담을 갖고 양국간 포괄적 동반자 관계를 더욱 발전시켜 나가기로 했습니다. 이미 우리 두 나라는 수교 당시에 비하면 교역량은 6배, 투자는 22배나 증가했습니다. 특히 호치민은 700여개 우리 기업이 진출해 있을 만큼 그 중심이 되어 왔습니다.

앞으로 우리 두 나라 간 협력가능성은 매우 큽니다. 에너지 개발과 사회간접자본 건설, 정보통신이 그 대표적인 분야가 될 것입니다.

호치민이 이런 양국 협력을 앞장서 이끌어 줄 것으로 기대합니다. 경제 뿐만 아니라 문화·관광 등 여러 분야에 걸친 교류가 더욱 확대될 수 있기를 바랍니다. 이곳에 있는 우리 기업과 동포들에 대한 여러분의 배려에 감사드리며, 더욱 각별한 관심을 가져 주실 것을 부탁드립니다. 호치민시의 발전과 인민위원장님 내외분을 비롯한 여러분의 건강을 위해 건배를 제의합니다.

감사합니다.

제5회 세계지식포럼 축하 메시지

2004년 10월 12일

안녕하십니까?

제5회 세계지식포럼을 축하드립니다. 각국에서 오신 참가자 여러분을 환영합니다.

지금 우리는 일대 변혁의 시대를 살고 있습니다. 혁신에 대한 의지와 변화의 속도가 개인과 기업, 국가의 성쇠를 좌우하는 시대입니다. 우리 대한민국도 지금 매우 빠른 속도로 혁신을 이루어 가고 있습니다. 이런 변화는 우리 국민들의 높은 성취동기와 학습능력, 그리고 특유의 역동성을 바탕으로 더욱더 가속화될 것입니다.

먼저, 기술혁신과 인재양성입니다. 이미 미래성장을 이끌어갈 핵심기술을 선정해서 기초 연구·개발을 적극 지원하고 있습니다. 특히 10대 차세대 성장동력 산업을 중심으로 기술개발을 촉진해 나가고 있습니다.

이와 함께 혁신을 주도할 핵심인력을 육성하기 위해서 이공계와 과학기술인 우대정책을 지속적으로 추진해 나가고 있습니다. 산·학·연 협력을 강화하고, 기업이 필요로 하는 인력이 양성될 수 있도록 교육·훈련 시스템을 개혁해 나갈 것입니다.

시장 시스템의 선진화도 반드시 이루어야 할 과제입니다. 작년 말에 마련된 '시장개혁 3개년 로드맵'에 따라 시장개혁을 지속적으로 추진해 나갈 것입니다. 기업의 지배구조를 개선하고 시장의 자율 감시기능을 강화하는 노력과 함께 연·기금 주식투자 허용, 증권·선물시장 체제 개편 등 자본시장 선진화도 이루어 나갈 것입니다.

노사관계 안정은 지속적인 성장을 위한 필수요건입니다. 올 들어 '일자리 만들기 사회협약'을 체결하고, '노·사·정 대표자 회의'를 개최하는 등 대화와 타협의 분위기가 조성되고 있습니다. 앞으로도 노·사·정이 협력해서 노사분규 건수를 대폭 줄이고, 임기 중에 신뢰와 협력의 보다 선진화된 노사관계가 구축되도록 힘써나가겠습니다. 지속적인 성장과 사회통합을 위해서는 국가균형발전도 더 이상 지체할 수 없습니다. 이미 지난해 '균형발전 3대 특별법'과 '국가균형발전 5개년 계획'을 수립해서 그 기반이 마련됐습니다.

지역혁신체계 구축과 수도권과 지방간의 상생발전을 통해서 지역발전의 효율과 형평을 함께 높여 나갈 계획입니다. 행정수도 이전계획도 차질 없이 추진해 나가도록 하겠습니다. 이 밖에 FTA 체결 등 대외개방과 외국인투자 확대, 규제개혁에도 각별한 관심과 노력을 기울여나갈 것입니다.

내외 귀빈 여러분,

이번 포럼에서 다루어질 주제는 '파트너십을 통한 재도약'이라고 들었습니다. 참여정부의 모든 개혁과제도 파트너십을 근간으로 하고 있습니다. 산·학·연 연계를 통한 기술혁신, 시장개혁을 위한 정부와 기업의 공동노력, 노·사·정간 신뢰 구축, 수도권과 지방의 역할분담, 그리고 FTA 등과 관련한 국가간 공조가 바로 그것입니다. 아무쪼록 이번 회의가 성공적인 파트너십 구축을 위한 세계 석학들의 제안을 듣는 계기가 되기를 바라면서, 참석자 여러분 모두의 건강과 행복을 기원합니다.

감사합니다.

한국경제신문 창간 40주년 축하 메시지

2004년 10월 12일

여러분, 안녕하십니까?

한국경제신문 창간 마흔 돌을 진심으로 축하드립니다.

한경 40년은 대한민국 경제발전의 역사 그 자체입니다. 우리 경제가 100배의 성장을 이루기까지 아주 훌륭한 길잡이 역할을 해 왔습니다. 여러분의 노고에 깊은 감사의 말씀을 드립니다.

저는 ASEM 정상회의에 참석하고 인도와 베트남을 방문했습니다. 러시아·카자흐스탄에 이어 이번 순방에서도 경제·통상 협력에 많은 노력을 기울였습니다. 특히 자원협력과 새로운 시장개척에 큰 의미가 있었다고 봅니다. 또한, 많은 국내외 기업인들을 만나면서 왕성한 기업가 정신이야말로 경제성장의 원동력임을 거듭 확인할 수 있었습니다. 우리 기업인들이 스스로의 혁신역량을 한층 높이고, 미래성장분야에 활발하게 투자할 수 있도록 정부도 최선을 다하겠습니다.

다시 한번 한국경제신문의 창간 40주년을 축하드리며, 여러분의 건승을 기원합니다.

해외민주인사 초청 다과회 말씀

2004년 10월 14일

여러분, 반갑습니다.

대단한 기쁨과 보람으로 가득찬 마음으로 여러분을 환영합니다. 지난날 여러분이 보편적 인권과 한국 사회의 민주주의를 위해서 기울여주신 관심과 노고에 대해서 다시 한번 감사인사를 드립니다. 사람들은 선한 목적으로 많은 노력을 합니다만, 그것이 당장의 결과를 나타나는 수도 있고 또 그렇지 않을 수도 있습니다. 그러나 한국의 경우는 여러분의 노력이 비교적 좋은 결실로 나타난 경우라고 생각합니다.

아직도 사회 여러 분야에서 불평등이 있고, 또 조직 속에서의 지배·복종관계라든지 이런 여러 가지 이유로 인해서 인권이 침해될 많은 가능성을 가지고 있고, 그래서 끊임없이 인권문제에 대해서 관심을 가지고 노력하고 있습니다만, 적어도 이제 한국에서 정치권력에 의한 적나라

하고 무자비한 인권탄압은 없는 수준으로 발전했습니다.

대개 지금 한국에서는 정부조직 안에 인권침해를 감시하는 옴부즈만 기구가 설치되어 있고, 또 일반 시민사회단체에서도 많은 인권활동을 아직도 하고 있습니다. 하지만 그동안 1970~1980년대 정말 암흑기와 같은 시기에 자기 생사를 걸고 그렇게 위험스러운 민주화운동을 했던 사람들은 이제 인권운동의 일선에서는 한발 물러서서 과거의 역사를 정리하고 기록하는 수준으로 약간의 여유가 생긴 셈입니다. 여러분과 또 국내의 많은 용기 있는 사람들이 박해와 위협을 무릅쓰고 인권과 민주주의를 위해서 그렇게 노력하신 결과입니다.

요즘은 옛날에 독재정권을 돕거나 또는 독재정권의 편에 서서 인권탄압이나 독재를 방관했던 많은 단체들도 거의 아무 제약 없이, 그야말로 민주적 권리와 인권을 한껏 누리고 있는 수준입니다.

정권을 맡은 사람 처지에서는 그 사람들을 좀 제한했으면 하는 생각이 없지 않습니다만, 국민들에게 물어봤더니 '듣기 싫더라도, 괘씸하더라도 그런 자유를 허용하는 것이 좋겠다.' 고 해서 그렇게 하고 있습니다.

역사가 좀 불공평하다는 생각이 들기도 합니다. 인권과 민주주의를 위한, 자유와 인권을 위한 운동이라는 것이 부당한 억압을 배제하는 데까지만 유효한 것이고, 그동안에 억울하게 당했던 것을 보상받는 데까지는 그렇게 유효한 사상이나 운동이 아닌 것 같기도 합니다. 그러나 그것을 절제하고 수용하는 것이 민주주의와 인권을 추구하는 사람들의 도리라고 생각하고, 어떻든 모두의 자유와 권리를 보장하는 사회를 만들려고 노력하고 있습니다.

다만 우리로서는 보복은 하지 않더라도 과거의 역사적 진실만은 제대로 좀 밝혀 놓고, 그것이 훗날 이 역사를 공부하는 사람들에게 자료가 되고, 또 역사를 실제로 살아가는 사람들에게 귀감이 되게 하는 것은 꼭 필요하다 생각해서 지금 과거사 진상규명 작업을 하고 있습니다. 과거사라고 얘기하니까 '과거사를 다 들추어서 결함이 없는 사람이 어디 있겠는가? 그래서 모든 사람을 다 죄인으로 만들자는 것이냐' 라는 질문을 하는 사람들도 있습니다. 그러나 그 질문은 정확하지 않습니다. 우리가 관심을 가지는 것은 과거 권력에 의해서 저질러진 인권과 자유에 대한 침해에 관한 것입니다. 또 권력 때문에 진상조차 밝혀지지 못했고, 또 억압당했던 사람들이 진실을 말하고 보상받을 기회가 지금까지 억압되어 있었기 때문에 권력에 의한 부당한 침해를 말하는 것이지, 우리 국민들의 모든 과거의 잘못을 다 얘기하자는 것은 아닙니다.

또 하나의 관점은 아직도 국가는 국가의 가치를 내세워서 법을 만들고 법에 의해서 사람들의 행동과 자유를 규제하고, 또 경우에 따라서는 국가를 위해서 사람들이 목숨을 바칠 것을 요구하는 그런 막강한 권능을 가지고 있습니다. 그리고 국가를 위한다는 명분은 아직도 도덕적 사고의 최정점의, 가장 높은 수준을 가지고 있어서 국민들의 가치관을 지배하고 있습니다. 그러므로 국가는 앞으로도 국가가 이 기능을 계속하는 한 국민들에게 얻은 도덕적 신뢰성을 확보하고 있어야 합니다.

그래서 저는 이 국가의 도덕적 신뢰성을 확보해 나가야만 국가가 국민들에게 규율을 강조하고 의무를 요구할 수 있다고 생각합니다. 결국 지금 우리가 생각하는 일은 진상을 밝히는 일과 억울한 일을 당한 사람에 대한 신원, 명예를 회복시키는 것 외에 국가의 신뢰를 회복함으로써 모든 국민들이 서로 신뢰하고 합의할 수 있는 그런 사회를 만들고자 하는 하나의 과정이기도 합니다. 이것은 가치 있는 일이라고 생각합니다만, 아직 우리 국민들 사이에서는 갈등이 있는 문제입니다. 이런 시점에 여러분께서 내일 '과거사 청산과 민주주의'라는 토론회에 참여하셔서 좋은 말씀을 해 주시는 것은 아마 이와 같은 일의 중요성에 대해서 국민들에게 일깨워 주는 또 한 번의 좋은 계기가 될 것으로 생각합니다. 그러니까 여러분께서는 아직도 한국의 올바른 민주주의 정착을 위해서 기여하러 오신 것이라고 생각합니다. 지나고 보니까 여러분이 아주 수고하실 때가 엊그제 같은 따지고 보면 세월이 많이 흘렀습니다. 여러분이 한참 어렵게 운동하실 때는 저는 참여하지 않았습니다. 1980년대 와서 이제 운동이 대중적으로 폭발하던 시기에 뒤늦게 참여했는데, 지금 제가 대통령이 될 만큼 세월이 많이 흘렀습니다.

그러고 보면 여러분은 평생을 인권과 민주주의에 바쳐 오신 분들인데, 제가 인사말을 너무 길게 한 것 같습니다. 제가 말씀을 많이 듣는 것이 훨씬 더 유익할 것 같습니다. 여러분 뵈니까 감격해서 얘기를 너무 많이 해 버린 것 같습니다. 여러분이 바쁘시지 않으면 제가 시간을 더 늘리더라도 여러분 말씀을 충분히 듣고 싶습니다.

좋은 말씀 부탁드립니다.

부마민주항쟁 25주년 기념식 메시지

2004년 10월 16일

존경하는 부산시민 여러분, 그리고 경남도민 여러분,

안녕하십니까? 부마민주항쟁 스물다섯 돌을 매우 뜻깊게 생각합니다. 인권과 민주주의가 철저히 유린당하던 그 시절, 부산과 마산시민이 일어섰습니다. '계엄철폐', '독재타도'의 함성은 철옹성 같았던 유신독재를 마침내 무너뜨렸습니다. 부산과 마산은 민주주의의 성지입니다. 부마항쟁뿐 아니라 4·19혁명의 도화선이 되었던 3·15의거, 전국에서 가장 치열했던 6월항쟁 모두 우리들의 가슴 속에 큰 자랑으로 남아 있습니다. 지금의 참여정부도 그 토대 위에 서 있습니다. 여러분 모두에게 한없는 존경과 감사의 말씀을 드립니다. 여러분의 용기와 애국의 열정이 있었기에 이제 우리나라는 세계에서 인정받는 민주주의의 나라가 되었습니다.

얼마 전 ASEM 정상회의와 인도·베트남 방문에서도 저는 국제사회에서 한층 높아진 우리의 위상을 실감할 수 있었습니다. 밖에서 보는 한국은 우리 스스로가 생각하는 것 그 이상이었습니다. 우리나라가 확실히 기회를 가지고 있고, 또 기회를 만들어낼 만한 충분한 역량을 갖추고 있음을 거듭 확인했습니다. 중요한 것은 역시 자신감입니다. 우리의 역량에 대한 믿음과 내일에 대한 희망을 가지고 힘차게 나아갑시다. 무엇보다 경제적 어려움을 극복하고, 지속적인 성장을 이루는 데 힘과 지혜를 모아 나갑시다. 항상 시대적인 소명에 앞장서 온 부산과 경남이 선도적인 역할을 해 주시기 바랍니다. 여러분 모두의 건강과 행복을 기원합니다.

감사합니다.

시사저널 창간 15주년 기념 특별기고

2004년 10월 19일

시사저널 창간 15주년을 진심으로 축하합니다. 아울러 시대정신을 이끌어 가는 불편부당한 논조로 우리 사회의 지성을 대변해 온 독립언론 시사저널에 글을 쓰게 된 것을 기쁘게 생각합니다.

저는 이번에 인도와 베트남을 방문하고, ASEM 정상회의에 참석했습니다. 지난달에는 카자흐스탄과 러시아를 순방했습니다. 저는 순방을 준비하면서 많은 사람의 조언을 듣고 관련 서적, CD, 그리고 비디오테이프에 이르기까지 수많은 자료를 검토했습니다. 그리고 이들 나라와의 긴밀한 협력이 우리에게 새로운 기회가 될 것이라는 확신을 가지게 되었습니다. 특히 중국과 러시아·인도·브라질 등 이른바 브릭스(BRICs) 국가들과의 협력가능성이 매우 크다는 것을 확인했습니다. 신흥경제대국으로 부상하고 있는 브릭스 국가들은 자원과 인구, 성장속도 등 여러면에서 엄청난 잠재력을 가지고 있습니다. 2030년이 되면 세계 최대의 시장이 될 것이라고 보는 전문가들이 많습니다.

더욱이 이들 나라는 우리와의 경제적 상호보완성을 감안할 때 매우 효과적인 협력 파트너가 될 수 있습니다. 우리의 첨단 IT 기반과 제조기술을 토대로 서로 윈-윈할 수 있는 분야가 매우 많습니다. 자원개발, 정보통신, 대형 건설사업 등이 그 대표적인 분야라고 할 수 있습니다. 일례로 시베리아 자원개발에 관해서 나와 푸틴 대통령은 같은 제안을 준비하고 있었습니다. 러시아는 시베리아의 자원개발에 한국의 자본과 기술 참여를 요청했고, 우리도 장기적으로 석유·가스 등 에너지 공급원을 확보해야 한다는 점에서 서로의 의견이 일치했습니다. 인도 역시 직접 가서 보니 협력의 가능성과 폭이 훨씬 넓었습니다. 인도는 2012년까지 대대적인 인프라 건설계획을 세우고 있으며, IT 분야에서도 우리의 하드웨어가 인도의 소프트웨어 인력과 손잡을 때 제3의 시장에 공동진출할 수 있는 여지가 매우 컸습니다. 양국 정상은 자연스럽게 이들 분야에 대한 양국의 협력 확대에 공감했습니다.

저는 방문국 정상들과의 대화와 현지 경제인과의 만남에서 실질적인 협력사업들이 보다 구체적으로 추진될 수 있도록 그 토대를 다지는 데 주력했습니다. 이번에 러시아·인도와 합의한 여러 사업들이 결실을 맺으면 앞으로 4 5년 안에 현재 각기 40억 달러 안팎인 교역량이 각각 두 배 이상 늘어난 100억 달러 수준에 이를 것입니다. 중국은 이미 올 들어 지난 7월까지 438억 달러를 넘어 미국·일본을 제치고 우리의 최대 교역국이 되었습니다. 베트남에서 열린 ASEM 기간 중에 저는 원자바오 중국 총리와 만나 양국간 교역량을 향후 5년 안에 1천억 달러 수준으로 확대해 나가기로 했습니다.

다음달 브라질 방문 역시 남미와의 경제협력을 확대하는 중요한 계기가 될 것입니다. 마침 시사저널에서 심층보도하고 있는 브릭스 특집 가운데 브라질 편은 브라질 방문에 대비해 참고자료로 삼고 있습니다.

이제 순방의 후속조치들을 차근차근 추진해 나가겠습니다.

먼저 유전 공동개발, 가스 도입 등 에너지 자원 확보를 위한 구체적이고 장기적인 국가전략을 수립할 것입니다. 이를 위해 대통령이 직접 위원장을 맡고 에너지 분야 장관과 전문가가 망라된 '국가에너지위원회'를 구성하여 장기 에너지 수급 전망을 점검하고, 자원개발 전문기업 육성방안, 해외 유전 및 가스전 확보 대책, 러시아 등 방문국과의 자원협력 확대방안 등을 구체적으로 마련해 나가겠습니다. 또 '에너지기본법'을 제정하여 국가 에너지 전략 수행을 위한 법적 토대를 구축할 계획입니다.

인도 유전 개·보수 공사, 베트남 신도시 개발 등 우리 기업의 플랜트 및 건설 수주를 효율적으로 지원토록 하겠으며, 특히 우리 기업이 대규모 프로젝트 수주 시 가장 큰 애로사항이 되고 있는 중장기 금융조달이 원활히 이루어지도록 지원체제를 개선하겠습니다. 또한 우리가 경쟁력을 가지는 IT 분야의 진출확대를 적극적으로 추진하는 한편 통관, 인·허가, 비자 문제 등 해외에 진출해 있는 기업이 공통적으로 겪는 애로에 대해서는 정부와 기업이 더욱 긴밀히 협의해서 풀어 나가겠습니다.

이번 순방은 우리나라와 기업들의 위상을 재확인하는 계기도 되었습니다. 가는 곳마다 우리 휴대전화, TV, 에어컨, 자동차가 시장점유율

1,2위를 차지하고 있었습니다. 우리 기업이 너무 잘해서 혹시 미움이나 받지 않을까 걱정될 정도였습니다. 제가 국가를 대표해서 4강 순방의 마무리로 러시아를 가고 브릭스 경제외교의 중요성을 감안해서 인도를 방문했지만, 실제로 대한민국을 대표하는 것은 우리의 상품이었습니다. 세계를 상대로 뛰고 있는 우리 기업인과 근로자들의 열정을 피부로 느꼈습니다.

제가 만난 많은 지도자들은 저에게 물었습니다. 대한민국이 그렇게 발전할 수 있었던 동력이 무엇인가? 저는 자신 있게 '바로 우리 국민'이라고 답했습니다. 우리 국민의 열정과 능력, 그리고 높은 교육열이 그러한 성공을 만들고 있다고 말했습니다. 베트남에서 한국 기업이 투자한 봉제공장을 방문했을 때 수백명의 여성 근로자들을 보고 과거 70년대 주경야독하며 가정을 책임졌던 우리 여성근로자들이 떠올랐습니다. 또 그들에게 우리 개발시대의 여성 근로자들의 땀과 눈물의 경험을 얘기했을 때 그들이 흘리던 눈물에서 베트남의 희망과 미래도 읽을 수 있었습니다.

밖에서 본 한국은 우리 스스로가 생각하는 것 그 이상이었습니다. 이제 세계는 우리 경제가 지속적으로 개혁을 추진하고 안정적인 성장을 이룰 것인가를 주목하고 있습니다. 저와 정부는 우리 경제의 중장기적인 과제들을 흔들림 없이 추진할 것입니다. 기술혁신과 인재양성, 시장시스템 개혁, 노사관계 안정, 성장동력산업 육성 등에 지속적인 노력을 기울이고 있습니다. 내수침체의 장기화와 경제구조의 양극화로 서민들의 어려움이 어느 때보다 크다는 것을 잘 알고 있습니다. 정부는 그동안 신용

카드 문제 등으로 빚어진 금융시장의 불안을 해소하고, 투기가 난무하던 부동산 시장을 안정시켜 가는 가운데 내수를 살리기 위한 재정·세제·금융정책을 지속적으로 시행해 왔습니다.

앞으로도 이러한 합리적인 경기 활성화 노력을 지속하면서 수출과 내수, 대기업과 중소기업 등 양극화 현상이 심화된 우리 경제의 구조적인 문제에 대해서도 적극 대처해 나갈 것입니다. 지속적인 규제개혁을 통한 투자 활성화, 서비스 산업과 중소기업의 경쟁력 강화, 그리고 이를 통한 일자리 창출에 전력을 다해 나가고자 합니다. 특히 교육시설과 보육사업 등 미래사회에 대비한 공공부문의 건설사업을 앞당겨 투자함으로써 건설경기의 연착륙을 지원하고 침체된 내수를 활성화할 계획입니다.

비록 시간이 걸리지만 오늘보다는 내일, 올해보다는 내년에는 서민의 살림살이가 나아질 것입니다. 정부의 의지가 있고, 확고한 계획이 있습니다. 우리에게는 세계가 부러워하고 평가하는 민주주의와 경제적 성취만큼이나 미래에 대한 희망과 자신이 있습니다. 저는 이번 방문을 통해서 대한민국의 미래에 대한 자신감을 더욱 다지게 되었습니다. 당장의 어려움이 있더라도 흔들림 없는 원칙과 일관된 노력을 기울이겠습니다.

시사저널 창간 15주년을 거듭 축하드리며, 무궁한 발전을 기원합니다.

제59주년 경찰의 날 기념식 연설

2004년 10월 21일

친애하는 전국의 경찰관 여러분, 그리고 내외 귀빈 여러분,

제59주년 '경찰의 날'을 진심으로 축하합니다. 8·15 광복과 함께 출범한 우리 경찰은 국민의 생명과 재산을 지키고 나라의 안정과 발전을 가져오는 데 크게 이바지해 왔습니다. 지금 이 시각에도 전국 방방곡곡에서 밤낮을 가리지 않고 맡은 바 임무에 최선을 다하고 있습니다. 저는 이러한 여러분의 노고에 따뜻한 위로와 힘찬 격려의 박수를 보냅니다.

전국의 15만 경찰관 여러분,

그동안 우리 경찰은 부단한 자기혁신을 통해서 명실상부한 국민의 경찰로 거듭났습니다. 이제 국민 위에 군림하는 경찰이란 오명은 과거의 이야기가 되었습니다. 대다수 국민들이 친절한 경찰, 봉사하는 경찰을 실감하고 있습니다. 뿐만 아니라 권력의 그늘에서 완전히 벗어나 정치적

중립을 확고히 지켜 나가고 있습니다. 오히려 깨끗한 정치를 만드는 파수꾼 역할을 충실히 해내고 있습니다. 경찰 인사도 지연이나 정치적 성향에 따라 좌우되지 않고 자신의 일에 충실한 사람이 우대 받는 원칙을 정착시켜 가고 있습니다. 이처럼 새로운 모습으로 탈바꿈하고 있는 우리 경찰에 대해 다시 한번 충심으로 치하를 보냅니다.

친애하는 경찰관 여러분,

그러나 여기에 만족해서는 안 됩니다. 국민들은 치안 서비스의 질을 한 단계 더 높여 주기를 기대하고, 또 요구하고 있습니다. 무엇보다도 '범죄와 사고로부터 안전한 나라'를 만들어야 합니다. 특히 서민생활과 직결되는 민생침해 범죄, 국민건강과 환경을 해치는 공익사범, 교통사고와 같은 생활 주변의 불안요인을 근절하는 데 더욱 분발해야 하겠습니다. 그래서 국민 모두가 안심하고 생업에 종사할 수 있도록 해야 합니다. 최근 국제 테러조직이 공공연히 우리를 위협하고 있습니다. 우리는 결코 이를 용납해서는 안 될 것입니다. 비상경계태세를 한층 더 강화해서 철저히 대비해 주기 바랍니다.

경찰은 또한 '인권이 존중되고 법·질서가 바로 선 사회'를 만드는 데 앞장서야 합니다. 인권과 법·질서 수호는 그 어느 쪽도 소홀히 할 수 없는 경찰의 기본책무입니다. 불심검문에서부터 사건 수사, 범인 검거에 이르기까지 그 어떤 경우에도 인권을 침해하는 공권력의 남용이 있어서는 안 됩니다. 그동안 용인되어 온 관행 중에서도 인권침해 소지가 있지는 않은지 꾸준히 점검하고 개선해 가야 할 것입니다.

그러나 정당한 공무집행을 방해하거나 공권력의 권위에 도전하는 행위에는 단호하게 대처해 나가야 합니다. 엄정한 법 집행을 통해서 반드시 책임을 물어야 합니다. 국민 여러분께도 간곡히 당부드립니다. 이제 우리 경찰은 정권의 손발 노릇을 하던 과거의 경찰이 아닙니다. 적법한 공권력 행사에 대해서 적대행위를 하거나 모욕하는 일이 더 이상 있어서는 안 되겠습니다. 아울러 우리 경찰도 깨끗하고 투명한 경찰상을 더욱 굳건히 해야 할 것입니다. 학습과 자기혁신을 통해서 여러분 스스로 떳떳하고 당당해질 때 공권력의 권위와 치안역량은 한층 더 강화될 것입니다.

전국의 경찰관 여러분,

우리 경찰은 지금 새로운 도약을 위한 전환점에 서 있습니다. 지금 논의되고 있는 수사권 조정문제는 자율과 분권이라는 민주주의 원리와 국민 편익을 고려해서 반드시 실현될 수 있도록 하겠습니다. 그만큼 경찰의 책임도 더욱 무거워질 것입니다. 내년부터 시범 실시될 '주민생활중심의 자치경찰제'도 시민이 참여하고 통제하는 생활경찰이 되도록 차질 없이 준비해 주기 바랍니다.

저는 여러분에게 요구만 하지는 않겠습니다. 과중한 격무로 인해 건강을 해치고, 심지어 과로로 희생되는 일까지 있는 데 대해 대통령으로서 안타깝기 그지없습니다. 그동안 인력과 장비의 확충을 위해 힘써 왔습니다만, 앞으로도 경찰 인력의 연차적 증원을 비롯해서 여러분의 근무여건을 개선하는 노력을 지속해 나갈 것입니다.

또한 우리 경찰은 갈수록 흉포화되는 범죄로부터 항상 위험에 노출되어 있습니다. 그럼에도 불구하고 이에 대한 국가의 대책은 미흡한 실정입니다. 보상체계만 하더라도 일반 공무원에 비해 오히려 불리한 점도 있습니다. 그래서 우선 안전조치를 철저히 할 것과 불의의 사고에 대비한 보상체계를 갖추도록 이미 지시해 두었습니다. 적어도 위험을 무릅쓰고 업무를 수행하면서 가족까지 걱정해야 하는 일은 없도록 하겠습니다.

여러분이 대한민국 경찰로서 보람과 긍지를 가지고 일할 수 있도록 최선을 다하겠습니다. 다시 한번 경찰의 날을 축하하며, 여러분의 건승을 기원합니다.

감사합니다.

제250회 정기국회 시정연설

2004년 10월 25일

존경하는 국민 여러분, 그리고 국회의장과 의원 여러분,

오늘 정부가 편성한 2005년도 예산안 및 기금운용계획안을 제17대 첫 정기국회에 제출하고 그 심의를 요청하면서, 참여정부의 국정운영 방향을 말씀드리게 된 것을 매우 뜻깊게 생각합니다.

의원 여러분,

참여정부가 출범한 지 오늘로서 꼭 1년 8개월이 되었습니다. 그동안 우리 사회에는 보이지 않는 가운데 많은 변화들이 있었습니다. 무엇보다 돈 안드는 선거혁명을 실현하고, 정경유착의 고리를 단절해 냈습니다. 정권을 위해 일하던 이른바 권력기관들이 국민을 위한 봉사기관으로 거듭났습니다. 대통령이 정당을 지배하고 국회를 좌지우지하던 시대도 지났습니다. 더 이상 특권이 용납되지 않는 시대, 누구도 국민 위에 군림

하지 못하는 시대가 되고 있습니다. 국가의 정책결정 과정에는 공정하고 투명한 절차와 시스템이 마련되었습니다. 대통령이나 소수 몇 사람의 독단이 아니라 토론을 통해 합리적인 대안을 찾아가는 진정한 민주주의 문화가 뿌리내리기 시작했습니다. 북핵문제와 이라크 파병, 주한미군 재조정 등도 지혜롭게 풀어 가고 있습니다. 개성공단 조성을 비롯한 남북간 교류·협력도 꾸준히 진행하고 있습니다.

존경하는 국민 여러분,

참여정부의 여러 성과에도 불구하고 지금 우리 경제는 건설경기 부진, 소비 위축 등으로 많은 어려움을 겪고 있습니다. 더구나 앞으로 고유가가 지속되면 내년에는 수출 증가세마저 다소 둔화될 것으로 전망되어 내수 확대가 필요합니다. 그동안 정부는 신용카드 문제 등으로 빚어진 금융시장 불안을 해소하고 부동산 시장을 안정시키는 가운데 내수를 살리기 위한 여러 정책을 지속적으로 시행해 왔습니다. 그러나 여전히 중소기업과 서민들이 느끼는 체감경기는 매우 안 좋습니다. 올해 수출이 사상 처음으로 2,400억 달러를 넘고 무역흑자가 250억 달러에 이르러 세계 12위의 무역대국이 될 것으로 예상되지만, 국가경쟁력지수·부패지수·국민소득 등은 아직 수출실적에 상응하는 수준이 되지 못하고 있습니다.

문제는 경제 시스템입니다. 지금까지 우리 경제는 정부 주도하에 노동과 자본 등 생산요소를 집중 투입함으로써 짧은 기간 내에 고도성장을 해 올 수 있었습니다. 이 과정에서 대기업과 중소기업, 해외부문과 국내부문간에 양극화 현상이 심화되었습니다. 그러나 이 같은 방식은 이제 한계에 이르렀습니다. 우리 경제가 당면한 어려움과 문제점을 근본적으로 극복할 수 있는 중장기 전략이 필요합니다. 산업 전반의 효율성 향상을 통해 성장잠재력을 확충하는 혁신주도형 경제로 가야 합니다.

시간이 넉넉하지도 않습니다. 우리가 선진국과의 기술격차를 따라잡는 속도보다 중국 등 개발도상국들은 더욱 빠르게 추격해 오고 있습니다. 뿐만 아니라 우리나라는 세계에서 유례가 없을 만큼 빠른 속도로 인구 고령화가 진행되고 있습니다. 비상한 각오로 하루속히 우리 경제와 사회가 높은 기술과 생산성을 갖추도록 만반의 준비를 해야 합니다. 지금 당장 국내경기가 어렵다고 일시적으로 무리하게 경기를 부양시키는 일은 하지 않겠습니다. 임기응변으로 대응하는 것은 지속적인 성장에 도움이 되지 않기 때문입니다.

의원 여러분,

정부는 앞으로 국정의 큰 방향을 인적자원 개발, 기술력 제고, 개방경쟁체제 구축에 두고 중장기 국가경쟁력 강화정책을 일관되게 추진하겠습니다. 이를 통해 새로운 성장동력산업을 적극 육성하면서 수출과 내수, 대기업과 중소기업간의 양극화된 경제구조를 개선하고 국민소득 2만 달러 시대를 앞당겨 나갈 것입니다. 그리고 사회 전반에 혁신을 확산시킴으로써 국가 전체의 생산성을 제고하고 '공정하고 투명한 사회', '열심히 노력하는 사람이 대우받는 사회'를 이룩해 나갈 것입니다. 무엇보다 정치·사회적 안정이 필요합니다. 참여정부는 우리가 이룩한 민주화의 역사적인 기반과 도덕성을 바탕으로 사회의 기강과 법·질서를 확립해 나갈 것입니다.

노사관계를 비롯한 사회갈등 문제는 대화와 타협을 통한 자율적인 해결을 우선하되, 법과 원칙에 따라 일관되게 대응해 나갈 것입니다. 아울러 소외계층에 대해 나눔과 보호를 확대해 나감으로써 사회적 통합과 지속가능한 성장을 동시에 이루어 나가는 '따뜻한 시장경제'를 실현해 가도록 하겠습니다.

이러한 길에 의원 여러분의 적극적인 관심과 협력을 부탁드리면서, 내년도 국정운영에 대한 자세한 내용을 분야별로 보고드리고자 합니다.

먼저 경제·과학 분야에 대해 말씀드리겠습니다.

우리나라는 앞으로 수출주력산업과 신성장산업을 양대 축으로 수출을 지속적으로 확대하여 2010년대 초에는 국민소득 2만 달러, 수출 4천억 달러의 무역대국으로 부상할 것입니다. 현재 세계 4강의 수준에 있는 철강, 조선, 자동차, 정보통신, 전자, 석유화학, 섬유, 패션 등 우리의 수출주력산업은 향후 최소 5년간 세계 시장에서 강한 경쟁력을 유지해 나갈 것입니다. 현재 5위 수준인 철강산업은 신기술인 파이넥스(FINEX) 공법을 통해 경쟁력을 더욱 강화해 나갈 것입니다. 조선산업은 LNG선 등 고부가가치 선박에 주력하여 수주 및 건조순위 1위를 고수할 것입니다. 자동차산업은 현재 세계 6위이지만 품질과 브랜드 가치를 향상시켜 향후 5년 내에 세계 4위로 도약할 것입니다. 세계 최고의 인프라와 첨단 기술력을 바탕으로 성장하고 있는 IT산업은 디지털 전자 분야에서 세계 2위로 도약하여 차세대 디지털 전자시장을 선도하게 될 것입니다. 석유화학산업은 현재 세계 4위를 유지하면서, 아시아 글로벌 공급기지로서의 역할을 수행하게 될 것입니다. 섬유·패션산업은 첨단기술과 한류문화를 접목시켜 세계 5위에서 3위로 부상할 것입니다. 생명공학, 우주·항공, 나노기술, 환경·에너지 등 신성장산업도 조기산업화를 촉진함으로써 선진국 수준에 진입할 것입니다.

앞서 말씀드린대로 어려운 경제상황을 극복하기 위해서는 내수를 확대하고, 성장잠재력을 근원적으로 확충해 나가는 것이 중요합니다. 이를 위해 사회간접자본 구축 등 중장기 사업을 확대하고 IT 인프라에 대한 투자를 촉진하겠습니다. 기업 마인드를 가진 사람들이 마음껏 투자할 수 있도록 수도권 신도시, 기업도시, 지방혁신도시, 복합레저파크 건설을 차질없이 추진하겠습니다. 연·기금의 여유재원도 인력양성, 직업훈련, 보육 등 생산적인 부문과 사회간접자본 투자 등에 효율적으로 사용하여 국부 창출에 기여할 수 있도록 하겠습니다.

건설경기 활성화 대책도 추진하겠습니다. 건축수요를 늘리기 위해 공공임대 아파트 수요를 창출하고 주택 임대사업 활성화를 추진할 것입니다. 대학교 기숙사 등 꼭 필요한 사회시설을 확충해 나가겠습니다. 이러한 '뉴딜적 종합투자계획'으로 경기를 활성화시키겠습니다. IT 인프라에 대한 집중적인 투자도 필요합니다. IT 인프라 투자는 새로운 취업기회를 창출하고 산업경쟁력을 강화함으로써 성장잠재력을 확충할 수 있습니다. 공공 분야에서 국가 데이터베이스를 차세대형으로 네트워크화하고, IT를 활용하여 국가재난 위기관리 시스템과 교통·물류 시스템 등을 구축하겠습니다.

지금은 내수부진이 이어지고 있지만, 금년 하반기 중 확대하기로 결정한 공공지출 등 4조 5천억원을 차질없이 집행하고, 내년도 상반기

재정의 조기집행, 부문별 감세정책, 연·기금의 사회간접자본 투자 등이 뒷받침되면 2005년 하반기와 2006년부터는 건설경기가 회복되고 소비가 진작될 것입니다. 정부는 거시경제 여건을 안정적으로 관리해 나감으로써 내년에도 경제성장률 5% 성장세를 유지할 수 있도록 최선을 다하겠습니다.

존경하는 국민 여러분,

기름값이 많이 오르고 있습니다. 우리나라는 연간 석유수입이 380억 달러나 되는 세계 7위의 석유소비 국가로서 경제규모에 비해 에너지 소비가 과다한 편입니다. 정부는 '에너지 절감 3개년 계획'을 수립하고, 국가에너지정책 전반을 점검하기 위한 '국가에너지위원회'를 설치하는 등 제반대책을 강구하고 있습니다. 에너지 절약시설에 대한 금융·세제 지원을 강화하고, 신신·재생 에너지 보급을 확대해 나가겠습니다. 이와 함께 러시아·베트남 정상외교에서 거둔 성과를 기반으로 석유 등 해외자원개발을 국가적 사업으로 추진하여 에너지 자급능력을 획기적으로 확충하겠습니다. 또한 에너지를 적게 쓰는 기술혁신 주도형 산업구조로 개편해 나가겠습니다.

18년간 끌어 온 원전수거물 관리시설 문제도 신속히 매듭지어야 합니다. 전기의 원자력 발전소 의존율이 현재 40%에 이르고 있습니다. 정부의 추진방침을 빠른 시일 내에 확정해서 건설 일정에 차질이 없도록 하겠습니다. 하지만 정부의 노력만으로는 한계가 있습니다. 국민 여러분께서도 에너지 절약을 적극 실천해 주시길 바라며, 기업들도 함께 동참해 주시길 당부드립니다.

존경하는 국민 여러분,

지금은 과학기술력이 시장과 기업의 운명을 좌우하는 시대입니다. 저는 최근 우리가 함께 일구어낸 놀랍고 자랑스런 성과에 큰 자부심을 가지고 있습니다. 우리의 창의적 기술에 선진국들의 찬사가 이어지고 있습니다. 우수한 정보통신 기술과 국민들의 디지털 마인드에 힘입어 우리나라가 전 세계 디지털 시장의 실험장이 되고 있습니다. CDMA 이동통신 서비스를 세계 최초로 상용화하는 등 반도체 메모리 기술, 휴대전화 수준이 세계 일류로 평가받고 있습니다. 세계 제철역사를 다시 쓸 파이넥스(FINEX) 공법을 개발했고, 황우석 교수는 세계 최초로 인간 복제배아로부터 줄기세포 추출에 성공했습니다.

정부는 우리 국민의 높은 창의성을 바탕으로 과학기술 혁신을 체계적으로 추진하기 위한 국가기술혁신체계(NIS)를 구축하는 데 전력을 다해 나가겠습니다. 우리 과학자들이 세계적인 연구 성과를 낼 수 있도록 집중 지원하고, 과학자들과 전문 기술인력이 사회의 중심에 설 수 있도록 하겠습니다. 아울러, 2008년 세계 8위의 과학기술 강국을 목표로 미래 전략기술 분야에 대한 연구·개발(R&D) 투자를 확대하고 차세대 성장동력 확보에 집중 투자할 것입니다.

IT, 생명공학, 나노기술 분야 등을 중심으로 해외의 우수 연구기관과 기업 R&D센터 유치를 확대하겠습니다. 특히, IT인프라를 바탕으로 지능기반사회(U-Korea)를 다른 나라보다 앞서 이룩할 수 있도록 노력해 나가겠습니다. 기업이 핵심기술을 확보하고 실용화할 수 있도록 집중 지원하면서, 정부는 초기시장 창출과 제도적 개선을 추진할 것입니다.

철강·조선·자동차·반도체 등 주력산업을 고도화하고, 부품·소재산업이 수입의존 구조에서 탈피하도록 그 기반을 조성하겠습니다.

의원 여러분,

지금은 민주화, 세계화, 디지털화, 네트워크화라고 하는 새로운 패러다임에 맞추어 우리 경제의 근본적인 제도개선 노력을 더욱 강화해야 할 때입니다. 규제개혁, 개방과 경쟁, 우량 중소기업 육성, 선진 노사관계 정착 등 경제 시스템을 선진화하고 글로벌 스탠더드 적용을 확대해 나가겠습니다. 규제개혁을 획기적으로 추진하여 시장에 활력을 불어넣고 기업하기 좋은 환경을 만들어 나갈 것입니다. 기존의 8,700여개 규제를 원점에서 재검토하여 주요 덩어리 규제를 집중적으로 개선함으로써 규제개혁의 성과를 기업들이 체감할 수 있도록 하겠습니다.

중소기업이 기술혁신과 고급 일자리를 만들어 내는 원천이 되도록 적극 지원하겠습니다. 특히 기술혁신 선도형 중소기업을 중점적으로 육성하겠습니다. 경제자유구역 내에 경쟁력 있는 외국 기업의 투자가 활발하게 이루어지도록 적극 지원하고, 공항·항만 등 물류 기반과 차세대 정보통신망을 지속적으로 확충하겠습니다.

인천공항은 동북아 허브공항으로, 부산·광양항은 동북아 중심항으로 육성하는 한편, 자산 운용업을 특화하여 아시아 3대 금융 중심으로 우뚝 설 수 있도록 준비에 만전을 기해 나갈 것입니다. 현재 진행 중인 쌀 관세화 관련 협상은 유리하게 타결되도록 최선을 다하겠습니다. 쌀 협상 이후에도 쌀 농가의 소득이 안정될 수 있도록 기존 논농업 직불제와 쌀 소득보전 직불제가 실질적으로 확충되도록 하겠습니다. 동시에 지식농업과 벤처농업을 통해 농업을 고부가가치 산업으로 발전시키고, 농업·농촌종합대책을 적극 추진하여 농어촌 복지와 교육여건을 개선해 나가겠습니다.

다음은 교육·인적자원개발 분야에 대해 말씀드리겠습니다.

지금 우리 대학의 경쟁력은 세계적 수준에 이르지 못하고 있으며, 핵심인력 양성도 아직 미흡한 수준입니다. 정부는 이러한 문제들을 종합적, 체계적으로 해결하기 위하여 국무총리실에 기획단을 설치하였습니다. 교육과 노동시장에서 미래의 인력수요와 공급을 예측하기 위한 체제를 정비하고, '인재입국'의 비전과 청사진을 구체화해 나가고자 합니다. 미래사회를 주도할 인재양성을 위해서는 세계적 수준의 대학이 필요합니다. 그간 추진해 온 '두뇌한국21(BK21)사업'의 후속 사업계획과 '연구중심대학 육성사업'을 통해 핵심인력을 집중 육성하고, 지방대학의 혁신역량을 강화하도록 하겠습니다. 선택과 집중의 원칙 아래 대학교육의 구조개혁을 강도 높게 추진하고, 운영의 투명성과 책임성을 높여가겠습니다.

인적자원개발 인증제 도입, 산업계의 수요 반영 등을 통해 인적자원개발에 있어 민간의 역할을 강화할 것입니다. 또한 능력과 의욕만 있으면 누구라도 공부할 수 있도록 장기대여 장학금제도를 확대하겠습니다. 공교육을 내실화하기 위해서는 소질과 적성에 따른 창의적인 학교교육, 학생의 개인차를 존중하는 수준별 교육과정 등을 효율적으로 운영할 수 있어야 합니다. 정부는 기존 제도의 일관성을 유지하면서 학교교육의 과정과 결과를 중시하는 대입제도 개선안을 마련하겠습니다. 학교생활

기록부의 신뢰도를 높이고 대학수학능력시험 제도를 개선하겠습니다. 학생선발에 대한 각 대학의 특성화와 전문성이 강화되도록 정부가 지원하겠습니다. 학생선발의 자율성은 인정하지만 고교를 서열화해서는 안 됩니다. 대학은 공교육 정상화를 저해하는 일을 해서는 안 됩니다. 빈곤의 대물림을 차단하기 위해 교육복지 투자 우선지역 확대, 장애학생 지원, 저소득층 유아교육 및 보육지원 등 교육복지 종합대책을 지속적으로 추진해 나가겠습니다.

다음은 사회·복지·문화 분야에 대해 말씀 드리겠습니다.

최근 서비스업과 건설경기가 어려움을 겪으면서 고용상황도 나아지지 않고 있습니다. 특히, 청년실업이 문제입니다. 정부는 일자리 창출이야말로 최선의 복지라는 생각으로 여기에 정책의 최우선 순위를 두어나가고 있습니다. 복지·문화·교육 등의 공공부문부터 일자리를 확대해 나가겠습니다. 일자리 나누기 등 민간부문의 일자리 창출 노력도 적극 지원해 나갈 것입니다. 중장기적으로는 투자 확대를 통한 성장잠재력 확충, 산업 수요에 맞는 인력양성, 청소년 직업지도 강화 등을 추진하고, 일자리 창출효과가 높은 서비스업 중심의 선진국형 고용구조로 전환하기 위해 지식·사회복지 서비스업 등을 집중 육성해 나갈 것입니다.

그러나 이러한 일자리 창출대책이 보다 실효성을 거두기 위해서는 국민 여러분의 협력도 필요합니다. 정부는 일할 의욕을 가진 사람에 대한 복지와 교육을 강화해 나갈 것입니다. '복지를 누릴 권리와 일할 책임'간에 균형을 맞추도록 하겠습니다. 개방된 시장경쟁체제를 운영하는 과정에서 발생하는 사회적 약자를 보호하는 일이 중요합니다. 우리나라는 세계 중상위 수준의 사회안전망을 갖추고 있으나, 실질적인 수혜범위와 급여수준은 아직 미흡한 실정입니다.

기초생활 수급자를 제대로 선정하고 차상위 취약계층에 대해서는 의료급여 및 긴급생계지원을 확대해 나가겠습니다. 특히 금년 겨울방학부터는 결식아동에 대한 중식지원을 대폭 확대하고, 장애인을 위한 '장애인차별금지법'도 제정하겠습니다. 사회복지정책을 효율적으로 추진하기 위해서 공공복지 전달체계를 개선하고, 민간의 복지참여도 활성화해 나가겠습니다.

지금 우리나라는 인구 고령화와 더불어 저출산이 급속도로 진행되고 있습니다. 여성의 권리를 신장하고, 마음놓고 일할 수 있도록 보육기회를 확대하는 등 진정한 남녀평등을 이루는 데 더욱 힘쓰겠습니다. 아울러 건강하고 편안한 노후생활이 될 수 있도록'고령화사회기본법'을 제정하고 국민연금제도를 개혁하며, 고령자 고용촉진대책, 실버산업 육성 등을 적극 추진하겠습니다.

또한 보훈정책의 기본틀을 정립하기 위해 '국가보훈기본법'을 제정하고, 국가유공자와 제대군인들의 사회정착을 위한 다양한 지원대책을 마련해 나가겠습니다. 특히 광복 60주년이 되는 내년을 계기로 독립유공자 발굴 등 기념사업도 더욱 확대해 나갈 것입니다. 날로 증가하고 있는 보건·의료수요를 충족시키기 위해 취약한 공공 보건·의료체계를 강화하겠습니다. 식품 및 의약품의 안전관리를 강화하고, 사스(SARS), 조류 인플루엔자 등 새로운 전염병에 대한 방역 및 관리체계를 보완·발전시켜 나가겠습니다. 인간과 자연이 공생하는 쾌적한 생활환경을 만드는 데에도 힘써 노력하겠습니다. 생활 주변의 유해물질과 대기오염 관리, 수질 관리를 철저히 하여 국민건강을 지켜 나가도록 하겠습니다. 개발사업의 초기단계부터 환경성을 검토함으로써 친환경적인 개발사업이 되도록 할 것입니다.

문화적 창의성과 다양성은 국가의 새로운 가능성과 미래를 열어 나가는 큰 자산입니다. 최근 한국의 영화들이 세계적인 영화제에서 수상하고, 우리의 정서와 문화를 담은 드라마가 아시아 여러 나라에서 한류열풍을 일으키고 있습니다. 참으로 반가운 일이 아닐 수 없습니다. 앞으로 문화산업이 고부가가치를 창출하는 새로운 성장동력이 되도록 적극 육성하겠습니다.

그리고 우리의 미래문화를 책임진 청소년들의 창의성과 문화적 감수성을 신장하기 위하여 청소년 문화공간을 확대하고, 청소년 관련 기구를 통합·정비해 나가겠습니다. 이를 통해 우리나라를 아시아 대중문화의 중심국가, 동아시아 영상산업의 허브로 발전시켜 나갈 것입니다. 관광 또한 부가가치와 외화가득률이 높은 우리의 중요한 성장동력입니다. 복합 관광·레저 도시, 중·저가 숙박시설 등 관광 인프라를 적극 확충하여 더 많은 외국인이 한국을 찾을 수 있도록 하겠습니다.

의원 여러분,

지난 21일 '신행정수도의 건설을 위한 특별조치법'에 대한 헌법재판소의 위헌결정에 따라 그간 특별법에 의해 집행되어 온 신행정수도건설추진위원회의 활동이 중단되었습니다. 신행정수도 건설은 높은 땅값, 집값, 교통체증, 환경악화 등으로 경쟁력이 떨어져 가고 있는 수도권의 과밀문제를 해소하고 국가균형발전을 이루기 위한 핵심 정책입니다. 또한 공공기관의 지방이전, 혁신도시 건설 등과도 서로 밀접히 연계되어 있습니다. 따라서 앞으로 신행정수도 건설을 기대했던 충청권, 그리고 신행정수도에서 1~2시간 이내의 거리에 공공기관이 이전되어 올 것으로 기대했던 각 지역의 발전방향과 연관된 정책 전체를 종합적으로 재검토해야 합니다.

헌법재판소의 결정이유에 대한 다양한 의견과 평가가 있음에도 불구하고 누구도 그 결론의 법적 효력에 대해서는 부정하지 않을 것입니다. 그러나 정부는 지방분권과 국가균형발전, 수도권 과밀해소가 국가의 미래를 위한 시대적 과제임을 분명히 밝히고자 합니다. 특히, 국가균형발전전략은 작년 연말 이른바 3대 균형발전법의 국회 통과로 어느 당만의 공약이 아니라 대한민국 국회의 대 국민 공약이 된 바 있습니다. 따라서 이와 같은 대국민 공약의 취지와 정신은 반드시 존중되고 실현되어야 합니다.

어느 국민 누구도, 나아가 헌법재판소도 이 과제를 부인하지는 않을 것입니다. 정부는 국가균형발전을 변함없이 추진한다는 확고한 의지를 갖고 헌법재판소의 결론에 저촉되지 않으면서 국가균형발전전략의 취지가 훼손되지 않도록 적절한 계획을 세워 반드시 추진해 나가도록 하겠습니다. 구체적인 방안은 국민 여론을 수렴하고 당과 협의해서 가능한 빠른 시일 안에 제시하겠습니다.

이제 통일·외교·안보 분야에 대해 말씀드리겠습니다.

북핵문제는 6자회담 등을 통해 평화적으로 해결되어야 합니다. 이를 위해 정부는 한·미·일 공조를 보다 공고히 하고, 중국·러시아·EU 등 국제사회와도 협력을 강화해 나갈 것입니다. 또한 남북대화를 통해서도 북한의 태도 변화를 계속 촉구하겠습니다. 6·15공동선언 이후 남북관계는 큰 변화의 길로 들어섰습니다. 경의선 철도와 도로가 곧 연결되고, 지난 10월 20일 여러 의원께서 참석하여 기공식을 가진 개성공단에서 올해 안에 제품을 생산하게 됩니다. 정부는 인내심과 일관성을 가지고 지속적으로 남북관계를 발전시켜 나갈 것입니다. 남북관계의 발전에 있어 중요한 것은 국민적 합의입니다. 여야를 떠나 초당적 협력을 기대합니다.

또한 정부는 자유무역협정(FTA), 도하개발아젠다(DDA) 협상 등 경제·통상외교를 더욱 강화하여 개방과 국제경쟁에 대비하고, UN 등 다자외교 활동도 활발히 펼쳐 나갈 것입니다. 최근의 테러위협에 대해서도 면밀한 예방대책을 세우고, 경계태세를 한층 더 강화해서 국민이 안심하고 생활할 수 있도록 하겠습니다. 이와 함께 재외국민 보호에 최선을 다하겠으며, 재외동포의 권익을 신장하고 모국과의 유대 증진을 위한 노력도 계속할 것입니다.

의원 여러분,

자주국방과 한·미 동맹은 우리 안보의 중요한 두 축입니다. 우리는 자주국방역량을 갖추어 나가는 동시에 한·미 동맹관계를 미래지향적으로 발전시켜 포괄적인 안보능력을 높여 나가야 합니다. 주한미군 재배치와 용산기지 이전문제가 금년 내에 마무리될 수 있도록 국회에서 '용산기지 이전협정 비준동의안'과 '평택지원특별법안'을 차질없이 통과시켜 주시기 바랍니다.

의원 여러분,

급변하는 사회환경에 효율적으로 대처하기 위해서는 정부혁신을 통해 문제해결 능력을 높여야 합니다. 정부는 국정과제 로드맵을 구체적으로 실천하고, 합리성과 타당성을 바탕으로 정책을 개발하는 '일 잘하는 정부'를 만들어 가고자 합니다. 또한 공무원들이 자기혁신을 할 수 있는 시스템을 만들겠습니다. 재교육 시스템을 획기적으로 바꾸고, 3급 이상 공무원을 대상으로 고위공무원단 제도를 도입하여 부처간의 벽을 허물겠습니다. 성실하고 능력있는 공무원들이 대우받을 수 있도록 성과 인사평가제도를 확립해 나가겠습니다.

공직사회의 부패 또한 책임지고 청산해 나가겠습니다. 고위 공직자의 비리 척결을 위해 부패방지위원회 산하에 공직부패수사처를 설치하는 등 단순한 적발이 아닌 시스템으로 근절해 나가도록 하겠습니다. 지방정부의 부패와 불합리한 관행까지 개선함으로써 '투명하고 깨끗한 정부'를 실현할 것입니다.

끝으로 내년도 재정운용 방향에 대해서 말씀드리겠습니다.

내년도 예산안은 참여정부의 재정개혁 과제를 구체화하여 편성한 첫번째 예산입니다. 우선 중장기적 국정비전과 국가정책의 우선순위를 고려하여 5년 단위의 '국가재정운용계획'을 수립하였습니다. 예산편성 방식에 있어서도 과거에는 예산담당부처가 개별사업 위주로 편성하였으나, 금년에는 톱-다운(Top-down) 방식의 '총액배분제도'를 도입하여 각 부처가 자율적으로 예산을 편성하였습니다.

내년도 재정지출 규모는 일반회계 기준으로 금년 예산보다 9.5% 증가한 131조 5천억원 수준으로 편성하였습니다. 일반회계, 특별회계, 기금을 합친 총지출 규모는 금년 예산 보다 6% 정도 증가한 208조원 수준입니다. 내년도 재정수지 적자는 GDP 대비 1% 수준이며, 일반회계 국채발행 규모는 6조 8천억원 수준입니다. 2006년까지는 IMF 외환위기를 수습하기 위해 투입된 공적자금이 국채로 전환되므로 국가채무의 GDP 비중이 불가피하게 늘어나지만 그 이후에는 줄어들게 될 것입니다.

이번 예산편성에 있어 특징은 재원의 배분구조를 변화시킨 데 있습니다. 정부가 주도하던 개발시기에는 정책효과가 큰 경제분야의 예산 규모가 국가예산에서 차지하는 비중이 높았습니다. 그러나 이제 우리 경제는 정부주도형에서 민간주도형으로 바뀌어야 합니다. 지금은 시장기능이 활성화되어 있고 경제규모가 커져서 국가예산 중에서 경제사업비를 좀더 늘리더라도 경제에 미치는 정책효과가 크지 않습니다.

앞으로 경제개발 투자는 민간과 연·기금, 그리고 외국자본을 적극 유치하여 추진하는 것이 좋다고 생각합니다. 대신, 정부 재정에서는 인력과 기술개발을 중점 지원하여 성장잠재력을 높여 나가겠습니다. 그리고 시장경제에서 낙후된 분야를 지원하여 사회통합을 이루어 내겠습니다.

부문별 지원내용은, 첫째, 유망 신기술 개발, 보육 투자 등 성장잠재력 확충과 직결되는 사업에 대해 금년 13조 3천억원보다 14.3% 늘어난 15조 1천억원을 배분하였습니다.

둘째, 저소득층의 생활안정, 대기·수질 개선 등 삶의 질을 향상시키기 위해 금년 22조 9천억원보다 10.2% 늘어난 25조 3천억원을 배분하였습니다.

셋째, 지방분권·균형발전을 적극 뒷받침하기 위해 지방재정 지원규모를 금년 31조 5천억원보다 14.5% 증액하여 36조 1천억원으로 늘렸습니다.

넷째, 전력증강 투자 등 국방 분야와 개성공단 조성 등 남북협력을 뒷받침하기 위해 금년의 19조 7천억원보다 11.6% 늘어난 22조원을 통일·안보 분야에 배분하였습니다.

내년도 기금운용계획안에 대하여 말씀드리면, 57개 기금의 내년도 운용규모는 금년보다 7.3% 증가한 320조 2천억원 규모로 책정하였습니다. 기금도 예산처럼 국가재정운용계획에 근거하여 총액배분 방식으로 자율 편성하였습니다.

존경하는 국민 여러분, 국회의장과 의원 여러분,

앞서 말씀드린 정책들이 저와 정부의 노력만으로는 성공할 수 없습니다. 그러나 함께 힘을 모으면 됩니다. 우리 국민은 마음만 먹으면 기적도 만들어 냅니다. 늘 어렵지 않은 때가 없었지만, 항상 힘들었지만 우리 국민은 도전과 시련을 영광과 신화로 바꾸어 놓았습니다. 불과 반세기만에 우리 만큼 경제발전과 민주주의를 성취해낸 나라가 세계 어디에 있습니까?

지금 우리에게 필요한 것은 우리 스스로의 역량과 미래에 대한 확신입니다. 우리의 미래는 결코 어둡지 않습니다. 국민소득 2만 달러 시대도 반드시 이루어낼 수 있습니다. 지금 추진하고 있는 국정과제들만 결실을 맺어도 우리나라는 활력있고 역동적인 모습으로 다시 태어나게 될 것입니다. 우리 모두 자신감과 희망을 가지고 나아갑시다. 의원 여러 분께서도 참여정부가 국정을 차질없이 수행해 나갈 수 있도록 많이 격려해 주시고, 협조해 주시기 바랍니다.

경청해 주셔서 감사합니다.

제3차 세계한상대회 축하 메시지

2004년 10월 27일

동포 여러분, 안녕하십니까?

제주도의 가을 정취가 참 좋으시지요? 제3차 세계한상대회를 축하드립니다. 여러분께서 좋은 소식을 가지고 오셨습니다. 우리 수출에 2천억 달러 시대가 활짝 열렸습니다. 동포 경제인 여러분을 진심으로 환영합니다. 금년에는 참가자가 1,300명을 넘는다고 들었습니다. 해를 거듭할수록 대회의 열기가 더욱 뜨거워지는 것 같습니다. 한민족 경제 네트워크로서 더 큰 발전을 기대합니다.

저는 해외순방 때마다 여러분의 눈부신 활약과 현지사회에서의 높은 위상을 확인할 수 있었습니다.

동포 경제인 여러분은 우리 경제의 든든한 후원자입니다. 지금도 많이 도와주고 계시지만, 앞으로 더 큰 힘이 되어 주시기 바랍니다. 지금 경제가 어렵지만 저는 미래에 대한 확신을 가지고 있습니다. 많은 어려움을 이겨내고 세계 어디서나 성공을 일구어낸 동포 여러분이 그 확실한 증거입니다.

우리 국민의 저력은 반드시 밝은 내일을 열어낼 것입니다. 저는 원칙을 가지고 국민과 함께 흔들림 없이 나아갈 것입니다. 세계한상대회가 우리 경제에 활력을 불어넣는 또 하나의 계기가 되기를 바라며, 여러분 모두의 건승을 기원합니다.

감사합니다.

국제백신연구소 건물 제공식 축사

2004년 10월 28일

존경하는 사무엘 카츠 이사장님, 존 클레멘스 소장님, 정운찬 서울대학교 총장님, 그리고 내외 귀빈 여러분,

오늘 국제백신연구소에 훌륭한 건물을 제공하게 된 것을 매우 기쁘게 생각합니다. 국제기구 건물답게 아름답게 잘 지어진 것 같습니다. 그동안 노고를 아끼지 않으신 국제백신연구소 임직원 여러분, 국제후원단과 한국후원회 여러분, UNDP를 비롯한 국내외 관계기관 여러분께 깊은 감사의 말씀을 드립니다. 조금 전 영상물에서 '땡큐 코리아'를 외치는 어린이들의 모습을 보았습니다. 그러나 저는 이처럼 소중한 일을 우리나라에 맡겨 준 국제사회에 더 큰 감사의 마음을 전하고 싶습니다. 우리나라에 본부를 둔 최초의 국제기구로서 앞으로 큰 발전을 이룰 수 있도록 열심히 지원하겠습니다.

내외 귀빈 여러분,

어린이의 생명을 구하는 일은 바로 인류의 미래를 지키는 일과 같습니다. 지금도 매년 수백만 명의 개발도상국 어린이들이 백신을 제때 구하지 못해서 목숨을 잃어가고 있습니다. 참으로 안타까운 일이 아닐 수 없습니다. 사스·조류독감과 같이 새로운 질병에 대한 백신 연구도 매우 시급한 과제입니다. 그런 점에서 새로운 백신의 개발과 보급을 지원하는 일은 큰 보람이 아닐 수 없습니다.

1960, 70년대만 해도 우리나라는 콜레라, 장티푸스와 같은 전염병으로 큰 고통을 치렀고, 국제사회로부터 많은 지원을 받았습니다. 이제 그 도움을 돌려주며 인류의 건강과 행복에 기여하고자 합니다.

백신사업의 중요성을 절감해 온 우리는 누구보다 더 적극적으로, 그리고 더 세심하게 국제백신연구소를 지원할 수 있을 것입니다. 조완규 이사장님을 비롯해서 사회적으로 존경받는 많은 분들이 후원회에 참여하고 있는 것도 큰 힘이 될 것입니다. 제 아내도 한국후원회의 명예회장으로서 깊은 관심과 열의를 보이고 있습니다. 저도 제 아내 못지않게 관심을 갖고 힘껏 여러분을 돕겠습니다.

내외 귀빈 여러분,

이곳 서울대학교와 우리의 우수한 연구인력도 백신연구소의 발전에 크게 기여할 것입니다. 서울대학교는 백신학 분야에서 세계적인 수준이라고 들었습니다. 세계 최초로 인간 복제배아로부터 줄기세포 추출에 성공한 황우석 교수님도 이 대학에서 연구하고 계십니다.

이미 서울대학교와 백신연구소간에 공동연구와 같은 협력체제가 이루어지고 있지만, 더욱 활발한 교류·협력을 통해서 훌륭한 연구업적들이 많이 나오게 되기를 기대합니다. 앞으로 국제백신연구소가 백신 개발의 메카로서, 세계 어린이들의 건강을 지키는 든든한 파수꾼이 되어줄 것으로 확신합니다.

다시 한번 오늘 이 자리를 축하드리며, 여러분 모두의 건강과 행복을 기원합니다.

감사합니다.

광양항 2단계 2차 컨테이너부두 준공식 축사

2004년 10월 29일

존경하는 전남도민 여러분, 광양시민 여러분, 그리고 내외 귀빈 여러분,

광양항이 또 한 번 큰 걸음을 내딛게 되었습니다. 오늘 준공식을 진심으로 축하드립니다. 이처럼 훌륭한 부두가 준공되기까지 밤낮없이 수고해 온 항만 관계자 여러분의 노고를 치하드립니다. 아울러 광양항 건설에 큰 관심과 성원을 보내 주신 전남도민과 광양시민 여러분께도 축하와 감사 인사를 드립니다.

내외 귀빈 여러분,

광양항에 올 때마다 저는 가슴이 벅찹니다. 광활한 부두와 그 앞에 펼쳐진 푸른 바다를 보면서 광양항이 동북아 물류중심으로 자리잡을 것이라는 확신을 갖게 됩니다. 정부는 이미 지난해 10월 광양만권 2,700만

평을 경제자유구역으로 지정하고, 구체적인 개발계획을 추진하고 있습니다. 2020년까지 13조원이 투입될 이 계획이 완료되면 광양만은 전혀 새로운 모습으로 탈바꿈하게 될 것입니다. 광양지구는 물류와 비즈니스, 율촌과 하동지구는 신소재 등 첨단 생산기능, 화양지구는 관광·레저, 그리고 신덕지구는 교육·의료와 R&D 중심지로 각각 거듭나게 됩니다.

이러한 비전의 중심에 바로 이곳 광양항이 있습니다. 지금 전남과 정부가 함께 계획하고 추진하는 서남해권 개발계획이 완료되면 통영과 함께 광양항은 남해안의 중심지역으로 우뚝 서게 될 것입니다. 광양항 개발에 대한 정부의 의지는 확고합니다. 앞으로 현재의 3배에 가까운 총 33선석의 컨테이너부두를 건설해 나가겠습니다. 또한 122만평에 이르는 배후단지를 개발하고, 그곳에 세계적인 물류기업을 유치해서 국제물류센터로서의 위상을 확보해 나갈 것입니다.

이미 유수의 물류기업들이 광양항의 미래를 내다보고 투자분석을 진행하고 있습니다. 정부는 이들 기업이 자유롭고 활발하게 사업을 펼칠 수 있도록 항만배후부지 59만평을 올해 안에 자유무역지역으로 지정하고, 관세를 비롯한 각종 세금의 감면, 부지의 무상임대, 항만사용료 인하 등 파격적인 인센티브를 제공할 것입니다. 이와 함께 광양항의 조기 활성화를 위해 광양~전주간 고속도로와 광양~순천간 철도 복선화 등 연결교통망 확충도 차질없이 추진해 나갈 것입니다. 광양항은 지금보다 미래에 더 큰 가능성을 가지고 있습니다. 계획대로 개발이 착착 이루어지고, 더욱 활성화될 수 있도록 제가 직접 확인하고 챙기겠습니다. 제 임기 동안 완전하게 시동을 걸어서 다시는 멈출래야 멈출 수 없도록 확실하게 토대를 구축해 놓겠습니다.

존경하는 내외 귀빈 여러분,

동북아에서 항만 한다고 할 때 우리보다 나은 여건을 가진 나라는 없습니다. 중국의 항만 개발이 가속화되면서 중심항 선점경쟁이 치열해지고 있지만, 모두가 우리 하기에 달려 있습니다. 우리가 경각심을 가지고 대처해 나간다면 이러한 도전은 오히려 기회가 될 것입니다.

앞서 말씀드린 인프라 확충과 더불어 항만의 효율성과 서비스의 질을 더욱 높여 가야 합니다. 운영 시스템을 혁신하고, 전체 물류체계와의 유기적인 연계를 강화해 가야 하겠습니다. 또한 일류 항만의 사례분석을 통해서 고부가가치를 창출하는 항만 연관산업을 적극 육성해 나가야 할 것입니다. 그래서 동북아의 대표적인 물류 클러스터로서 확고히 자리매김해야 하겠습니다.

이제 새로운 시작입니다. 한 번 광양항을 찾아온 선박은 계속해서 찾아오고, 한 번 광양항에 자리잡은 기업은 성장을 거듭할 수 있도록 힘과 지혜를 모아 나갑시다. 광양항의 무궁한 발전과 여러분의 건강을 기원합니다.

감사합니다.

갑종장교 호국탑 제막식 메시지

2004년 10월 29일

오늘 갑종장교의 얼과 공적을 기리는 호국탑을 제막하게 된 것을 매우 뜻깊게 생각합니다. 삼가 호국영령들의 명복을 빌며, 유가족 여러분에게 깊은 감사와 위로의 말씀을 드립니다.

갑종장교들은 조국이 누란의 위기에 처했던 6·25 전쟁 직후부터 수많은 전투와 작전을 수행하며 위국헌신의 사명을 다해 왔습니다. 이 과정에서 산화한 988명의 숭고한 희생은 지금도 우리 군의 귀감이 되고 있습니다.

정부는 나라를 위해 헌신한 분들과 유가족들이 자랑과 긍지를 가질 수 있도록 최선을 다할 것입니다. 조만간 '국가보훈기본법'을 제정하고, 국가유공자와 제대군인들의 사회정착을 위한 다양한 지원대책을 마련해 나가겠습니다. 그동안 호국탑 제막을 위해 애써 온 갑종장교중앙회와

군 관계자 여러분의 노고를 치하하며, 국군장병 여러분의 무운을 기원합니다.

정부혁신 장·차관 워크숍 모두말씀

2004년 10월 30일

여러분, 안녕하십니까?

오늘은 이전부터 계획되어 있던 정례 워크숍입니다. 분기별로 한 번씩 장·차관, 그리고 청장들이 모여서 혁신 토론 또는 학습을 하기로 그렇게 되어 있습니다. 그중에서 오늘은 주제를 금년도 업무평가와 내년도 새해 업무 목표 설정에 관한 내용을 중심으로 잡았습니다. 하던 얘기를 한 번 더 반복을 하죠. '왜 학습이냐?' 혁신해야 하기 때문에 학습하는 것입니다. '혁신, 혁신 하는데, 왜 혁신이냐?' 이 문제에 대해서는, 제가 혁신에 대한 이유를 많은 얘기로 하기 전에 한두 가지 질문으로 그 이유를 설명해볼까 싶습니다.

지금 우리 정부가 과연 최고인가, 일류인가, 다른 나라 정부와 비교해서 과연 최고 수준이라고 말할 수 있는가, 또는 쉽게 기업과 비교해서 우리 정부의 일하는 수준이 최고 수준이라고 말할 수 있는가? 이 질문에 대해서 우리가 답을 해야 합니다. 저는 설사 최고 수준이라고 하더라도 계속, 계속 노력해야 하는데, 만일에 최고 수준이 아니라면 가장 빠른 속도로 변화해 가야 된다, 그렇게 생각합니다. 공무원, 각 부처, 그리고 여기에 앉아 있는 저와 장·차관 여러분 모두가 이 문제를 항상 고민해야 됩니다.

최고라는 표현이 좀 거북할 수도 있습니다. 그러나 그냥 경쟁제일주의, 승자독식주의 관점에서의 최고가 아니라, 적어도 우리는 서비스를 하는 사람입니다. 최고의 서비스를 해야 합니다. 그게 의무입니다. 그 다음에 '대우를 최고로 안 받지 않느냐.' 이렇게 말할 수도 있겠습니다만, 지금 우리, 적어도 장·차관, 공직사회 간부 여러분은 최고의 대우를 받고 있습니다. 서비스는 최고로 하고 대우는 2급 정도로 받으면 아마 그게 봉사 아닐까, 저는 그렇게 생각합니다. 그래서 '혁신은 꼭 필요하다.' 그렇게 한 번 더 강조드리고 싶고요.

'혁신을 어떻게 하느냐.', 모두들 좀 당황해 하는데, 배우고 실천하는 것입니다. 그 다음에 한 발 더 나아가면 연구하고 창조하는 것입니다. 혁신의 과정이 대체로 모방에서부터 시작해서 창조적 활동으로 그렇게 발전해 가는 것입니다. 그래서 배우고 모방하고 실천하고, 아울러서 부단히 연구해야 됩니다. 치열하게 연구해야 됩니다. 그 연구 과정 중의 하나가 학습과 토론, 이런 것입니다. 그래서 학습과 토론을 오늘 또 합니다. '어떤 사람이 가장 혁신에 우수한 사람인가, 어떤 부처가 가장 우수한가.' 적어도 무엇을 할 것인가를 아는 수준이면 대단히 높은 수준입니다. '뭔가 하긴 해야 되겠는데, 뭘 해야 하지.' 이것이 고민인 부처가 많이 있을 것입니다. 좀더 해야 됩니다. '뭘 해야 하지.' 하고 고민하면 아직 멀었다는 얘기입니다. 할 일이 너무 많아서 이것도 해야 되겠고, 저것도 해야 되겠고, 마음이 급하고 여러 가지 일들이 많아야 합니다. 아직은 그 수준까지는 안 간 것 같습니다.

오늘 제 자리에도 여러 가지 책들이 나와 있고 해서 '아, 열심히 하고 있구나.' 그렇게 분명히 느낄 수 있습니다. 분명히 열심히 하고 있습니다만, '뭘 할 것인가?' 에 관해서 감을 확 잡은 것 같지는 않습니다. 그래서 그 수준까지 할 일이 너무 많아서 '무엇부터 먼저 할까, 어떻게 일을 나누어서 할까?' 그것이 고민이 될 만한 수준까지 우리가 밀고 나가야 된다고 생각합니다. 그러면 어떻게 할 것인가는 오히려 좀더 쉬울지도 모르겠다, 저는 그렇게 생각합니다.

연말에 평가를 해 보려고 하니까, 연초에 업무보고할 때 목표설정을 제대로 안 해 놓아서 무엇을 기준으로 평가를 해야 할지가 조금 난감합니다. 그동안에 우리가 여러 가지 평가를 기왕에 하고 있는 것이 있는데, 그것은 금년도 우리가 세운 목표와는 좀 관계없이 일반적인 기준에 의해서 평가를 해 왔습니다. '내부적으로 우리 목표를 얼마만큼 성취했는가, 얼마만큼 성실히 수행했는가?' 라는 데 대한 평가가 어렵습니다.

그래서 내년에는 목표를 제대로 좀 세우고 성과를 제대로 관리하고, 그 다음에 연말에 제대로 평가해 볼 수 있도록 그렇게 연초의 보고시점부터 좀 단단히 준비를 해야겠습니다. 그 다음에 평가를 하고 나면 평가결과가 뭔가 반영이 되어야 합니다. 평가만 하고 끝나 버리면, 그것도 의미는 있겠지만 크게 평가의 성과를 거두기가 좀 어려울 것입니다. 내년에는 평가의 결과를 여러 가지 형태로 환류시키는 것까지, 내년에 그것까지 완결된 상태로 한 번 만들어 가 보자, 그런 것이 목표입니다.

오늘 그래서 내년도의 업무보고를 어떻게 할 것인가에 대해서 발제도 있고, 여러분이 참여해서 토론을 해 주시기 바랍니다. 여러분이 제기해 주신 많은 의견들은 이제 다듬어서 목표, 목표 관리, 성과 관리, 또 평가, 이 방법에 다 반영이 될 것입니다. 그렇게 만들어 나가십시다. 잘 부탁합니다.

감사합니다.

11월

외국인투자기업 CEO 주최 만찬연설

2004년 11월 3일

존경하는 외국인투자기업인 여러분, 주한 외교사절과 내외 귀빈 여러분,

뜻깊은 자리에 초청해 주셔서 감사합니다. 세 분 회장님의 좋은 말씀 잘 들었습니다. 더욱 분발해 달라는 격려로 받아들이겠습니다. 앞서 말씀이 있었듯이 외국인투자 누계액이 1천억 달러를 넘어섰습니다. 이러한 투자유치로 우리는 외환위기를 빠르게 극복할 수 있었습니다. 고용과 수출을 늘리고, 경제의 생산성과 투명성을 높이는 데도 큰 도움이 되었습니다. 그런 점에서 오늘 행사제목은 맞지 않는 것 같습니다. 감사해야 할 대상은 한국 정부가 아니라 바로 여러분입니다. 이 자리를 빌려 다시 한번 감사의 말씀을 드립니다.

외국인투자자 여러분,

저와 우리 정부는 말로만 감사를 드리지는 않겠습니다. 여러분의 성공을 위해서 최선을 다하겠습니다. 외국인투자야말로 혁신주도형 경제를 가속화하는 촉매제로서 우리 경제에 큰 보탬이 되기 때문입니다. 이미 여러 조치들을 시행하고 있고, 또 계획하고 있습니다. 조세감면 대상을 확대하고 현금 지원제도를 도입했습니다. 외국인 임직원 근로소득세 부담을 경쟁국 수준으로 개선하고 과세체계도 단순화했습니다.

외국인투자자에 대한 1:1 밀착지원을 위해서 '인베스트 코리아'가 출범했고, 인천·부산·광양을 경제자유구역으로 지정해서 인센티브를 강화해 가고 있습니다. 또한 여러분과 함께 151개에 이르는 투자환경 개선과제를 발굴했습니다. 인천공항 전용심사대 설치, 가사보조인에 대한 장기비자 부여 등 가시적인 성과들이 이미 나오고 있습니다. 한남동 외국인학교 설립도 차질 없이 추진하고 있습니다.

그래도 부족한 점이 많을 것입니다. 지속적으로 개선해 가겠습니다. 적어도 정부가 할 수 있는 범위 안에서는 최대한의 성의와 노력을 다해서 기업하기 좋은 환경을 만들어 가겠습니다.

존경하는 내외 귀빈 여러분,

한국 경제가 침체를 겪고 있는 데 대해서 어떤 분들은 장기불황을 우려하기도 합니다. 그러나 이는 기우에 불과하다고 생각합니다. 올 상반기 GDP 성장률이 5.4%를 기록했습니다. 수출도 세계 열두번째로 연간 2천억 달러를 넘어섰습니다. 최근 국제통화기금은 한국 경제가 조정기를 겪고 있지만 대기업의 높은 수익률과 건전한 은행 시스템 등으로 여전히 기초가 좋은 상태이며, 내년 초부터는 회복될 것이라고 전망했습니다. 2000년 이래 줄어들던 외국인투자도 올해 들어 증가세로 돌아섰습니다. 이런 추세라면 올해 말까지 100억 달러를 넘길 수 있을 것으로 보입니다.

물론 고유가와 내수부진, 환율인하와 같은 단기적 불안요인도 있음을 잘 인식하고 있습니다. 철저히 관리해 나가겠습니다. 이미 밝힌 '종합투자계획'을 통해서 경기를 활성화시키고, 내년에도 5%대 성장을 유지해 나갈 계획입니다. 신행정수도 건설과 관련해서 정책에 어떤 변화가 있을지 궁금하실 것입니다. 결론부터 말씀드리면 국가균형발전 계획은 변함없이 추진될 것입니다. 헌재의 결론에 위배되지 않으면서 분권과 균형발전, 수도권 과밀해소의 취지와 효과를 살릴 수 있는 대안을 연구 중에 있습니다.

노사관계에 대해서는 기회 있을 때마다 말씀드렸습니다. 대화와 타협을 통해 자율적으로 해결하는 것이 가장 좋습니다. 법과 원칙은 단호하게 적용해 나가고 있습니다. LG칼텍스정유 등의 분규 해결과정에서 이러한 입장을 일관되게 지켰으며, 앞으로도 그 기조는 변함이 없을 것입니다. 분규 발생건수는 아직 많지만 대부분 원만히 해결돼서 근로손실일수가 9월말 기준으로 전년에 비해 7.3% 감소했습니다. 노사관계는 앞으로 더욱 안정될 것입니다. '인베스트 코리아'에 전담반을 설치해서 외국인투자기업의 협력적 노사문화 정착을 돕고 있습니다. 노동계도 외국인투자유치단에 동참하는 등 투자유치를 위해서 적극 협력하고 있습니다.

북핵문제는 6자회담의 틀 안에서 대화를 통해서 풀어 가고 있습니니다. 반드시 평화적으로 해결될 것입니다. 이 점에 관해 한 가지 덧붙여 말씀드리면 세계 어느 곳의 분쟁지역보다 예측가능하고 효과적으로 관리되고 있다는 것입니다. 이제 곧 남북간 철도와 도로가 연결되고 개성공단에서 제품을 생산하게 되면 안보 위험이 줄어들어 보다 안정된 투자환경을 보장해 줄 것입니다.

존경하는 외국인투자자 여러분,

한국은 건실한 제조업 기반과 IT·물류 인프라, 우수한 인력을 갖추고 있습니다. 세계 디지털 제품의 시험장으로서 높은 시장성과 미국·일본·중국·러시아의 한가운데에 있는 전략적 입지도 매력적입니다. 여기에 외국인투자자의 선진 기술과 경영기법, 자본이 합해지면 세계 어느 곳보다 높은 투자이익을 낼 수 있습니다.

정부가 최우선 순위를 두고 있는 기술혁신과 인재양성 정책도 좋은 기회를 제공할 것입니다. 지방자치단체와 함께 산·학·연 협력과 지역혁신체계를 구축해 나가고 있습니다. 여러분이 필요로 하는 고급 인력만큼은 확실히 육성해 드리도록 하겠습니다.

공정하고 투명한 시장을 만드는 노력도 진행 중입니다. 정경유착과 관치금융은 근절되었습니다. 이대로 가면 경제 전 분야에 글로벌 스탠더드가 도입되고, 실력 있는 기업은 반드시 성공하는 시장이 만들어질 것입니다. 여러분이 관심을 가지고 있는 규제문제도 풀 수 있는 것은 과감히 풀겠습니다. 지금 8,700여개 규제를 하나하나 재검토해서 내용이 모호한 규제는 명확하게 고치고, 행정절차에 드는 시간과 비용도 대폭 줄여 나가고 있습니다. FTA 체결을 비롯한 시장개방도 지속적으로 추진해서 투자를 확대할 수 있는 여건을 조성해가겠습니다.

여러 말씀을 드렸지만 한 마디로 정리하겠습니다. 우리의 가장 확실한 투자유치 전략은 여러분이 한국에서 반드시 성공하도록 뒷받침하는 것입니다. 여러분의 성공을 보고 더 많은 투자가 들어올 수 있도록 최선을 다하겠습니다. 우리 함께 협력해서 여러분의 사업도 성공하고 한국경제도 발전시켜 나갑시다. 다시 한번 초청에 감사드리며, 하시는 사업이 더욱 번창하기를 기원합니다.

감사합니다.

한·미 연합군사령부 창설 26주년 축하 메시지

2004년 11월 4일

한·미 연합군사령부 창설 26주년을 진심으로 축하합니다. 리온 라포트 사령관과 김장수 부사령관을 비롯한 장병 여러분의 노고를 치하하며, 특히 미군 장병 여러분에게 각별한 위로와 감사의 말씀을 드립니다.

여러분은 한·미 동맹의 핵심전력으로서 그 역할을 훌륭히 수행해 왔습니다. 한반도의 평화와 동북아의 안정을 유지하는 막중한 사명을 다해 온 것입니다. 한·미 동맹은 지금 그 어느 때보다 공고합니다. 세계적으로 가장 모범적이며, 그 전력 또한 막강합니다. 주한미군 재조정과 용산기지 이전, 이라크 파병 등의 문제들도 튼튼한 한·미 동맹의 바탕 위에 슬기롭게 풀어 가고 있습니다.

나는 한·미 동맹관계가 앞으로 더욱 굳건하고 미래지향적으로 발전해 나갈 것으로 확신합니다. 탁월한 지휘역량으로 한·미 양국 정부로부터 두터운 신뢰를 받고 있는 리온 라포트 사령관과 장병 여러분의 헌신이 무엇보다 소중한 밑거름이 될 것입니다. 다시 한번 주한미군 장병과 가족 여러분에게 감사의 말씀을 드리며, 한·미 연합군사령부의 무궁한 발전을 기원합니다.

감사합니다.

대한약사회 창립 50주년 축하 메시지

2004년 11월 7일

약사 여러분, 안녕하십니까?

대한약사회 창립 50주년을 진심으로 축하드립니다. 국민 건강을 위해서 애써 오신 여러분께 감사의 말씀을 드립니다. 대한약사회 반세기는 국민보건 발전의 역사입니다. 그동안 여러분은 좋은 약을 만들고, 바른 투약에 힘써 왔습니다. 몸이 아플 때 가장 먼저 떠올리는 친근한 이웃이 바로 여러분입니다.

의약분업이라는 어려운 결정도 기꺼이 받아들였습니다. 국민의 건강을 지킨다는 사명감 없이는 결코 하기 어려운 결단이었습니다. 최근에는 약학교육제도 개편에 대해 많은 관심을 갖고 계신 줄 압니다. 약사의 전문성을 강화하고, 우수한 인재들이 더 많이 양성될 수 있도록 최선을 다하겠습니다. 이번 50주년을 기념해서 각막 기증과 어린이 안전 캠페인을 펼친다고 들었습니다. 건강하고 따뜻한 사회를 만들어 가는 여러분의 노력이 앞으로도 계속되기를 기대합니다. 전국약사대회를 거듭 축하드리며, 여러분의 행복을 기원합니다.

감사합니다.

제1회 지역혁신박람회 개막식 축사

2004년 11월 11일

여러분, 안녕하십니까?

제1회 지역혁신박람회를 진심으로 축하드립니다. 지역을 다니면서 만났던 분들을 한자리에서 다시 뵙게 돼서 무척 반갑습니다. 처음 열리는 행사인데도 상당히 규모가 있고 내용도 알차게 된 것 같습니다. 특히 앞서 발표하신 혁신사례 하나하나 모두 귀하고 값진 성과들입니다. 오늘 여러분을 격려하려고 왔는데 거꾸로 제가 더 힘을 얻었습니다. 수상하신 분들께 축하의 박수를 보냅니다.

아직도 '혁신' 하면 어렵게 여기는 분들이 계신데, 그렇지 않습니다. 혁신은 한마디로 배우고 실천하는 것입니다. 나아가 연구하고 창조하는 것입니다. 모방으로 시작해서 창조적 활동으로 발전하는 것입니다. 저는 이번 박람회가 성공사례를 벤치마킹하고, 또 함께 토론하는 가운데 우리

나라를 한 단계 더 업그레이드할 수 있는 좋은 학습의 장이 될 것이라고 확신합니다.

내외 귀빈 여러분,

여러분이 잘 아시는 대로 신행정수도 건설을 위한 활동이 중단됐습니다. 그러나 분명한 것은 국가균형발전 계획과 지역혁신 전략이 흔들림 없이 추진되어야 한다는 점에는 변함이 없을 것입니다.

행정기관과 공공기관 이전, 혁신도시 추진 등에 대해서 정부는 헌법재판소의 결정에 저촉되지 않으면서 본래의 취지와 효과를 살릴 수 있는 대안을 마련하고 있습니다. 함께 지혜를 모은다면 좋은 대안을 찾을 수 있을 것입니다.

존경하는 참석자 여러분,

혁신 속에 기회가 있습니다. 중앙의 권력이 받쳐주고 돈만 많이 투입하면 성공하던 시대는 지났습니다. 이제는 지역 스스로 혁신전략을 찾고 지식과 기술, 인재를 잘 결합해서 발전의 동력을 만들어 가야 합니다. 이미 여러분은 지역혁신협의회를 만들고 혁신체계를 구축해 왔습니다. 지역별로 혁신발전 5개년 계획도 세워서 착착 실행에 옮기고 있습니다. 중앙정부도 여러분의 혁신 노력을 힘껏 지원하겠습니다. 지난 8월 확정한 국가균형발전 5개년 계획에 따라 혁신기반 구축사업 등에 앞으로 5년간 모두 45조원의 예산을 투입하게 될 것입니다.

이미 여러 차례 말씀드렸듯이 중앙정부는 정책, 예산 할 것 없이 모두 '지방 우선'을 원칙으로 삼고 있습니다. 지방 중에서도 성공가능성이 높고 효율적인 계획을 제시하는 지역이 더 많은 지원을 받을 수 있도록 제도를 만들어 가고 있습니다. 여러분이 얼마나 혁신의지를 가지고 경쟁력 있는 사업을 만들어 내느냐에 달려있는 것입니다.

특히 지방대학에 대해서는 집중적인 지원을 해나가고 있습니다. 연구·개발비를 우선적으로 배정하고, 지방대학 출신을 우대하는 정책을 지속적으로 시행해 나갈 것입니다. 내년도 예산에도 이 같은 원칙이 적극 반영되어 있습니다. 아울러 지방분권화작업도 지속적으로 해 나가고 있습니다. 277개 중앙정부 권한을 지방으로 이양하는 '지방일괄이양법'이 제정을 앞두고 있고, 지방재정 확충 및 자율권 확대도 계획대로 차질 없이 추진될 것입니다. 이와 같이 지방혁신은 확실하게 방향을 잡고 하나하나 실천되고 있습니다. 중앙정부와 지방이 힘을 합쳐 이렇게만 계속해 나간다면 지방은 그야말로 국가발전을 견인하는 혁신거점으로 거듭나게 될 것입니다.

내외 귀빈 여러분,

참여정부는 그동안 예외적이기는 하지만 수도권에 대한 일부 규제를 풀었고, 그리고 점차 수도권 규제를 근본적으로 혁신할 계획을 세워가고 있었습니다. 이에 따라 수도권에 대한 외국인 투자가 이루어질 수 있었습니다. 이전 같으면 조그마한 수도권 규제개선도 온 나라가 온통 시끄러웠을 것인데 지방이 큰 틀에서 자제하고 용인해 주었습니다.

왜 그랬겠습니까? 지방은 지방대로 특색 있게 발전해 갈 수 있도록 하겠다는 참여정부의 공약을 믿고 그에 대한 희망과 기대가 있었기 때문에 지방이 협력해 준 것으로 생각합니다. 이러한 지방의 희망을 꺾는 일이 있어서는 안 됩니다. 서로가 서로의 발목을 잡는 구조는 반드시 풀어야 합니다. 그래야 모두가 함께 앞으로 나갈 수 있습니다. 수도권과 지방이 서로 도우며 더불어 잘사는 균형발전시대, 진정한 국민통합의 길을 열어 가야 하겠습니다. 지역혁신이 우리의 희망입니다. 서로 배우고 연구하고 실천합시다. 끊임없이 혁신의 기운이 용솟음치는 역동적인 대한민국을 만들어 갑시다. 그래서 내년에는 더 훌륭한 성공사례들을 많이 가지고 만납시다. 다시 한번 지역혁신박람회를 축하드리며, 여러분 모두의 건승을 기원합니다.

감사합니다.

제9회 농업인의 날 축하 메시지

2004년 11월 11일

전국의 농업인 여러분,

'농업인의 날'을 국민과 함께 축하드립니다. 여러분의 노고에 깊은 감사의 말씀을 드립니다. 농산물 시장 개방 등에 대해서 걱정이 많으실 것입니다. 우리 국민 모두가 함께 풀어가야 할 국가적 과제입니다. 정부는 쌀 관세화 협상과 관련해서 우리 농업에 미치는 영향이 최소화될 수 있도록 최선을 다하고 있습니다. 여러분의 의견을 수렴해서 쌀값 하락에 따른 농가소득 감소를 직접지불로 보전해 나가도록 하겠습니다.

중요한 것은 개방된 시장에서도 견딜 수 있도록 우리 농업의 경쟁력을 높이는 것입니다. 전업농 육성과 친환경 고품질 쌀 생산, 그리고 양정제도 개편도 함께 이루어 나갈 것입니다. 저는 희망이 있다고 믿습니다. 새로운 지식과 기술로 무장하고, 끊임없이 혁신에 나서고 있는 농업인 여러분이 많이 계시기 때문입니다. '1사1촌 운동'과 같이, 도시와 농촌간 협력도 그 어느 때보다 활발합니다.

정부도 이미 발표한 '농업발전 종합대책'을 차질 없이 추진해서 여러분이 피부로 느끼는 성과를 거두도록 하겠습니다. 반드시 활로를 찾아내겠습니다. 다시 한번 '농업인의 날'을 축하드리며, 여러분의 건강과 행복을 기원합니다.

감사합니다.

열린우리당 창당 1주년 축하 메시지

2004년 11월 11일

존경하는 이부영 의장과 상임중앙위원 여러분, 천정배 원내대표와 국회의원, 당직자 여러분, 그리고 전국에 계신 당원 동지 여러분,

창당 1주년을 진심으로 축하드립니다. 열린우리당은 지역주의와 부패정치를 청산하고, 새로운 대한민국을 건설하기 위해 태어났습니다. 1년 전 우리는 스스로 기득권을 포기하고 고난의 길을 선택했습니다.

당원 동지 여러분,

지난 1년은 고난과 영광이 함께한 값진 한 해였습니다. 소수 여당으로서의 한계를 절감하였고, 정치부패를 청산하기 위해서 살을 에는 고통을 감내했습니다. 탄핵위기를 당원 동지 여러분과 국민의 힘으로 극복했으며, 마침내 우리는 총선에서 당당하게 승리했습니다. 우리는 선거사상 가장 변혁적인 깨끗한 선거를 치러냈습니다. 국민의 여망과 당원 동지

여러분의 참여와 노력이 만들어낸 자랑스런 결과입니다. 우리가 치러낸 깨끗한 선거는 대한민국의 정치발전과 새로운 정당문화를 만들어 나가는 귀중한 밑거름이 될 것입니다.

사랑하는 당원 여러분,

우리당은 지난 총선에서 국정안정과 개혁완성을 약속하였고, 국민 여러분은 우리에게 힘을 모아 주셨습니다. 우리는 소임을 다해내야 합니다. 지금 내수침체와 경기위축으로 서민·중산층, 젊은이들이 크나큰 고통을 받고 있습니다. 정부는 경제활력을 되찾고 민생안정을 이루는 데 모든 노력을 집중해나갈 것입니다. 국민 여러분의 고통을 덜어 드리기 위해 최선을 다할 것입니다. 미래 성장동력을 집중 육성하고, 국가균형발전의 기틀을 바로 세워나갈 것입니다. 또한 부패없는 투명한 사회를 만들어낼 것입니다.

존경하는 당원 여러분,

여당의 역할은 어렵고 무겁습니다. 정쟁의 관행을 넘어 생산적인 정치, 국민에게 봉사하는 국회를 만들어 가야 할 책무가 우리당에게 있습니다. 당 내의 다양한 견해는 활발한 토론을 거쳐 수렴되고 하나로 통합되어야 합니다. 이는 국민적 합의를 도출하는 출발점입니다. 모든 당원이 하나되어 참여민주주의의 모범정당을 만들어 갑시다. 의회민주주의를 선도하는 원내정당, 책임있는 정책정당이 되도록 힘을 모읍시다. 이제 우리나라에서도 100년 넘는 역사를 가진 성공한 정당을 만들어 봅시다. 다시 한번 창당 1주년을 축하드리며, 열린우리당의 무궁한 발전을 기원합니다. 감사합니다.

부산 인적자원개발원 창립 축하 메시지

2004년 11월 11일

안녕하십니까?

전국에서 가장 먼저 부산이 인적자원개발원을 설립했습니다. 진심으로 축하드립니다.

부산의 대학과 상공인, 언론사, 그리고 부산시가 한마음으로 똘똘 뭉쳐서 이루어낸 결과입니다. 부산의 저력을 다시 한번 실감하게 됩니다. 스스로 혁신체계를 만들어 가는 여러분을 보면서 '이대로 가면 잘 되겠구나.' 하는 자신감이 생깁니다. 다른 지역에도 좋은 모범사례가 될 것입니다. 우리가 추진하고 있는 국민소득 2만 달러 시대, 동북아 경제중심, 그 어느 것도 지역혁신 없이는 불가능합니다. 지역에 계신 여러분이 발전의 동력을 만들어 주셔야 합니다.

중요한 것은 사람입니다. 지방에서 육성한 인재가 그 지방을 이끌어 가야 합니다. 지역사회가 필요로 하는 인재를 제대로 키우고, 잘 활용할 수 있도록 해야 합니다. 인적자원개발원이 필요한 이유도 바로 여기에 있다고 생각합니다. 동북아의 관문으로서 착실하게 기반을 갖추어 가고 있는 부산이 인적자원까지 제대로 확보한다면 지역발전은 물론 국가발전에도 크게 기여하게 될 것입니다. 거듭 부산인적자원개발원의 창립을 축하드리며, 참석하신 여러분의 건강과 행복을 기원합니다.

감사합니다.

국제문제협의회(WAC) 주최 오찬연설

2004년 11월 12일

존경하는 제임스 커티스 맥 회장님, 그리고 국제문제협의회 회원과 귀빈 여러분,

안녕하십니까? 오늘 여러분의 모임에 저를 초청해 주셔서 대단히 감사합니다. 로스엔젤레스는 우리 동포들이 많이 살고 있는 친숙한 도시입니다. 이곳에서 미국의 서부지역 각계를 대표하는 여러분을 만나게 된 것을 매우 기쁘게 생각합니다. 오늘 나는 이 자리에서 점심을 먹는 동안 여러분의 부드럽고 따뜻한 분위기를 느꼈고, 오랜만에 참으로 행복한 점심을 먹었습니다. 다시 한번 여러분의 따뜻한 박수에 감사드립니다.

여러분의 가장 큰 관심사는 북핵문제와 한·미 동맹일 것입니다. 한·미 동맹에 관한 문제는 지난 1년 반 동안 순조롭게 진행되어 왔기 때문에 특별히 오늘 더 말씀드리지 않아도 될 것으로 생각됩니다. 그래서

오늘은 북핵 문제에 대한 내 의견을 솔직하고 분명하게 말씀드리고자 합니다. 한반도 비핵화에 대한 우리의 의지와, 북한의 핵 보유는 결코 용납할 수 없다는 입장은 아주 명확합니다. 북핵문제는 6자회담을 통해서 반드시 평화적으로 해결되어야 한다는 입장도 분명합니다. 그리고 6자회담을 성공시키기 위해서는 북한이 핵을 포기하는 단호한 결단을 내려야 합니다.

그러나 한편으로는 북한이 이러한 결단을 내리도록 우리 또한 몇 가지 문제를 해소하고 조정할 필요가 있다고 생각합니다. 6자회담에 참가하고 있는 국가들 사이에서, 한국 내, 그리고 미국 내에서 북핵문제에 대한 몇 가지 의문과 다른 의견들이 존재합니다. 이것은 북핵문제 해결을 어렵게 하는 요소이기도 합니다. 그동안 북한에 대해서 몇 가지 의문과 다른 해석들이 끊임없이 제기되어 왔습니다. 과연 북한은 핵무기 개발을 포기할 것인가? 과연 북한이 개혁과 개방으로 나올 의지는 가지고 있는가? 북한을 대화의 상대로 인정할 가치와 가능성이 있는 것인가? 만약 북한이 약속을 한다면 그 약속을 지킬 것인가? 저는 이러한 문제들에 대한 나와 우리 정부의 의견을 솔직히 말씀드리고자 합니다.

북한은 핵무기를 포기할 것입니다. 북한이 경제를 발전시키기 위해서는 6자회담 당사국들, 나아가 전 세계의 도움이 반드시 필요합니다. 특히 중국과 러시아, 한국의 도움 없이는 최소한 현재 수준의 생존조차도 유지하기가 어려울 힘들 것입니다. 그런데 이 모든 나라가 북한의 핵무기 보유를 강력하게 반대하고 있습니다. 여러 노력에도 불구하고 끝내 핵무기를 포기하지 않을 때는 미국을 비롯한 서방 세계는 물론, 한국·중국·러시아의 지원마저도 기대하기 어렵게 될 것입니다. 나는 이것 하나만으로도 북한이 핵무기를 포기할 수밖에 없는 충분한 이유가 된다고 생각합니다.

과연 북한은 '개혁과 개방을 원하고 있는가?' 하는 질문에 대해서 제 대답은 '그렇다.' 입니다. 여러 곳에서 개혁·개방에 대한 북한의 강한 의지를 읽을 수 있습니다. 이미 상당한 수준으로 시장경제를 받아들여서 이제는 돌이킬 수 없는 단계에까지 와 있는 것이 분명합니다. 그리고 남북간의 교류와 협력도 활발하게 적극적으로 진행하려는 의지를 명확히 보이고 있습니다.

다만 개혁과 개방은 내부적으로 불안과 동요를 가져오고, 그것이 빠르게 진행되면 체제가 위험해질 수도 있기 때문에 외부의 위협에 대해서 강한 경계심을 가질 수밖에 없습니다. 북한이 그동안 까다로운 조건을 내걸고 강경한 태도를 취해온 것도 핵무기를 포기하지 않겠다는 의사라기보다는, 변화를 수용할 때 생길 수 있는 위험으로부터 체제안전을 보장받으려는 의도라는 것이 보다 합리적인 분석일 것입니다.

과연 북한은 핵무기를 가지고 어떤 일을 할 수 있을까요? 북한은 북한 스스로도 핵무기로는 어떤 공격적 행위도 할 수 없다는 것을 잘 알고 있을 것입니다. 또한 그것으로 아무런 이득도 얻지 못할 뿐만 아니라 파멸의 결과만을 초래하게 된다는 사실도 충분히 인식하고 있을 것입니다. 북한이 핵무기를 이미 개발했거나 개발하려고 한다는 의혹은 충분합니다. 그리고 미사일이나 그 제조기술을 수출한 것도 많은 국가들의 우려를 사고 있습니다. 그러나 지난 1987년 이후 북한은 테러를 자행하거나 그 밖의 테러를 지원한 일이 없습니다. 지금도 테러조직과 연계되어 있다는 근거도 우리는 발견하지 못하고 있습니다.

북한은 핵과 미사일을 외부의 위협으로부터 자신을 지키기 위한 억제수단이라고 주장하고 있습니다. 일반적으로 북한의 말은 믿기 어렵지만 이 문제에 관해서는 북한의 주장은 여러 가지 상황에 비추어 일리가 있는 측면이 있다고 봅니다. 북한이 핵무기를 개발하는 것이 누구를 공격하려 하거나 테러를 지원하고자 하는 것이라고는 단언할 수 없기 때문입니다.

물론 최악의 상황을 가정할 수는 있습니다. 북한이 무력공격을 받거나, 외부의 영향력 행사에 의해서 체제가 위기에 처하고 더 이상 자신을 방어할 다른 수단이 없다고 판단될 때 어떤 태도를 취할지는 누구도 장담하기 어렵습니다. 그러나 안전이 보장되고 개혁과 개방이 성공할 수 있다는 희망이 보이면, 핵무기는 포기할 것입니다. 결국 북핵문제는 북한에게 안전을 보장하고, 개혁·개방을 통해서 지금의 곤경을 극복할 수 있는 기회를 줄 것이냐 아니냐의 결단에 달려 있다고 생각합니다. 그 밖에 여러 협상의 조건은 기술적인 문제에 불과한 것이라고 생각합니다.

다음으로 판단해야 할 문제는 북한을 대화의 상대로 인정할 것인가 하는 것입니다. 이 문제는 앞서도 말씀드렸지만 결국, 북한이 개혁·개방할 의사가 있느냐의 문제와 관련이 있습니다. 시장경제가 발전하고 인권이 개선되어 북한이 중국이나 베트남과 같은 길로 나올 수만 있다면 대화를 거부할 이유가 없을 것입니다. 냉전과 대결의 1970년대 초에도 미국은 중국과 적극 대화에 나서서 수교에까지 이른 바 있습니다.

끝으로, 북한은 과연 약속을 지킬 것인가 하는 문제가 남아 있습니다. 농축 우라늄 프로그램을 가지고 있다는 강력한 의혹이 있기 때문에 불신을 갖는 것은 당연합니다. 그러나 북한이 약속을 이행하고 안하고는 결국 신뢰의 문제라고 생각합니다. 오해가 생기지 않도록 서로 노력할 필요가 있습니다.

오랜 세월의 적대적 관계 속에서 불신이 쌓여 왔기 때문에 이를 해소하는 데는 많은 시간과 인내, 그리고 성의 있는 노력이 필요합니다. 대화를 통해서 신뢰가 쌓이고, 체제유지와 더 나은 삶에 대한 믿음이 생기면 약속은 지켜질 것입니다. 그럼에도 여러분은 선뜻 북한에 대한 믿음이 가지 않을지도 모르겠습니다. 그러나 믿지 못하면 대화할 수 없고, 대화하지 않고 북핵문제를 해결할 다른 어떤 수단이 있는지를 냉정하게 따져 볼 필요가 있습니다.

6자회담의 틀이 만들어지기 전에 일부에서 북한에 대한 무력행사가 거론된 일도 있었습니다. 한국 국민들은 무력행사를 얘기하면 전쟁을 먼저 머리에 떠올립니다. 한국 국민의 생존이 걸린 문제이기 때문입니다. 전쟁을 경험한 우리 국민이 느끼는 불안감은 미국 국민의 정서와는 아주 다를 수 있습니다. 한국전쟁의 고통이 반세기가 지난 지금까지 계속되고 있으며 아직까지 극복하지 못하고 있습니다. 잿더미 위에서 오늘의 한국을 이룩한 우리 국민에게 또다시 전쟁위험을 감수할 것을 요구할 수는 없습니다.

바로 이 때문에 무력행사는 협상전략으로서의 유용성도 제약을 받을 수밖에 없습니다. 한국의 민주주의와 경제발전에 크게 기여해 온 미국은 우리의 이러한 현실을 존중해 줄 것으로 믿습니다.

봉쇄정책도 생각해 볼 수 있을 것입니다. 그러나 그것은 결코 바람직한 해결방법이 아닙니다. 불안과 위협을 장기화할 따름입니다. 붕괴를 기대하는 사람도 있는 것 같습니다. 이 역시 한국 국민들에게는 큰 재앙이 될 것입니다. 체제위협에 직면했을 때 북한이 위험한 선택을 하지 않으리라는 보장이 없기 때문에 그렇습니다.

결국, 대화 이외에는 다른 방도가 없습니다. 그리고 이미 미국도 대화의 길로 들어섰습니다. 북한도 처음에는 6자회담을 반대했지만 그동안 참가해 왔고, 상당히 진전된 제안을 내놓은 바도 있습니다.

6자회담은 반드시 성공시켜야 합니다. 북핵문제는 평화적으로 조속히 해결되어야 합니다. 그렇게 될 수 있도록 미국 정부와 미국민 여러분이 뜻을 하나로 모아 주시기 바랍니다. 이것이 우리 국민이 유일한 동맹국인 미국 국민에게 전하는 강력한 희망입니다. 이는 또한 한·미 우호관계를 더욱 돈독하게 발전시키는 가장 중요한 요소가 될 것입니다. 다시 한번 뜻깊은 자리를 마련해 주신 국제문제협의회에 감사드리며, 여러분의 적극적인 협력을 부탁드립니다.

감사합니다.

로스앤젤레스 시장 주최 만찬답사

2004년 11월 12일

존경하는 제임스 한 시장님, 그리고 귀빈 여러분, 이렇게 따뜻하게 맞아 주셔서 감사합니다.

로스엔젤레스는 우리 모두가 아는 대로 세계적인 도시입니다. 다양한 민족과 문화가 조화를 이루고, 전통산업과 첨단산업이 함께 발전하고 있습니다. 특히 우리와는 각별한 관계에 있습니다. 일제 강점기에는 도산 안창호 선생을 비롯한 많은 애국지사들이 독립운동을 펼쳤던 근거지입니다. 그리고 지금은 우리 국민 누구나 이곳에 친척이나 친구 한 사람쯤은 두고 있을 정도로 친근합니다. 이미 많은 교류와 협력이 이루어지고 있지만, 앞으로는 더욱 확대될 것입니다. 한 예로 영화와 애니메이션 분야를 들 수 있습니다. 최근 한국의 영화와 드라마는 한류열풍을 일으킬 만큼 인기가 매우 높습니다. 이러한 분야에서 콘텐츠와 노하우를 공유한다면 좋은 비즈니스 모델이 될 것입니다.

귀빈 여러분,

한국과 미국은 말 그대로 동맹입니다. 과거에나 지금이나 가장 가까운 친구입니다. 양국 관계는 변함없는 우정 속에 더욱 굳건하고 긴밀하게 발전해 나갈 것입니다. 로스엔젤레스는 이러한 한·미 관계 발전에도 중심적인 역할을 하고 있습니다. 이 지역의 70만 우리 동포들도 큰 몫을 담당하고 있습니다. 이미 도언 류 부시장님을 비롯한 많은 분들이 중요한 일을 하고 있지만, 앞으로 더욱 활발하게 활동할 수 있도록 더 많은 관심과 지원을 당부드립니다.

귀빈 여러분,

제임스 한 시장님의 건승과 로스엔젤레스의 무궁한 번영, 그리고 여러분의 건강과 행복을 위해서 건배를 제의합니다.

감사합니다.

한·아르헨티나 경제인 초청 오찬연설

2004년 11월 15일

존경하는 카를로스 델 라 베가 상공회의소 회장, 그리고 양국 경제계 지도자 여러분,

오늘 이렇게 자리를 함께하게 된 것을 매우 기쁘게 생각합니다. 이 자리를 마련해 주신 여러분께 감사드립니다. 부에노스아이레스의 모습이 아주 인상적입니다. '남미의 파리'라는 별칭이 실감이 납니다. 그러나 더 인상 깊은 것은 지구 반대편에 있는 양국 경제인들이 한 자리에 모였다는 사실, 그 자체입니다. 오늘 오전에도 제7차 민간 경제협력위원회를 개최했다고 들었습니다.

방금 양국은 라틴아메리카와 동북아 관문으로서 핵심적 지위를 가지고 있다는 사실, 양국 경제가 회복의 단계를 넘어 지속적인 발전의 단계로 접어들었고, 한국과 아르헨티나 경제협력이 깊어질 것이라는 점을

확인했다는 보고를 받았습니다. 저의 이번 방문을 계기로 여러분의 교류가 더욱 활기차지기를 바랍니다.

양국 경제인 여러분,

올해로 우리 두 나라는 수교 42주년을 맞이했습니다. 결코 짧지 않은 기간입니다. 그럼에도 양국간 교류·협력은 이에 걸맞게 발전하지 못한 것이 사실입니다. 이제 양국간 협력관계를 한 단계 더 높이 끌어올릴 시점이 되었다고 생각합니다. 그리고 제반 여건과 환경이 구비되고 있습니다. 보다 다양한 분야에서 협력의 폭과 깊이를 더해 가야 합니다. 아르헨티나는 새롭게 비약하고 있는 남미 경제권의 중심국입니다. 한국 역시 지금 역동적으로 성장하고 있는 동북아 경제권의 중심에 위치해 있습니다. 또한 양국은 상호보완적인 경제구조를 가지고 있습니다. 호혜적인 협력의 잠재력이 매우 큽니다. 이러한 두 나라간 협력은 서로에게 새로운 기회를 제공해 줄 것입니다.

저는 오늘 오전 끼르츠네르 대통령과 만나서 이러한 데에 인식을 함께하고 앞으로 양국 관계를 '21세기 공동번영을 위한 포괄적 협력관계'로 발전시켜 나가기로 했습니다. 그 구체적인 방안으로 우선 '한·메르코수르 무역협정'의 타당성에 대해서 공동 연구를 하기로 합의했습니다. 또한 농축산·광업·에너지 분야의 협력을 증진하기 위해서 한국의 '민·관 공동 조사단'을 아르헨티나에 파견하기로 했습니다. 이를 통해 구체적인 협력사업을 발굴하고, 우리 기업의 아르헨티나에 대한 투자여건을 조성해 가게 될 것입니다. 이 밖에도 경제공동위와 과학기술공동위원회, 통상장관회담 등을 더욱 활성화하기로 하였습니다.

양국 경제인 여러분,

저는 이 자리에 오기 전에 산 마르띤 장군의 동상을 찾았습니다. 산 마르띤 장군은 누구나 불가능하다고 여겼던 안데스산맥을 횡단해서 남미 여러 나라를 해방시켰다고 들었습니다. 지금 우리에게 필요한 것도 바로 이러한 적극적인 의지와 도전정신이라고 생각합니다. 지리적인 장벽은 더 이상 문제가 되지 않습니다.

여러분, 자주 만나십시오. 아는 만큼 이해할 수 있고 이해한 만큼 가까워질 수 있습니다. 서로 머리를 맞대고 사업기회를 만들어 내십시오. 여러분의 손길을 기다리는 새로운 협력의 기회들이 너무도 많습니다. 당장의 이익도 중요하지만 장기적인 관점에서 지속적으로 이익을 낼 수 있는 길을 찾으십시오. 멀리 내다보고 상호간의 신뢰를 쌓는 것이 무엇보다 중요합니다. 정부의 지원이 필요한 분야가 있다면 최선을 다해 뒷받침하겠습니다. 제가 오늘 여기 온 것도 이러한 협력에 도움을 주기 위해서입니다. 오늘을 새로운 출발점으로 양국간 경제교류가 더욱 활발해지고, 동아시아와 남미 대륙 간에 튼튼한 번영의 다리가 놓여지기를 기대합니다.

이 자리에 함께 한 기업인들을 다시 한번 소개하고 싶습니다. 경제발전과 정치적 경험에 있어서 아르헨티나 여러분들과 유사한 경험을 가진 분들입니다. 변화하는 시장과 경제환경 속에서 가장 빠른 발전을 이룬 가장 최근의 경험을 가진 기업인들입니다. 일찍이 성공한 기업인들에 비해 훨씬 도전적이고, 지금 막 새롭게 시작하는 기업인들보다는 훨씬 시장경제에 세련되어 있습니다. 여러분들과 가장 생각이 비슷하고 말이 잘 통하는 친구가 될 것입니다. 다시 한번 소중한 자리를 마련해 주신 양국 경제인 여러분께 감사드리며, 여러분 모두의 건승을 기원합니다.

감사합니다.

키르츠네르 아르헨티나 대통령 내외 주최 만찬답사

2004년 11월 15일

존경하는 키르츠네르 대통령 각하 내외분, 그리고 귀빈 여러분,

우리 내외와 일행에 대한 환대에 감사드립니다. 부에노스아이레스는 매우 아름답습니다. 아르헨티나의 빛나는 역사와 수준 높은 문화를 느낄 수 있습니다. 각하께서 취임한 지난해 아르헨티나 경제는 8% 이상 성장하면서 빠르게 회복되고 있습니다. 각하께서 추진해 온 빈곤타파와 부패척결, 과거사 청산 등의 개혁정책도 큰 성과를 거두고 있다고 들었습니다. 또한 남미대륙의 역내 통합을 선도하는 가운데 아시아·유럽 국가들과도 교류·협력을 넓혀 나가고 있습니다. 각하의 탁월한 지도력과 아르헨티나 국민의 저력에 경의를 표합니다. 각하께서 즐겨하셨던 농구와 축구가 아테네 올림픽에서 우승한 데 대해서도 축하드립니다.

대통령 각하,

지금 동북아는 세계 GDP의 20%를 담당하고 있으며, 그 비중이 날로 늘어가고 있습니다. 남미 또한 정치적 안정을 바탕으로 경제적 도약의 기회를 맞고 있습니다. 한국과 아르헨티나는 이처럼 세계의 주목을 받고 있는 두 지역의 중심에 있습니다. 양국이 상호보완적인 경제구조의 장점을 살려 간다면 서로에게 큰 이익이 될 수 있다고 생각합니다. 우리는 아르헨티나와 새로운 차원의 협력을 원합니다. 교역 위주의 일회적인 교류가 아니라 포괄적이고 지속적인 방식으로 상호협력의 수준을 높여 가야 하겠습니다.

그런 면에서 오늘 정상회담은 매우 유익했습니다. 경제·통상, 자원, 과학기술, 문화 등 여러 분야의 교류·협력이 크게 확대될 것으로 기대합니다. 또 그렇게 되도록 한국부터 앞장서 노력할 것입니다.

내년이면 이주 40주년을 맞는 우리 교민 1만 5천여명도 양국관계 발전의 다리가 될 것입니다. 우리 교민에 대한 더 많은 관심과 배려를 부탁드립니다. 내년에 서울에서 각하와 여러분들을 만나기를 기원합니다. 우리 서울도 부에노스아이레스만큼 아름답고 시민들은 활기에 넘치고 있습니다. 그때 만남을 위해 박수 한 번 청하겠습니다.

귀빈 여러분,

대통령 각하 내외분의 건강과 아르헨티나의 무궁한 발전, 그리고 우리 양국간의 영원한 우정을 위해서 건배를 제의합니다.

감사합니다.

룰라 브라질 대통령 내외 주최 만찬답사

2004년 11월 16일

존경하는 룰라 대통령 각하 내외분, 그리고 귀빈 여러분,

우리 내외와 일행에 대한 따뜻한 환대에 감사드립니다. 최근 브라질의 수출열기와 경기회복은 세계의 주목을 받고 있습니다. 올해 무역흑자가 300억 달러를 넘어서고, 국민총생산이 4% 이상 성장할 것으로 예측되고 있습니다. 브라질은 이제 21세기 경제지형을 바꾸어 놓을 BRICs의 일원으로 부상하고 있습니다. 각하께서 말씀하신 것처럼 BRICs는 이미 2등 국가가 아닙니다. 광활한 국토와 풍부한 자원을 가진 세계 1등 국가라고 생각합니다. 최근 남미에서 처음으로 우주 로켓을 쏘아올린 것도 브라질의 국력을 보여주는 쾌거일 것입니다. 이것은 각하께서 취임한 이후 최우선을 두고 추진해 온 경제정책들이 거둔 성과라고 생각하며, 축하의 말씀을 드립니다.

특히 각하께서 주창하신 기아와 빈곤퇴치를 위한 유엔 특별기금 설치는 세계 100여개 국가들로부터 큰 공감을 얻고 있습니다. 이미 각하께서는 '포미 제로(Fome Zero)' 정책과 최빈국 부채탕감을 통해 모범을 보여 주었습니다. 이 밖에도 남미지역 통합과 G20 결성을 주도하고 있습니다. 각하의 탁월한 지도력과 브라질 국민의 저력에 경의를 표합니다.

대통령 각하,

한국과 브라질은 지리적으로 먼 나라임에도 정치·경제적 발전과정에서는 서로 유사한 경험을 공유하고 있습니다. 양국 모두 오랜 군사독재를 물리치고 민주화를 이룩했으며, 1990년대 말의 경제위기도 성공적으로 극복했습니다. 한국은 힘차게 비상하고 있는 브라질과 새로운 협력의 기회를 찾고자 합니다. 경제뿐만 아니라 다방면에 걸친 장기적이고 포괄적인 협력을 원합니다. 이미 이 곳에는 남미에서 가장 많은 5만명의 우리 동포들이 살고 있고, 우리나라 주요 기업들이 대부분 진출해 있습니다. 각하께서 직접 방문해서 격려해 주신 것처럼, 이들 기업은 한국 기업이면서 브라질 기업입니다. 양국의 공동번영을 이끄는 상징이 될 것입니다.

나는 오늘 정상회담에서 이런 양국 관계를 더욱 발전시키기로 한데 대해 매우 만족스럽게 생각합니다.

귀빈 여러분,

처음 본 브라질리아는 세계문화유산으로 등재된 명성 그대로 정말 아름답습니다. 이곳에서 만난 여러분을 오래도록 기억할 것입니다. 대통령 각하 내외분의 건강과 브라질의 번영, 그리고 양국간의 영원한 우정을 위한 건배를 제의합니다. 감사합니다.

한·브라질 기업인 간담회 연설

2004년 11월 18일

존경하는 파울루 스카프 상파울루 산업연맹 회장, 그리고 양국 경제 지도자 여러분,

이렇게 따뜻하게 맞아 주셔서 감사합니다. 여러분과 자리를 함께하게 된 것을 매우 기쁘게 생각합니다. 공항에서 이곳으로 오면서 본 상파울루는 남미 제1의 상공업 도시답게 활력과 의욕이 넘쳐 보였습니다. 지금 이 자리도 그런 것 같습니다. 협력을 통해 공동번영의 미래를 열어 가려는 여러분의 열정에 경의를 표합니다. 저의 이번 방문이 양국간 협력을 새로운 단계로 발전시키는 계기가 되기를 바랍니다.

존경하는 경제계 지도자 여러분,

브라질은 남미대륙의 절반을 차지하는 광활한 영토와 많은 자원이 있는 '신이 축복한 나라'입니다. 최근에는 정치적 안정과 경제 도약을 이

루면서 세계의 주목을 받고 있습니다. 금세기 중반에는 세계 5대 경제대국으로 발전하게 될 것으로 많은 학자들이 예측하고 있기도 합니다. 이러한 기회를 찾아 한국의 많은 기업들이 브라질과의 교역과 투자에 나서고 있고, 5만 여명의 우리 교민도 양국간 가교 역할을 하고 있습니다. 이에 따라 양국간 교역 규모는 올해 40억 달러에 이를 전망이며, 우리의 투자액만도 이미 10억 달러를 넘어섰습니다. 그러나 이 정도의 성과에 만족해선 안 될 것입니다. 양국관계의 앞날에 대해 더 큰 기대를 가져도 좋을 만한 근거들이 아주 많습니다.

무엇보다 두 나라가 속해 있는 동북아와 남미 모두 오늘보다는 내일의 발전이 더욱 기대되는 지역입니다. 이미 세계 경제의 중심축으로 자리를 잡아 가고 있습니다. 또한 우리나라와 브라질은 서로 다른 지리적 환경 속에서도 서로 비슷한 정치·경제적 과정을 거쳐 왔으며, 이를 성공적으로 극복해낸 경험을 공유하고 있습니다. 서로의 장점을 살려 상호보완적으로 협력할 수 있는 분야도 많습니다. 이제 이러한 조건을 최대한 활용해서 지금까지보다 한 차원 높은 경제적 동반자 관계를 만들어 가야 합니다. 교역과 투자의 지속적인 증진은 물론 자원과 기술 분야에까지 협력의 영역을 더욱 확대해야 합니다. 또한 당장의 이익보다는 장기적으로 보다 큰 이익을 얻을 수 있는 협력의 길을 모색해 가야 합니다. 예를 들어, 브라질이 국가적인 노력을 기울이고 있는 IT 분야도 협력의 잠재력이 큰 분야 중의 하나라고 생각합니다. 나아가 단순한 국가간 협력 차원이 아니라 동북아와 남미대륙간의 글로벌 파트너십을 선도하면서 세계화의 흐름에 능동적으로 대처해 나가야 하겠습니다.

지금 세계는 지역경제협력체와 자유무역협정 등을 통해서 인접 국가간 협력을 강화하는 움직임이 활발합니다. 다행히 한국과 브라질 모두 이러한 흐름에 적극 대응하고 있습니다. 한국은 '평화와 번영의 동북아 구상'을 추진 중입니다. 동북아 관문에 위치한 지리적 이점과 잘 갖추어진 물류·IT 기반, 우수한 인력을 활용해서 역내 공동번영을 추구해 가고자 합니다. 브라질 역시 메르코수르를 주도하며 남미지역의 통합발전을 위해 노력하고 있습니다. 이제는 역내 협력을 뛰어넘어 한국과 브라질 간에 대륙을 뛰어넘는 협력으로 발전해 나가고 있습니다. 이를 통해 양국 경제가 한 단계 더 도약하는 것은 물론 동북아와 남미라는 상대 시장을 진출하는 데 있어 서로에게 교두보 역할을 할 수 있을 것입니다.

경제인 여러분,

저는 어제 정상회담을 마치면서 양국 관계가 매우 밝을 것이라는 더욱 강한 믿음을 갖게 되었습니다. 룰라 대통령과 저는 '한·메르코수르 무역협정'의 타당성에 관해서 공동연구를 진행하기로 합의했습니다. 또한 자원 분야에서의 협력을 제도화하고 구체적인 사업을 발굴하기 위해서 어제 서명한 '자원협력약정'을 기반으로 양국간 '자원협력위원회'를 구성하기로 했습니다. 그리고 생명공학, 원자력 등 과학기술과 산업 분야에서의 기술협력을 강화하고, IT분야의 교류·협력을 증진하기 위해서 '한·브라질 IT 협력센터'를 개설하기로 했습니다.

경제인 여러분,

그러나 이처럼 양국간 협력의 잠재력이 크고 양국 정부도 그 기반을 마련하기 위해 노력하고 있지만 이러한 잠재력을 현실로, 협력의 기반을 성과를 만들어 내는 것은 역시 여러분의 노력입니다. 그런 점에서 한국 기업은 여러분의 좋은 협력 파트너가 될 수 있다고 저는 믿습니다. 우리 기업들은 많은 난관을 이겨내고 세계가 인정하는 성공을 일구어낸 최근의 경험을 가지고 있습니다. 그리고 한 번 맺은 인연은 여간 어려워도 소중히 지키고 포기하지 않는 의리와 고집이 있습니다. 기술과 노하우를 나누는 데도 결코 인색하지 않습니다. 이미 이곳에 진출해 있는 우리 기업들이 그 확실한 증거입니다.

존경하는 경제인 여러분,

양국간 경제협력을 획기적으로 증진시킬 기회는 서로가 접근을 희망하고 있는 바로 '지금'입니다. 조금이라도 '나중'으로 미루어 둔다면 양국 관계는 언제까지고 '협력 잠재력에 비해 무언가 부족한' 관계로 남고 말 것입니다. 저는 여러분의 적극적인 노력이 지구 반대편에 있는 양국을 그 누구보다 가까운 이웃으로 만들어 줄 것이라고 확신합니다. 소중한 자리를 마련해 주신 양국 경제인 여러분께 다시 한번 감사드리며, 여러분 모두의 큰 발전을 기원합니다. 지금 이 시간 이후 진행될 여러분간의 대화도 좋은 결실을 맺기를 기원합니다.

감사합니다.

상파울루 주지사 내외 주최 만찬답사

2004년 11월 18일

존경하는 제랄루 알키민 주지사 내외분, 그리고 귀빈 여러분,

우리 내외와 일행을 반갑게 맞아 주셔서 감사합니다. 상파울루에 방문하게 된 것을 매우 기쁘게 생각합니다. 브라질리아가 질서정연한 계획도시라면, 상파울루는 생동감 넘치는 활력의 도시라는 느낌을 받습니다. 이 두 도시가 여러분 국기에 새겨진 '질서와 전진'을 상징하며, 브라질의 밝은 미래를 보여 주는 것 같습니다.

상파울루는 브라질 GDP의 30% 이상을 생산하고 있는 명실상부한 남미경제의 중심지입니다. 특히 알키민 주지사께서 취임하신 후 더욱 매력적인 외국인투자 대상지역으로 거듭나고 있다고 들었습니다. 이로 인해 우리 기업들도 이곳의 타우바테와 캄피나스로 공장을 이전해서 물류시간을 대폭 단축할 수 있게 되었습니다. 상파울루의 이 같은 투자환경

개선 노력은 주 발전은 물론 브라질 경제에 크게 기여하고 있다고 생각합니다. '파울리스타' 여러분의 저력에 경의를 표합니다.

귀빈 여러분,

나는 어제 룰라 대통령과 정상회담을 갖고 양국간 교류와 협력을 더욱 확대해 나가기로 했습니다. 이제 한국과 브라질은 지리적인 거리를 극복하고 경제적으로, 그리고 정서적으로 더 가까운 이웃이 된 것입니다. 조만간 상파울루 대학에 한국어 및 한국학 강좌가 개설될 것이라는 소식은 매우 반가운 일입니다. 상파울루가 양국간의 협력을 앞장서 이끌어 줄 것으로 믿습니다.

지금 상파울루에는 남미에서 가장 많은 5만여 우리 교민이 살고 있고, LG·삼성 등 우리 기업들도 왕성한 활동을 펼치고 있습니다. 주지사님과 시민 여러분의 따뜻한 배려에 감사드리며, 앞으로도 더 많은 관심을 부탁드립니다.

귀빈 여러분,

주지사 내외분의 건강과 상파울루의 지속적인 발전, 그리고 한국과 브라질간의 영원한 우정을 위해서 축배를 들어주시기 바랍니다.

감사합니다.

라고스 칠레 대통령 내외 주최 오찬답사

2004년 11월 20일

존경하는 라고스 대통령 각하 내외분, 그리고 귀빈 여러분,

각하 내외분의 따뜻한 환대에 감사드립니다. 칠레 정부와 국민 여러분께도 고마움을 전합니다.

칠레는 국제사회의 큰 주목을 받을 만큼 모범적인 민주주의와 시장경제를 실현하고 있는 나라입니다. 이번 APEC 정상회의로 그 위상은 더욱 높아질 것입니다. 나는 중남미에서 '비즈니스 환경 1위'라는 산티아고를 보면서 칠레의 역동성을 피부로 느낄 수 있습니다.

각하께서 취임한 이후 칠레는 국민적 화합 속에 고도의 경제성장을 지속하고 있습니다. 정치·사회개혁, 빈곤극복 등 각하의 여러 정책들이 가져온 성과라고 생각합니다. 각하께서 목표로 하는 '선진 칠레 건설'이 반드시 성공할 것으로 확신하며, 칠레 국민의 저력과 각하의 지도력에

경의를 표합니다.

대통령 각하,

칠레는 중남미 국가로는 가장 먼저 대한민국 정부를 승인하고, 6·25전쟁 때도 적극 도와주었습니다. 최근 들어서는 매년 양국 정상회담이 열릴 정도로 가까운 우방입니다. 특히 자유무역협정(FTA)은 양국 관계를 새로운 차원으로 끌어올리는 전기가 될 것입니다. 실제로 올 4월 발효 이후 교역량이 70% 이상 증가했습니다. 뿐만 아니라 과학기술·문화 등 여러 분야 교류·협력도 크게 확대될 것입니다. 한국인들에게 칠레 포도주는 인기가 높습니다. 탄생 100주년을 맞은 위대한 시인 파블로 네루다에 대한 관심도 매우 큽니다. 조금 전 정상회담에서 합의한 내용들이 적극적으로 추진되어 양국간 상호 포괄적 협력관계가 더욱 발전해 나갈 것으로 확신합니다.

귀빈 여러분,

칠레는 다시 오고 싶은 나라입니다. 그때는 장엄한 호수와 화산이 장관을 이룬다는 남부지역과 유명한 '모아이 석상'도 꼭 보고 싶습니다. 대통령 각하 내외분의 건강과 칠레의 번영, 그리고 양국의 영원한 우정을 위해서 건배를 제의합니다.

감사합니다.

국방일보 창간 40주년 축하 메시지

2004년 11월 16일

국방일보 창간 마흔 돌을 진심으로 축하하며, 지금 이 시각에도 국가방위의 사명을 다하고 있는 국군장병 여러분의 노고를 치하합니다.

1964년 전우신문으로 태어난 국방일보의 발자취는 바로 대한민국 국군의 눈부신 발전사라고 하겠습니다. 전후방 각지에서, 또 해외 곳곳에서 조국수호와 세계평화를 위해 피땀 흘려 온 우리 용사들의 친근한 벗이 되어왔습니다. 특히 국방일보가 지속적인 자기혁신을 통해 명실상부한 안보전문 일간지로 거듭나게 된 것을 높이 평가합니다. 군에 대한 우리 국민의 애정과 깊은 신뢰를 국방일보를 통해 보게 됩니다.

우리 군은 지금 자주국방과 국방개혁을 추진하고 있습니다. 더욱 강하고 믿음직한 국민의 군대로 발전해 나가고 있는 것입니다. 이런 때에 국방일보의 사명은 막중합니다. 국방개혁의 길잡이로서, 국민과 군을 이어 주는 가교로서 선도적인 역할을 다해 주기 바랍니다. 다시 한번 국군장병 여러분의 노고를 치하하며, 국방일보의 더 큰 발전을 기원합니다.

목포 신외항 다목적부두 준공 축하 메시지

2004년 11월 18일

목포항이 마침내 신외항시대를 활짝 열었습니다. 목포신외항 다목적부두의 준공을 진심으로 축하합니다. 그동안 땀 흘리며 수고해 온 항만 관계자 여러분의 노고를 치하합니다. 아울러 신외항 건설에 각별한 관심을 보여 주신 전남도민과 목포시민 여러분께도 감사의 말씀을 드립니다. 제 개인적으로도 감회가 새롭습니다. 해양수산부 장관 시절, 기공식을 가졌던 부두가 4년간의 대역사 끝에 준공된 것입니다.

앞으로 목포신외항은 기존 목포항의 2배 가까운 화물처리 능력을 갖춤으로써 환황해 경제권의 물류 중심기지로 확고히 자리잡게 될 것입니다. 목포권 산업공단 물동량을 원활하게 수송하면서 지역경제 활성화에도 크게 기여하게 될 것입니다. 정부는 2011년까지 모두 12선석을 건설하는 신외항 개발계획이 차질 없이 추진될 수 있도록 최선을 다해 나갈 것입니다. 아울러 배후 교통망과의 편리한 연계를 통해서 신외항이 조기에 활성화될 수 있도록 목포대교 건설사업도 착실히 추진해 나갈 계획입니다.

목포지역의 미래는 밝습니다. 물류 뿐만 아니라 관광·레저의 중심지로서 그 가능성은 대단히 큽니다. 서해안 시대, 문화·관광의 시대를 맞아 새롭게 도약해 나가야 하겠습니다. 여러분의 노력이 큰 성공을 거둘 수 있도록 저와 정부도 열심히 뒷받침하겠습니다. 다시 한번 신외항 개항을 축하하며, 여러분 모두의 건강과 행복을 기원합니다.

감사합니다.

민족문학작가회의 창립 30주년 축하 메시지

2004년 11월 18일

'민족문학작가회의'가 창립 서른 돌을 맞이했습니다. 염무웅 이사장님을 비롯한 회원작가 여러분께 진심으로 축하의 인사를 전합니다.

30년 전 여러분은 혹독한 유신독재에 맞서 당당히 일어섰습니다. 긴급조치 등 숱한 탄압에도 불구하고 올곧게 한길을 걸어왔습니다. 표현의 자유와 민주화를 위해 헌신하였습니다. '문학인 101인 선언'으로 시작한 '자유실천문인협의회' 활동은 민족문학작가회의로 이어져 정의와 양심의 펜이 불의한 총칼보다 강하다는 것을 보여 주었습니다. 존경과 감사의 마음을 표합니다. 이 같은 헌신과 노력으로 지켜낸 우리의 민주주의는 오늘 한층 더 성숙해 가고 있습니다. 남북간 교류와 협력도 착실히 추진되고 있습니다. 여러분의 염원이 하나하나 결실을 맺고 있는 것입니다.

이제 민족문학작가회의는 지금까지의 활동을 바탕으로 새로운 도약을 준비하고 있습니다. 창립 당시보다 열 배 이상 늘어난 1,100여명의 작가들이 회원으로 활동하고 있는 만큼 그 역할에 기대가 큽니다. 앞으로도 시대를 대표하는 지식인들의 모임으로서 우리가 나가야 할 방향을 제시하는 길잡이가 되어 주시길 부탁드립니다. 다시 한번 창립 30주년을 축하드리며, 여러분 모두의 건승을 기원합니다.

석주 큰스님 조의 메시지

2004년 11월 18일

석주당 정일 대종사의 원적을 애도합니다.

조계종 총무원장과 원로의원을 역임하신 석주 큰스님은 모든 불자들의 덕 높으신 스승님이셨습니다.

큰스님께서 평생을 바쳐 이룩해 오신 역경불사와 불교혁신, 청소년 포교, 중앙승가대학 설립 등은 우리나라 현대불교를 바로 세우는 토대가 되었습니다. 특히 "모든 것이 욕심에서 시작하니 서로 용서하고 화합하면 갈등이 해결될 것"이라는 스님의 가르침은 값진 교훈으로 남아 있습니다.

거듭 석주 큰스님의 원적을 애도하며, 우리를 일깨우신 높은 공덕을 기립니다.

2004 전국재래시장박람회 축하 메시지

2004년 11월 19일

여러분, 안녕하십니까?

이번에 처음 열리는 '전국재래시장박람회'를 매우 뜻깊게 생각합니다. 상인 여러분의 노고에 깊은 위로의 말씀을 드립니다. 재래시장, 매우 어렵지요? 대형 매장들이 들어서면서 시장을 찾는 분들이 많이 줄었다고 들었습니다. 현대식으로 재개발하는 것도 말처럼 쉬운 일은 아닙니다. 마음고생이 오죽하시겠습니까? 그러나 낙담만 할 일은 아닙니다. 오늘 이 행사처럼 함께 머리를 맞대면 길은 또 열릴 수 있습니다. 재래시장도 나름의 특성을 살린다면 얼마든지 경쟁력이 있습니다. 이미 여러 성공사례들이 이것을 증명하고 있습니다.

여러분, 힘내십시오. 정부도 최선을 다하고 있습니다. 올해부터 전담조직을 현장에 보내 재래시장 환경개선사업을 지원하고 있습니다. 열마 전에는 '재래시장육성특별법'도 만들었습니다. 지원예산이 크게 늘어나고 대상도 확대될 것입니다. 재래시장이 살아날 수 있도록 정부와 지자체, 그리고 상인 여러분이 함께 힘을 모아 나갑시다. 국민 여러분께서도 많이 도와 주실 것입니다. 다시 한번 이번 행사를 축하드리며, 큰 성공을 기원합니다.

감사합니다.

제41주년 경우의 날 축하 메시지

2004년 11월 22일

'경우의 날' 마흔한 돌을 진심으로 축하합니다.

광복과 더불어 창설된 우리 경찰은 지난 59년 동안 국민의 안전을 지키고 법·질서를 수호하기 위해서 불철주야 노력해 왔습니다. 우리 경제가 이만큼 성장하고 남부럽지 않은 민주주의를 이룩할 수 있었던 것도 여러분의 피땀 어린 노력이 있었기 때문입니다. 현직에 있을 때는 가정을 돌볼 겨를도 없이 헌신적으로 일하고, 지금도 경찰 발전과 나라 걱정에 여념이 없으신 경우회원 여러분께 감사의 말씀을 드립니다.

이제 여러분의 자랑스런 후배들이 '범죄와 사고로부터 안전한 나라', '법·질서가 바로 서고 인권이 존중되는 사회'를 만들기 위해 최선을 다하고 있습니다. 저는 우리 경찰이 얼마나 힘든 여건에서 큰 위험을 감수하며 일하고 있는지 잘 알고 있습니다. 앞으로 인력을 지속적으로 늘려서 근무여건을 개선하고, 만약의 사고에 대비한 보상체계도 더욱 보강해 나갈 것입니다. 정당한 공권력에 도전하는 행위에 대해서는 엄정하게 대처해서 경찰의 권위를 지켜 나갈 것입니다.

이제 우리 경찰은 새로운 도약을 위한 전환점에 서 있습니다. 경찰의 오랜 숙원인 수사권 조정이 실현되고, 주민생활 중심의 자치경찰제가 도입되면 경찰의 역할과 책임은 더욱 막중해질 것입니다.

65만여 경우회원 여러분께서도 변함 없는 관심과 성원을 보내 주시기를 바랍니다. 다시 한번 경우의 날을 축하하며, 여러분의 건승을 기원합니다.

감사합니다.

영국 FIRST지 메시지

2004년 11월 25일

국제적인 명성을 가진 FIRST를 통해 영국 국민 여러분께 인사드리게 되어 매우 기쁩니다.

나는 이번에 대한민국 대통령으로는 처음으로 영국을 국빈 방문합니다. 올해는 영국의 주한공관이 설치된 지 120주년이 되는 해이기도 합니다. 그런 면에서 이번 방문을 매우 뜻깊게 생각합니다.

우리 두 나라는 정치·경제 등 여러 분야에서 매우 긴밀한 우방입니다. 특히 한국전 당시에는 모두 5만 7천명의 영국 젊은이들이 우리와 함께 평화와 자유민주주의를 수호하기 위해 싸웠습니다. 우리는 그들의 고귀한 희생을 결코 잊지 않고 있습니다. 영국은 지금 EU 국가 중에서 우리의 두번째 교역상대국이자 최대의 투자대상국입니다. 정보통신, 생명공학 등 첨단기술 분야에서의 협력가능성도 매우 큽니다. 동북아 금융 허브로 성장하고자 하는 우리는 세계 금융의 중심인 영국과의 협력을 매우 중요하게 생각합니다.

나는 이번에 토니 블레어 영국 총리와 정상회담을 갖고, 양국간 포괄적 동반자 관계를 한층 발전시키고자 합니다. 경제 지도자들과도 두루 만나 양국간 실질경제협력을 확대하는 방안에 관해 의견을 나눌 것입니다. 교육·문화·관광·스포츠 등 민간 분야의 교류도 더욱 확대하는 기회가 되기를 희망합니다. 이와 함께 나는 한반도 평화와 북핵문제의 평화적 해결을 위한 영국의 지속적인 관심과 협력을 당부할 생각 합니다. 며칠 뒤 런던에서 여러분을 뵙게 되기를 바라며, FIRST지의 무궁한 발전을 기원합니다.

감사합니다.

제41회 무역의 날 기념식 연설

2004년 11월 26일

존경하는 국민 여러분, 무역인과 근로자 여러분,

뜻깊은 '무역의 날'을 진심으로 축하합니다. 조금 전 수상하신 분들께도 감사의 말씀과 더불어 축하 인사를 드립니다. 매년 맞는 무역의 날이지만 오늘은 특별한 의미가 있는 날입니다. 앞서 말씀이 있었듯이 수출역사 40년 만에 2천억 달러 시대가 활짝 열렸습니다. 이제 명실상부한 세계 열두번째 수출강국으로서 지구촌을 누비고 있습니다.

제가 다녀온 순방국 어디에서나 우리 상품이 시장점유율 1, 2위를 차지하고 있었습니다. 그것도 값싼 제품이 아니라 일류상품으로 당당히 대접받고 있습니다. 이 모두가 산업과 무역현장에서 밤낮없이 뛰어 주신 기업인과 근로자 여러분 덕분입니다. 여러분은 수출을 통해서 어려운 경제를 받쳐 주었을 뿐 아니라 우리 국민에게 희망과 용기를 주었습니다.

전 세계 구석구석까지 대한민국의 이미지를 드높이고 계십니다. 이 자리를 빌려 다시 한번 깊은 감사를 드립니다. 국민 여러분께서도 큰 박수를 보내 주실 것으로 믿습니다.

무역인 여러분,

여러분이 이룩한 높은 성취에도 불구하고 지금 우리 경제는 무척 어렵습니다. 수출과 내수, 대기업과 중소기업간에 양극화 현상이 깊어지고 있습니다. 소비와 투자심리를 조속히 회복시켜야 합니다. 수출이 늘수록 부품 수입도 함께 증가하는 무역구조도 걱정입니다. 여기에 고유가와 달러화 약세까지 겹쳐 어려움이 가중되고 있습니다. 우리가 대처할 수 있는 방법은 혁신뿐입니다. 기술을 혁신해서 가격과 품질, 브랜드 가치를 높여 가야 할 것입니다. 기업 뿐 아니라 금융과 노사, 행정에 이르기까지 국가 전체의 경쟁력을 지속적으로 강화해 나가야 합니다.

반도체와 디지털가전, 조선, 철강, 자동차 등 수출의 주력산업은 신기술을 접목해서 고부가가치화하고, 10대 차세대 성장동력에 대해서는 산·학·관 협력을 강화해서 조기에 산업화할 수 있도록 하겠습니다. 아직 선진국에 뒤처져 있는 서비스 산업을 근본적으로 혁신하는 방안을 마련하고 있습니다. 특히 소프트웨어와 문화 콘텐츠 등 지식기반 서비스 산업을 중점 육성해서 서비스 수출을 강화해 나갈 것입니다. 중소기업과 지방기업이 해외시장에서 활로를 찾을 수 있도록 혁신역량을 강화하는 데도 각별한 노력을 기울이겠습니다.

이와 함께 무역 인프라도 세계 일류수준으로 확충해 나가도록 뒷받침하겠습니다. 2007년까지 전자무역 혁신사업을 차질 없이 완료해서 무역절차를 획기적으로 간소화하고 비용을 절감토록 하겠습니다. 전시산업의 발전과 무역인력 양성도 최대한 지원하겠습니다. 그래서 2010년까지 수출 4천억 달러, 무역 8강을 달성하고 국민소득 2만 달러 시대로 반드시 진입해야겠습니다. 반드시 그렇게 될 수 있도록 정부부터 혁신해서 확실히 뒷받침하도록 최선을 다하겠습니다.

무역인 여러분,

이제 우리의 수출구조를 더욱 고도화하고 시장 다변화에 박차를 가해 나가야 할 때입니다. 먼저, 부품·소재산업을 본격적으로 육성해서 수출의 부가가치를 높이고, 고용창출 효과가 큰 중소기업의 소득증대로까지 이어질 수 있도록 해야 합니다. 이를 통해 수출과 내수의 선순환 구조를 만들어 가야 하겠습니다. 정부는 핵심 부품·소재의 원천기술 개발을 지원하는 것을 비롯해서 개발과 생산, 수출의 각 단계별로 효율적인 지원 시스템을 구축하도록 하겠습니다. 또한 부가가치가 높은 플랜트 수출이 확대되고 해외 조달시장에도 적극 진출할 수 있도록 시장정보와 중장기 금융을 체계적으로 지원해 나가겠습니다. 외교적 뒷받침도 아울러서 끊임없이 확대해 나가겠습니다.

아울러 수출시장 확대를 위해서 자유무역협정, 도하개발아젠다 등 세계 무역질서 개편에 적극적으로 대처해 나가야 할 것입니다. 이번 남미순방과 러시아·인도 방문 등을 통해 새롭게 부상하는 브릭스(BRICs) 국가들과 교역을 확대할 수 있는 토대가 마련되었습니다. 중남미 국가들과의 통상협력도 강화되어 수출과 투자 확대의 새로운 전기가 열릴 것으로 기대합니다.

이제 무역인 여러분이 나서서 중국·미국·일본에 편중되어 있는 수출시장을 다변화하는 기회로 삼아 주시기 바랍니다. 모레부터 있을 아세안+3 정상회의와 유럽 방문에서도 우리 기업의 진출기반을 더욱 넓히는데 주력하겠습니다. 해외에서 우리 기업들이 활동하는 모습을 보면서 정말 고맙고 참 자랑스러웠습니다. 기업의 성공이 대한민국의 성공이라고 그렇게 말했습니다. 앞으로도 기업의 투자의욕을 살리고 경쟁력을 높일 수 있는 환경을 지속적으로 만들어 가겠습니다. 거시경제 여건도 안정적으로 관리해가겠습니다.

기업인과 근로자 여러분,

밖에서 보는 대한민국의 위상은 우리가 생각하는 것보다 좋은 것 같습니다. 세계가 우리 국민의 저력을 인정하고 찬사를 아끼지 않고 있습니다. 우리 국민과 함께라면 못해낼 일이 없을 것이라는 자신이 생겼습니다. 우리 모두 국민의 역량을 믿고 수출 4천억 달러 시대를 향해 다시 한번 뛰웁시다. 오늘 '무역의 날' 주제처럼 수출에서 희망을, 무역에서 미래를 키워 나갑시다. 무역인 여러분의 노고에 거듭 감사드리며, 더 큰 성공을 기대합니다.

감사합니다.

한·라오스 직업훈련원 준공식 축사

2004년 11월 28일

존경하는 쵸말리 사야 손 부통령 내외분, 그리고 귀빈 여러분,

한·라오스 직업훈련원의 준공을 진심으로 축하합니다. 나는 대한민국 국가원수로는 처음 라오스를 방문했습니다. 조금 전 비엔티엔에 도착해서 첫 일정으로 이 준공식에 참석하게 된 것을 매우 기쁘게 생각합니다.

우리 두 나라 관계는 1995년 수교 이후 빠르게 발전해왔습니다. 앞으로 협력해야 할 분야도 많습니다. 나는 내일 캄타이 씨판돈 대통령과 정상회담을 갖고 이러한 양국 관계를 더욱 발전시키기 위한 방안을 논의할 것입니다. 우리 두 나라가 함께 세운 이 훈련원은 양국 우호협력의 상징이 될 것입니다.

귀빈 여러분,

한국이 지금과 같은 경제성장을 이룰 수 있었던 데에는 우수한 사람과 높은 교육열이 그 원동력이었다고 생각합니다. 특히 각급 학교와 직업훈련원에서 육성한 우수한 기능인들은 우리나라 산업화를 이끄는 주역이 되었습니다. 이제 우리는 이러한 경험을 여러분과 함께 나누고자 합니다. 앞으로 이곳에서 키워낼 우수한 인재들이 라오스의 공업화를 빠른 시간에 이루어갈 것으로 기대합니다. 라오스의 성공은 한국에게도 큰 도움이 됩니다. 공동의 번영을 이루어갈 훌륭한 협력의 파트너라고 생각하기 때문입니다. 한국인들은 한 번 맺은 인연을 매우 소중히 여깁니다. 오늘 이 자리에서 확인한 양국간 우호협력이 더욱 확대될 수 있도록 노력하겠습니다. 한·라오스 직업훈련원의 큰 성공과 여러분의 건승을 기원합니다.

감사합니다.

12월

엘리자베스2세 영국 여왕 주최 만찬답사

2004년 12월 1일

존경하는 여왕 폐하와 에딘버러 공, 그리고 귀빈 여러분,

나와 우리 일행을 따뜻하게 맞아 주시고, 성대한 만찬을 베풀어 주셔서 감사합니다. 대한민국 국가원수로는 처음 영국을 국빈방문하게 된 것을 큰 영광으로 생각합니다. 우리 국민은 5년 전 한국에서 보여 주신 폐하의 따뜻하고 인자한 미소를 지금도 잊지 않고 있습니다. 그때 방문하셨던 안동 하회마을과 서울의 인사동 거리는 국내외 관광객들에게 더욱 사랑받는 명소가 되고 있습니다. 폐하께서는 봉사와 자선, 국제적 우호 친선을 통해서 세계인의 존경과 찬사를 받고 있습니다. 세계 평화와 민주주의 발전에도 많은 기여를 하고 계십니다. 나는 이 자리를 통해 폐하 내외분의 변함 없이 건강한 모습을 우리 국민에게 전할 수 있게 된 것을 매우 기쁘게 생각합니다.

여왕 폐하,

오늘 이 곳에 오기 전 폐하와 함께 한국전 참전용사들을 만났습니다. 폐하께서는 지난해 한국전 종전 50주년 기념행사도 성대히 베풀어 주셨다고 들었습니다. 당시 한국전에는 모두 5만 7천명의 영국 젊은이들이 참전했고, 사상자만 4,300명에 이르렀습니다. 이분들의 고귀한 희생이 오늘의 대한민국을 만드는 밑거름이 됐습니다. 1990년대 말 우리가 경제위기에 직면했을 때 가장 먼저 투자사절단을 파견한 나라도 바로 영국이었습니다. 우리 국민을 대신해서 여왕 폐하와 영국 국민에게 감사의 뜻을 표합니다.

존경하는 여왕 폐하,

폐하의 방한 이후 한국과 영국의 우호관계는 그 어느 때 보다 돈독해졌습니다. 세 차례에 걸쳐 양국 정상이 상호 방문했으며, 정부와 의회 차원의 교류도 활발해졌습니다. 1998년 8만명 수준이던 두 나라 국민들의 왕래는 그 두 배인 16만 명을 넘어섰습니다. 또한 영국 정부는 우리의 평화번영정책과 북핵문제의 평화적 해결노력을 적극 지지해 주고 있습니다. 북핵문제는 6자회담을 통해 조속히 해결되어 나갈 것으로 기대합니다. 앞으로도 지속적인 관심과 협력을 당부드립니다.

여왕 폐하,

올해는 영국이 상주공관을 한국에 개설한 지 120주년 되는 해입니다. 지금까지의 선린우호를 바탕으로 양국 관계를 더욱 포괄적이고 미래지향적인 동반자 관계로 발전시켜 나가야겠습니다. 두 나라가 함께 강점을 가지고 있는 정보통신, 생명공학 등 첨단산업 분야는 협력 잠재력이 매우 큽니다. 이들 분야에서 영국기업들의 한국에 대한 투자가 더욱 확대되기를 기대합니다. 영국은 금융 분야에서 세계 1위의 경쟁력을 가지고 있고, 물류에 있어서도 매우 앞서 있습니다. 동북아 금융과 물류 허브로 도약하기 위해 힘쓰고 있는 우리에게 좋은 본보기와 협력의 파트너가 될 수 있습니다. 내일 있을 블레어 총리와의 정상회담에서 이러한 협력을 위한 깊이 있는 논의가 있을 것입니다. 이곳에는 유럽에서 가장 많은 3만 5천여명의 우리 동포들이 살고 있습니다. 여왕 폐하와 영국 국민 여러분의 지속적인 배려와 관심을 부탁드립니다.

귀빈 여러분,

여왕 폐하 내외분의 건강과 영국의 무궁한 발전, 그리고 우리 두 나라의 우호 증진을 위해서 축배를 들어주시기 바랍니다.

감사합니다.

한·영 산업기술협력포럼 개막식 연설

2004년 12월 2일

안녕하십니까? 제5회 한·영 산업기술협력 포럼을 축하합니다.

5년 전 엘리자베스 여왕께서 방한하신 것을 계기로 이 행사가 시작됐다고 들었습니다. 그리고 오늘 여왕님의 초청으로 영국을 방문하는 기회에 여러분과 만나게 된 것을 매우 뜻깊게 생각합니다. 저의 방문에 맞추어 행사를 준비하느라 애쓰신 필립 버튼 의장과 임관 의장을 비롯한 관계자 여러분께 감사의 말씀을 드립니다.

여러분도 잘 아시는 대로 지금은 생산요소의 대량투입과 같은 전통적인 성장전략만으로는 한계가 있습니다. 기술혁신 역량을 끊임없이 강화해야 합니다. 특히 하이테크 기술경쟁력은 국가경쟁력을 좌우하는 핵심요소입니다. 영국은 산업혁명을 통해서 기술혁신 개념을 처음 도입한 나라입니다. 20세기 들어서도 지금까지 과학 분야에서만 74명의 노벨상 수상자를 배출하면서 인류의 과학기술 발전에 꾸준히 기여해 오고 있습니다. 지금도 '케임브리지 사이언스 파크'와 같은 산·학·연 클러스터를 전국에 형성하고 있어 세계에서 가장 선진적인 기술혁신체제를 갖춘 나라가 되고 있습니다. 바로 이러한 기술혁신 능력이 영국경제의 지속적인 성장을 가능하게 하는 원동력이라고 생각하며, 이 자리에 계신 과학기술인 여러분께 깊은 경의를 표합니다.

참석자 여러분,

영국의 사례는 우리에게도 좋은 본보기입니다. 지금 한국은 혁신주도형 경제를 성공시키기 위해서 과학기술 혁신을 국가발전의 최우선 전략으로 추진하고 있습니다. 기술 파급효과가 크고 미래성장을 이끌어갈 핵심기술을 선정해서 연구·개발 투자를 확대해 오고 있습니다. 특히 10대 차세대 성장산업을 중심으로 기술개발을 촉진해 가고 있습니다. 이와 함께 혁신을 주도할 핵심인력을 육성하기 위해서 이공계와 과학기술인 우대정책을 추진 중입니다. 아울러 우수한 인력이 모여 있는 연구소와 대학이 기업과 연계해서 윈-윈 할 수 있도록 산· 학·연 협력을 강화하고 있습니다. 나아가 외국의 유수한 연구기관을 유치해서 동북아 R&D 허브로 발전해갈 수 있도록 법적, 제도적 지원을 확대하고 있습니다.

존경하는 참석자 여러분,

하지만 더 큰 성과를 거두기 위해서는 우리의 노력만으로는 부족합니다. 우리의 핵심역량을 발전시켜 최고의 경쟁력을 확보하는 노력과 병행해서 국가간 협력으로 상호이익을 높여 나가고자 합니다.

영국은 기초기술과 하이테크 분야에서 강점을 가지고 있고, 한국은 생산기술과 응용기술 분야에서 경쟁력을 보유하고 있습니다. 또한 영국은 우리가 집중적으로 육성하고자 하는 생명공학·나노 기술·에너지·환경·우주항공·문화산업 분야의 세계적인 강국입니다. 한국 경제가 한 단계 더 도약하는 데 매우 중요한 전략적 파트너가 될 수 있습니다.

반면에, 새로운 제품을 기꺼이 받아들이는 한국 시장은 영국 기업들의 새로운 아이디어를 상업화할 수 있는 최적의 장소가 될 수 있습니다. 세계 디지털 제품의 시험장으로서 높은 시장성은 이미 입증된 바 있습니다. 두 나라의 강점을 결합할 경우 서로에게 큰 이익이 될 것은 분명합니다. 이미 그 성과가 정보통신, 생명공학 등 신산업 분야에서 나타나고 있습니다. 이런 점에서 '한·영 산업기술협력 포럼'은 기술협력과 합작사업, 신기술제품의 교역확대에 이르기까지 중요한 역할을 할 수 있다고 생각합니다. 이번 포럼의 주제처럼 양국 기업과 국가의 부가가치를 혁신적으로 높일 수 있는 창조적인 협력의 자리가 되기를 기대합니다. 다시 한번 이번 행사를 축하드리며, 여러분의 건강과 행복을 기원합니다.

감사합니다.

런던 시장 주최 만찬답사

2004년 12월 2일

존경하는 영국의 각계 지도자 여러분, 그리고 내외 귀빈 여러분,

세이버리 시장님의 좋은 말씀과 융숭한 환대에 진심으로 감사드립니다. 자유경제체제와 근대 민주주의의 발상지인 런던은 인류문명의 진보에 크게 기여해 왔습니다. 한국 역시 이곳에서 시작된 시장경제와 자유무역으로 오늘날과 같은 경제적 성장을 이룰 수 있었습니다. 이제 런던은 금융과 무역의 중심으로 세계 경제의 심장과도 같은 역할을 하고 있습니다. 전통과 첨단의 조화 속에 역동적으로 발전하고 있다는 것을 실감합니다. 이처럼 세계적인 도시를 만들어 온 런던 시민 여러분께 경의를 표합니다.

귀빈 여러분,

나는 대통령에 취임한 이후 원칙과 신뢰, 공정과 투명, 대화와 타협,

분권과 자율이라는 민주주의 기본원리를 국정의 각 분야에 적용해 나가고 있습니다. 이러한 민주주의와 시장경제야말로 인류가 만들어낸 가장 성공적인 제도라고 생각합니다. 시장경제의 채택 여부는 지난 세기 국가간 번영과 쇠락의 갈림길이 되었습니다. 한국은 보다 성숙한 시장경제를 통해 한 단계 더 도약해 나가고자 합니다. 자원도 자본도 없었으며 6·25 전쟁으로 피폐한 농업국이었던 우리나라는 불과 반세기만에 반도체, 조선, 철강, 전자제품, 자동차 등에서 세계적 경쟁력을 가진 선진산업국으로 도약했습니다.

그러나 정부 주도로 시작된 이러한 성장과정에서 문제점도 적지 않았습니다. 경제의 생명인 자율성과 시장경제 원리가 충분히 존중되지 못했습니다. 정경유착과 관치금융의 관행도 생겼습니다. 왜곡된 시장경제에 바탕을 둔 경제발전은 지속적인 성장도, 진정한 경쟁력도 갖출 수 없었습니다. 결국 1997년 외환위기까지 불러오는 중요한 요인이 되었습니다.

우리는 이를 교훈으로 삼아 전반적인 경제 시스템의 개혁을 추진해 오고 있습니다. 기업 지배구조를 개선하고, 금융시장을 대폭 개혁하는 등 자유롭고 공정하며 투명한 질서를 만들어가고 있습니다. 현 정부에서 추진되고 있는 '시장개혁 3개년 계획'을 통해 기업 지배구조는 더욱 투명해질 것입니다. 금융부문도 시장경제 원리에 따라 구조조정과 민영화를 적극 추진해 왔습니다. 1997년 외환위기 당시 2,300여개에 달하던 금융기관이 1,300여개로 통폐합되었습니다. 금융권 부실채권은 크게 줄어들었습니다. 한국의 금융부문은 이제 아시아 지역에서 가장 건전하고 효율적인 산업으로 새로이 태어나고 있습니다. 관치경제의 잔재로 남아 있는 규제도 원점에서 재검토해서 불합리한 것은 정비해 나가고 있습니다.

무엇보다 중요한 것은 정경유착의 오랜 관행이 근절되고 있다는 것입니다. 과거 수십년 동안 어떤 정치인도, 기업인도 부정한 정치자금의 족쇄에서 자유롭지 못했으며, 이러한 정경유착은 정치와 경제발전의 큰 걸림돌이 되어 왔습니다. 결국 정치자금과 관련한 법이 대폭 강화되었고, 올해 총선은 그 어느 때보다 깨끗하고 공정하게 치러졌습니다. 초선의원 비율이 63%에 이르는 선거혁명이 일어난 것입니다. 이제 아무리 작은 것이라도 정치인과 기업인간의 부정한 거래는 백일하에 드러나고 있습니다. 시장은 그만큼 투명해지고 정경유착에 의한 불공정경쟁은 설 땅을 잃었습니다. 이제 기업의 성패는 오로지 효율과 창의력에 의해 판가름나는 시장환경이 만들어지고 있습니다.

이러한 시장질서의 바탕 위에 노사관계도 빠르게 선진화되어 가고 있습니다. 무리한 파업이 줄어들고 노사분규가 대화와 타협, 그리고 법과 원칙에 따라 해결되는 방식으로 안정되어 가고 있습니다.

개방적 통상국가인 한국은 시장개방을 더욱 확대하고 있습니다. 한국은 이미 세계에서 가장 열려 있는 자본시장을 가진 나라 중의 하나입니다. 우리나라 주식총액의 43%를 외국인이 소유하고 있으며, 이것은 아시아에서 최고 수준입니다. 외국인이 소유하고 있는 은행의 시장점유율도 30%에 가깝습니다.

수입장벽도 대폭 줄어들었습니다. 늦게 출발하긴 했지만 자유무역협정도 적극적으로 추진하고 있습니다. 칠레와 FTA를 체결하였고, 싱가포르와의 협상이 막 타결되었으며, 일본·아세안·유럽자유무역연합 등 여러 나라와의 FTA 체결을 활발히 추진 중입니다. 외국인투자 유치를 위한 제도도 크게 개선하였습니다. 외국인투자자에게 세금감면 등 과감한 인센티브를 제공하고 있으며, '인베스트 코리아'를 설립해 유치 창구를 단일화하였습니다. 지금 그 책임자는 영국인인 알란 팀블릭씨가 맡고 있습니다. 이러한 노력으로 지난 10월 외국인 투자가 1천억 달러를 넘어섰습니다.

내외귀빈 여러분,

우리는 이러한 시장경제의 성숙을 통해 영국과의 협력을 더욱 확대할 수 있는 좋은 파트너가 되었다고 생각합니다. 오늘 가진 블레어 총리와의 정상회담에 대해 나는 아주 만족스럽게 생각합니다. 우선 양국간 교역과 투자를 더욱 확대하기로 했습니다. 현재 70억 달러에 이르는 양국간 교역은 가까운 장래에 100억 달러 수준으로 늘어날 것입니다. 영국의 세계적인 제품들은 한국에서도 명품으로 그 인기가 매우 높습니다. 양국간 투자는 지난 몇 년 사이에 크게 확대되었습니다. 1998년 8억 달러에 불과했던 우리나라에 대한 영국의 투자는 현재 34억 달러로 네 배 이상 늘어났습니다.

그러나 양국의 경제규모나 협력 가능성을 볼 때 훨씬 더 확대될 잠재력을 가지고 있습니다. 한국은 동북아의 지정학적 중심에 자리 잡고 있으며, 제조업 기반과 물류 인프라, 그리고 세계 최고수준의 IT 역량을 갖추고 있습니다. 이를 바탕으로 동북아의 금융·물류·R&D 허브가 되고자 노력하고 있습니다. 특히 자산운용업을 집중적으로 육성하고, 해외 유수 금융기관의 지역본부를 유치해서 2020년까지 아시아 3대 금융 허브로 발전해 나가고자 합니다. 그런 면에서 우리는 이 분야에 세계 최고의 경쟁력을 갖고 있는 영국과의 보다 긴밀한 협력을 원합니다.

나는 이번에 한국에 투자한 영국의 주요 기업인들을 초청해서 만나고, 한·영 기술협력포럼에도 참석했습니다. 앞으로 생명공학, 나노기술, 에너지, 환경, 우주·항공 등 첨단 분야에서 양국간 협력이 더욱 확대되기를 기대합니다. 어제 체결된 케임브리지 대학과 한국전자통신연구원 간의 연구협력약정에 따라 내년에 설치될 공동 R&D센터는 양국 협력의 좋은 사례가 될 것이라고 생각합니다.

내외귀빈 여러분,

끝으로 여러분이 많은 관심을 갖고 있는 북핵문제에 대해 간략히 말씀드리겠습니다. 2주일 전 칠레에서 열린 APEC 정상회의를 계기로 북핵문제를 평화적으로 해결하기 위한 노력이 활발히 진행되어 오고 있습니다. 나와 부시 미국 대통령은 북핵문제 해결을 최우선 과제로 삼아 6자회담의 조기개최와 실질적 진전을 위해서 공동노력을 강화해 나가기로 했습니다. 아세안+3 정상회의에서 만난 중국·일본 정상과도 의견이 일치했습니다. 북한도 이미 상당한 수준으로 시장경제를 받아들여서 이제는 개혁·개방의 길로 나올 수밖에 없는 단계에 이르렀습니다. 가까운 장래에 북핵문제 해결의 돌파구가 열릴 것으로 기대합니다.

내외귀빈 여러분,

영국의 왕립지리학회 회원이었던 이사벨라 버드 비숍 여사는 19세기 말 한국을 네 차례나 방문해서 「한국과 그 이웃나라들」이라는 여행기를 남겼습니다. 그녀는 당시 주변 강대국의 각축과 가난으로 고통받고 있던 우리 국민의 어려운 삶을 보면서도 "한국인은 올바른 제도와 행정 시스템이 서게 되면 언젠가는 반드시 번영할 국민입니다."고 예견했습니다.

1세기가 지난 지금 한국은 세계 10위의 경제로 일어섰습니다. 영국인은 늘 한국인을 바로 이해하고 신뢰해 주었습니다. 그리고 어려울 때는 지원과 협력을 아끼지 않았습니다. 그것이 우리에게 소중한 용기를 갖게 하였습니다. 이 자리를 빌려 영국 국민께 우리 국민이 전하는 감사의 인사를 드립니다.

나는 오늘 이 자리를 끝으로 영국 국빈방문을 마치게 됩니다. 우리 두 나라 관계를 한층 더 발전시키는 기회가 되었다고 생각합니다. 영국 국민의 우정을 소중한 기억으로 간직하겠습니다.

여러분의 건승과 영국의 무궁한 발전을 기원합니다.

경청해 주셔서 감사합니다.

크바시니에프스키 폴란드 대통령 내외 주최 만찬답사

2004년 12월 3일

존경하는 알렉산더 크바시니에프스키 대통령 각하 내외분, 그리고 귀빈 여러분,

우리 내외와 일행을 환대해 주신 각하 내외분께 감사드립니다. 나는 대한민국 국가원수로서 처음 폴란드를 방문하게 된 것을 매우 기쁘게 생각합니다. 1980년대 말 나는 폴란드 자유노조의 정신이 원탁회의의 화합으로 이어지던 모습을 보면서 큰 감명을 받았습니다. 그로부터 불과 10여년이 지난 지금 폴란드는 민주주의와 시장경제로 힘차게 도약하고 있습니다. 각하께서 취임한 이후 경제가 지속적으로 성장하고 외국인투자가 급증하고 있습니다. 특히 EU와 NATO 가입을 통해 명실상부한 중부유럽의 중심국가로 떠오르고 있습니다. 각하의 탁월한 지도력과 폴란드 국민의 저력에 경의를 표합니다.

대통령 각하,

우리 두 나라 관계는 수교 15년의 짧은 기간에도 불구하고 매우 빠르게 발전하고 있습니다. 폴란드에 대한 우리 기업의 투자가 15억 달러를 넘어서 아시아 국가로는 가장 많습니다. 최근에는 유럽의 공장을 이곳으로 옮기는 우리 기업도 있습니다. 양국은 역사적 환경이 비슷하고, 정서적으로 매우 친밀합니다. 바르샤바 쇼팽음악원의 외국 유학생 중에서 한국 학생들이 쇼팽의 곡을 가장 잘 이해한다고 들었습니다. 오늘 맺은 관광협력협정과 청소년·체육 교류약정으로 여러 분야의 교류·협력이 더욱 가속화 될 것입니다. 또한 양국은 이라크의 안정을 위해 함께 노력하는 등 국제적인 문제 해결에도 긴밀히 협력하고 있습니다. 특히 폴란드는 중립국감독위원회의 일원으로 한반도의 평화와 안정에 기여하고 있습니다. 앞으로도 북핵문제의 평화적 해결과 남북관계 개선을 위한 우리의 노력을 적극 지지해 주실 것으로 믿습니다.

귀빈 여러분,

각하께서는 네 차례나 한국을 방문하는 등 양국 관계 발전에 각별한 관심을 보여주셨습니다. 나의 이번 방문을 계기로 우리 두 나라가 한 단계 더 성숙한 미래지향적인 파트너가 될 것으로 확신합니다.

크바시니에프스키 대통령 각하 내외분의 건강과 폴란드의 무궁한 발전, 그리고 양국의 영원한 우정을 위해서 건배해 주시기 바랍니다.

감사합니다.

한·폴란드 경제인 초청 오찬 연설

2004년 12월 4일

존경하는 알렉산더 크바시니예프스키 대통령 각하, 아렌다르스키 회장과 박용성 회장, 그리고 양국 경제계 지도자 여러분,

오늘 이렇게 아름다운 바르샤바 왕궁에서 귀한 자리를 마련해 주신 데 대해 감사드립니다. 수교 이후 처음 방문하는 대한민국 대통령으로서 여러분과 함께 하게 된 것을 기쁘게 생각합니다. 우리 한국인 누구나 그렇듯이 저도 퀴리부인과 같은 위대한 폴란드인의 전기와 쇼팽의 음악을 접하며 자랐습니다. 이곳에 와 보니 그러한 폴란드인의 열정과 높은 자긍심이 경제발전의 에너지로 승화되고 있다는 느낌을 받습니다. 특히 바르샤바 시민들의 활기찬 모습에서 역동적으로 발전하는 폴란드의 내일을 확인하게 됩니다.

양국 경제인 여러분,

한국과 폴란드 관계는 1989년 수교 이후 15년이라는 짧은 기간 동안 괄목할만한 발전을 이룩했습니다. 양국간 교역은 1997년 최고액을 기록하고 잠시 주춤하기도 했지만, 2002년 이후 다시 증가세로 바뀌어서 올해는 10억 달러에 육박할 전망입니다. 우리 기업의 투자도 매우 활발합니다. 폴란드는 중·동유럽 지역에서 우리의 최대 투자국이며, 분야도 자동차·전자·화학 등 다양합니다. 한국 기업은 이러한 투자를 통해서 폴란드 경제에 기여하고 있다고 생각합니다.

양국 경제인 여러분,

폴란드와 한국은 강대국에 둘러싸인 지정학적 위치 때문에 많은 역사적 부침을 겪어 왔습니다. 도전에 잘 대응했을 때는 지역평화와 번영에 기여했지만, 그렇지 못한 때에는 주변 강대국의 각축으로 수난의 역사를 강요당해야 했습니다. 이제 양국은 세계화와 지역협력이라는 서로 상반된 흐름 앞에서 다시 한번 도전과 기회를 맞고 있습니다. 폴란드는 EU 가입을 계기로 세계의 주목을 받고 있습니다. 동·서 유럽을 잇는 지리적 요충, 중유럽에서 가장 많은 인구와 경제규모, 개혁적이고 개방적인 경제정책 등 많은 강점을 갖고 있습니다. 앞으로 동·서 유럽간 협력을 강화하는 데 핵심적인 역할을 하게 될 것으로 기대합니다. 이러한 폴란드의 장래를 내다보고 유럽 다른 지역의 공장을 이곳으로 이전한 우리 기업도 있습니다.

한국 역시 동북아 경제중심 계획을 추진 중입니다. 대륙과 해양을 잇는 지정학적 이점과 잘 구비된 IT·물류기반을 활용해서 동북아 지역의 금융과 물류, 첨단산업 허브로 발전해 나가고자 합니다. 앞으로 중부

유럽과 동북아 경제중심이 될 양국이 긴밀하게 협력해 나간다면 동아시아와 유럽을 잇는 중요한 파트너가 될 것이고, 나아가 지역안정과 세계경제 발전에도 기여할 수 있을 것입니다. 한반도종단철도(TKR)가 시베리아횡단철도(TSR)와 연결되어 우리 두 나라가 유라시아 대륙을 동서로 잇는 출발점과 종착점이 되는 날도 머지않았습니다.

존경하는 양국 경제인 여러분,

저는 이 자리를 함께 해 주신 크바시니에프스키 대통령 각하와 어제 만나서 양국 경제의 잠재력과 상호보완성을 감안할 때 협력 가능성이 매우 크다는 데 인식을 같이 했습니다. 우선, 양국은 과학기술 분야에서 상호 협력의 모범적인 모델을 만들 수 있습니다. 폴란드가 가지고 있는 높은 기초과학 역량과 전자·자동차·IT산업 등에서의 한국 기술력이 합해지면 좋은 결과를 기대할 수 있을 것입니다.

해외 건설현장에서 축적해 온 우리 기업의 경험과 기술도 폴란드가 필요로 하는 사회간접자본 확충에 유용하게 쓰일 수 있다고 생각합니다. 이번 방문에서 체결된 '경제협력협정'도 양국간 협력을 한층 강화하는 기반이 될 것입니다.

경제인 여러분,

우리 두 나라 국민은 숱한 시련을 겪으면서도 자주와 민족자존을 지켜 왔습니다. 전쟁의 잿더미 위에서 '한강의 기적'을 이루어 내고, '비스와강의 기적'을 실현해 가고 있습니다. 높은 교육열과 강한 도전정신도 양국 국민의 공통점입니다. 이제 이러한 자산을 양국간 협력을 더욱 가속화하는 동력으로 살려 나가야 하겠습니다. 바로 여기 계신 여러분들이 앞장서 주셔야 합니다. 이미 여러분은 네 차례의 민간 경제협력위원회를 열고 지난 9월에는 상공회의소 간에, 어제는 전경련과 폴란드 경제인연합회 간에 협력의정서도 체결했다고 들었습니다. 저의 방문이, 그리고 오늘 이 자리가 여러분의 협력을 더욱 폭넓게 다지는 계기가 되기를 바랍니다. 다시 한번 좋은 자리를 마련해 주신 여러분께 감사드리며, 여러분의 건승을 기원합니다.

감사합니다.

시라크 프랑스 대통령 내외 주최 오찬 건배사

2004년 12월 6일

존경하는 자크 시라크 대통령 각하 내외분, 그리고 귀빈 여러분,

우리 일행을 위한 따뜻한 환영과 오찬에 진심으로 감사드립니다. 조금 전 끝난 각하와의 회담은 매우 만족스러웠습니다. 각하의 높은 경륜과 해박한 지식, 특히 한반도에 대한 이해와 관심에 큰 감명을 받았습니다. 각하께서는 유럽연합 창설을 주도적으로 이끌고, 탈냉전 이후 새로운 국제질서 수립에 많은 관심과 노력을 기울여 오셨습니다. EU 가입국을 확대하는 데도 각하의 역할이 매우 컸다고 알고 있습니다. 세계 일류국가 프랑스를 훌륭하게 이끌고 계시는 각하의 지도력과 프랑스 국민의 저력에 경의를 표합니다.

존경하는 대통령 각하,

한국과 프랑스는 곧 수교 120주년을 맞는 오랜 우방입니다. 한국

전쟁 당시 많은 프랑스 젊은이들이 자유민주주를 지키기 위해서 우리와 함께 피 흘렸고, 민주화와 IMF 경제위기를 극복하는 데에도 많은 도움을 주었습니다. 이러한 우의를 바탕으로 양국간 협력은 지속적으로 증진되어 가고 있습니다. 올 상반기에 교역이 30% 가까이 늘었고, 해마다 30만명 안팎의 우리 국민이 프랑스를 찾고 있습니다. 프랑스와의 기술제휴로 만들어진 고속철도가 지금 이 시간에도 서울과 부산을 오가고 있습니다. 이 철도가 시베리아횡단철도와 연결되면 북한과 유라시아 대륙을 거쳐 이곳 파리에 이르게 될 것입니다. 나는 각하께서 지지해 주신 6자회담이 이러한 평화의 길을 열어 나가는 촉매제가 될 것이라고 확신합니다. 앞으로도 북핵문제의 평화적 해결과 한반도의 안정에 큰 역할을 부탁드립니다.

귀빈 여러분,

자크 시라크 대통령 내외분의 건강과 프랑스의 무궁한 번영, 그리고 양국 국민의 영원한 우의와 협력을 위해서 축배를 들어 주시기 바랍니다.

감사합니다.

소르본느대학교 초청 연설

- EU 통합과 동북아 시대 -

2004년 12월 6일

존경하는 케네 교육총감, 장 로베르 피트 총장, 그리고 교수와 학생 여러분,

따뜻한 환영에 감사드립니다. 소르본느 대학은 세계 지성의 상징입니다. 누구나 한 번 와 보고 싶어 하는 이곳에서 여러분과 대화하게 된 것을 매우 기쁘게 생각합니다. 그리고 방금 총장님께서 해 주신 연구소 설립 제안에 대해 매우 감사하게 생각합니다. 이 제안에 대해서는 좀더 깊이 상의했으면 좋겠습니다.

학생 여러분,

희망이 없는 미래는 미래가 아닙니다. 그리고 가능성이 없는 희망 또한 희망이라 할 수 없습니다. 나는 프랑스의 역사와 문화를 존경합니다. 프랑스는 역사의 고비마다 인류에게 창조적 미래를 제시하고, 그 미

래가 실현가능한 것임을 역사로써 증명했습니다. 뿐만 아니라 인류가 추구하는 이상의 실현은 많은 희생과 시행착오를 거쳐야 한다는 역사의 법칙까지 일깨워 주었습니다. 자유와 평등의 횃불을 밝힌 프랑스 대혁명이, 그리고 그 이후 민주주의를 제도화해 온 것이 대표적인 사례일 것입니다.

그러나 한편, 19세기 역사는 민주주의라는 숭고한 이상만으로 인간의 행복이 보장되지 않는다는 것을 보여 주었습니다. 민주주의 대의가 인류의 보편적 가치로 자리잡은 20세기 들어서도 전쟁과 혁명, 이념갈등 등 극단적 대결의 과정을 겪어 왔습니다. 오늘날도 냉전체제는 종식되었지만, 세계 도처에는 여전히 분쟁이 있고, 대화와 타협보다는 힘의 질서가 재현되지 않을까 하는 우려와 불안이 있습니다. 세계 질서가 어디로 가게 될지, 인류의 미래가 어떻게 될지 확신을 갖지 못하고 있습니다.

프랑스 대혁명이 인류에게 희망을 주었듯이 지금 우리에게도 새로운 희망과 그 가능성에 대한 믿음이 필요한 때입니다. 정치력으로 갈등을 종식하고, 과학기술문명이 악용되는 것을 통제할 수 있고, 기아와 질병, 생태계 파괴, 무엇보다 도덕적 위기가 극복될 수 있는 것이라는 희망을 가질 수 있어야 합니다. 평화를 통한 공존, 화해·협력을 통한 번영이 가능하다는 믿음을 증명할 필요가 있습니다.

교수 여러분, 그리고 학생 여러분,

나는 그 가능성을 EU에서 찾고자 합니다. EU는 평화와 공존, 화해와 협력의 상징입니다. 이제 유럽은 제국주의의 약육강식과 극단 대립의 질서를 극복하고, 전 세계 교역량의 40%를 차지하는 평화와 번영의 공동체로 자리매김하고 있습니다. 나는 EU의 발전과정을 보면서 프랑스에 대한 존경을 다시 한번 확인합니다. 프랑스는 전쟁의 고통을 받은 국가이면서도 독일을 포용하는 도덕적 결단으로서 과거를 청산했습니다. 이를 통해 국민의 도덕적 수준을 높이고, EU를 주도할 수 있는 명분과 자부심을 확보할 것이라고 생각합니다. 나아가 스스로 강대국임에도 불구하고 패권적 질서를 거부하고, 이웃나라들에게 불안감을 주지 않으면서 통합의 질서를 만들어 가고 있습니다. 이러한 프랑스의 화해와 관용을 높이 평가하며 찬사를 보냅니다.

학생 여러분,

나는 오래 전부터 EU의 출현에 깊은 관심을 가지고 있었습니다. 특히 유럽통합의 아버지 장 모네, 유럽석탄철강공동체 창설을 제의한 슈망 외교장관 등 프랑스 지도자들의 선구적인 노력이 매우 인상 깊었습니다. 대통령에 취임한 이후 '평화와 번영의 동북아 시대'를 국정의 목표로 삼아 왔습니다. 내가 동북아 시대를 이야기하는 것은 힘센 나라나, 지배하는 나라가 되고자 하는 것이 아닙니다. 동북아에 EU와 같은 개방적 지역통합체를 만들고, 이러한 질서가 세계 질서로 확대되어 나가기를 기대하는 것입니다.

한국은 강대국이 아닙니다. 한때 식민지배를 당했고, 아직도 남북분단의 아픔을 겪고 있는 나라입니다. 그럼에도 불구하고 동북아에서 프랑스와 같은 역할을 하고자 하는 근거가 있습니다. 동북아에는 해소되지 않은 과거사의 앙금이 남아있고, 언제 다시 배타적 국수주의가 등장하고 적대감정이 되살아날지 모른다는 불신이 잠재해 있습니다. 한국은 이러한 갈등과 불신을 풀 수 있는 도덕적 기반을 갖추고 있다고 생각합니다. 역사에 있어서 누구에게도 빚지지 않았고, 해를 끼친 일도 없습니다. 주변국 모두로부터 어떤 경계의 대상이 아닙니다. 한민족은 역사상 900여 차례나 외침을 받았지만 단 한 번도 주변국을 침략한 적이 없습니다. 한글이라는 고유한 문자를 발명했고, 다양한 문화를 독창적으로 발전시켜서 이웃나라에 전파했습니다.

일본은 과거 제국주의 시대에 침략전쟁을 일으킨 적이 있고, 그 이후 지금까지도 주변국가의 깊은 불신을 극복하지 못하고 있습니다. 중국이 동북아의 질서를 주도하려 한다면 주변국들이 불안해 할 우려가 있습니다. 중화주의가 패권주의로 변하지 않을까 하는 주변의 불안이 있는 것이 사실이기 때문입니다.

여기에 바로 우리 한국의 주도적 역할과 선택이 가능하고 또 필요한 것입니다. 우리 국민은 이러한 역할을 감당할 만한 충분한 저력을 가지고 있습니다. 6·25전쟁의 폐허를 딛고 세계 10위의 경제와 민주주의 나라를 이룩했습니다. 2차 대전 이후 수많은 나라가 독립했지만 우리만큼 성공한 나라가 많지는 않습니다. 분단의 멍에를 지고 있지만 그 극복과정조차도 새로운 질서를 창조하는 진보의 계기로 만들어 가고 있습니다.

교수 여러분, 그리고 학생 여러분,

한반도 평화는 동북아 시대에 있어서 또 하나의 핵심적 요소입니다. 이 문제에 관한 한 한국은 주도적인 역할을 해야 할 당사자이고 또한 실제로 많은 노력을 기울이고 있습니다. 일례로 지난 50여년 동안 휴전선으로 가로막혀 있던 남북간 철도와 도로가 올해 안에 개통됩니다. 지금 우리가 추진하고 있는 대북 화해·협력정책은 위험을 회피하려는 소극적인 차원의 정책이 아니라 동북아에 새로운 역사를 만들려는 적극적인 노력입니다. 북핵문제를 반드시 평화적으로 해결하려는 것도 이와 관계가 있습니다. EU의 기초가 프랑스와 독일의 화해에 있었듯이 한국이 화해의 전령사가 되고, 한반도가 평화의 진원지가 될 때 동북아에는 새로운 역사가 펼쳐질 것입니다. 나아가 세계 질서는 보다 안정되고 유럽을 비롯한 각 지역도 더 많은 협력과 공존의 기회를 갖게 될 것입니다.

학생 여러분,

인류 역사는 그 전환의 시기마다 누구에겐가 소명을 맡겼습니다. 선각자들의 피와 땀으로 역사의 요구에 충실했을 때 인류사회는 진보를 이루어 냈고, 그렇지 못한 때에는 쇠락의 길을 걸어야 했습니다. 오늘의 세계도 새로운 모색이 필요한 시기입니다. 누가 이 역사의 소명을 받들 것인가? 이것은 세계 인류를 이끌어 가는 선진국들의 책무라고 생각합니다. 그 중에서도 나는 프랑스를 주목합니다. 소르본느 지성의 적극적인 역할을 기대합니다.

역사는 여러분에게 묻습니다. 역사로부터 무엇을 배웠으며, 어떤 미래를 꿈꾸고 있는가? 지금 여러분의 생각과 실천이 바로 내일의 역사입니다.

감사합니다.

라파랭 프랑스 총리 주최 만찬답사

2004년 12월 6일

존경하는 라파랭 총리 각하, 그리고 귀빈 여러분,

나와 우리 일행을 반갑게 맞아 주시고, 따뜻한 환영의 말씀을 해 주신 데 대해 감사드립니다. 프랑스는 정말 아름다운 나라입니다. 거리의 건물이나 조형물 하나하나에서 높은 예술혼과 문화의 깊이를 느낄 수 있습니다. 오늘 만난 소르본느 대학생들도 참 활기차 보였습니다. 세계 사람들이 왜 그토록 프랑스에 오고 싶어 하는지 알 것 같습니다. 프랑스가 아름다운 또 다른 이유는 자유·평등·박애의 정신을 세계에 전파한 발신지이기 때문입니다. 프랑스 국민의 희생으로 이루어낸 대혁명은 오늘 우리가 누리고 있는 민주주의의 뿌리가 되었습니다.

프랑스는 한국전쟁 당시 함께 싸운 혈맹이자 독재에 항거하던 우리 국민에게 힘과 용기를 주었던 친구의 나라입니다. 1990년대 말 외환위기 극복에도 물심양면으로 힘을 보태 주었습니다. 최근 북핵 문제와 관련해서도 6자회담을 통한 평화적 해결이라는 우리 입장을 적극 지지해 주고 있습니다.

나는 이 자리를 빌려 프랑스 국민에 대한 우리 국민의 감사와 우의의 뜻을 전합니다.

총리 각하,

나는 이번에 각하를 처음 뵙지만 매우 친근하게 느껴집니다. 각하의 저서 제목인 「우리는 모두 지방출신이다」는 우리에게도 적용되는 의미있는 말인 것 같습니다. 각하께서 지방분권을 위해 힘을 쏟고 계시듯 우리도 '지방화와 국가균형발전'을 최우선 과제로 추진해 나가고 있습니다. 사회보장제도 개혁, 정부혁신, 사회통합 증진 등 각하께서 역점을 두고 계시는 여러 조치들도 지금 우리 정부가 추진하고 있는 개혁정책들과 비슷한 점이 많습니다. 이러한 개혁이 성공적으로 정착되면 양국은 더욱 경쟁력 있는 국가로서 새로운 도약의 기회를 맞게 될 것입니다.

총리 각하,

올해 두 나라간 교역은 작년에 비해 25% 이상 증가해서 50억 달러에 이르게 될 것입니다. 나의 이번 방문을 계기로 이러한 교역과 투자의 증진은 물론 과학기술분야와 중소기업간 협력 등 양국간 실질협력이 보다 강화되기를 희망합니다. "포도주와 친구는 오래될수록 좋다."는 말이 있듯이, 곧 수교 120년을 맞는 우리 두 나라는 더욱 가까운 동반자 관계로 발전해 나갈 것으로 믿습니다.

내외 귀빈 여러분,

라파랭 총리 각하의 건강과 프랑스의 무궁한 번영, 그리고 한국과 프랑스의 영원한 우정을 위해서 축배를 들어 주시기 바랍니다.

감사합니다.

프랑스 경제인연합회 주최 조찬 간담회 연설

2004년 12월 7일

존경하는 세이예르 경제인연합회 회장, 갈루아 불·한 최고경영자 클럽 회장, 그리고 양국 경제인 여러분,

먼저 이 자리를 마련해 주신 프랑스 경제인연합회와 두 나라 경제 지도자 여러분께 감사드립니다. 여러분과 만나게 된 것을 매우 기쁘게 생각합니다. 저는 오늘 한국 경제의 현황과 비전에 대해 말씀드리고 여러분의 협력을 구하고자 합니다. 한국 경제에 대해서는 많은 기관과 전문가들이 다양한 평가를 내놓고 있습니다. 이 가운데는 밝은 전망도 있고 다소 부정적인 의견도 있는 것이 사실입니다. 그러나 이러한 평가나 전망보다 실질적으로 주목해야 할 것은 미래를 내다보고 앞서 대비하는 기업들의 움직임입니다.

지금 세계 초일류 기업들의 한국에 대한 관심은 그 어느 때보다 높

고 투자는 점차 늘어나고 있습니다. 외국인투자가 지난 10월 사상 처음으로 1천억 달러를 넘어섰습니다. 외국인투자 유치를 시작한지 40여년 만의 일입니다. 그중 80% 이상이 최근 7년간 이루어진 것입니다. 그만큼 한국 경제의 역동성과 개방성, 그리고 장래 비전에 좋은 점수를 주고 있기 때문이라고 생각합니다.

내외 귀빈 여러분,

한국의 경영환경은 1997년 말 외환위기 이후 크게 개선되었습니다. 강도 높은 기업·금융 개혁을 통해서 시장의 효율성과 안정성·투명성이 이전과 비교할 수 없을 만큼 향상되었고, 이런 노력은 앞으로도 계속될 것입니다. 정부는 시장에 대한 불필요한 규제와 간섭을 최소화하고 공정하고 효율적인 시장기능을 확보하는 역할에 충실하고 있습니다. 물류와 IT 인프라도 손색이 없습니다. 인천공항과 부산·인천·광양항 등을 갖춘 물류의 경우 한국과 중국간 운송비는 중국 내륙에서보다 저렴합니다. 초고속 인터넷 보급률도 세계 1위를 기록하고 있습니다. 또한 우리 국민의 높은 교육열과 성취동기는 지식경제가 필요로 하는 우수한 인력 공급을 보장하고 있습니다.

한국은 대외개방에 있어서도 결코 뒤지지 않습니다. 이제 상품뿐만 아니라 자본시장에 있어서도 세계에서 가장 개방되어 있는 나라 중의 하나입니다. 일례로 외국인투자가 주식시장 총액의 43%를 차지하고 있으며, 이는 아시아에서 가장 높은 수준입니다. 다소 늦게 시작했지만 자유무역협정 체결도 빠르게 진행되고 있습니다. 칠레에 이어 싱가포르와의 자유무역협정이 타결되었고, 일본·아세안·유럽자유무역연합과도 협상을 활발히 진행 중입니다. 외국인투자 유치에도 획기적인 정책을 추진하고 있습니다. 인천·부산·광양을 경제자유구역으로 지정해서 조세감면, 원-스톱 서비스, 현금 지원제도 등 다양한 인센티브를 제공하고 있습니다.

그러나 보다 중요한 것은 한국의 현재가 아니라 미래입니다. 동북아의 경제중심으로 성장할 잠재력과 비전입니다. 이제 곧 남북을 잇는 철도와 도로가 개통되고, 이것이 시베리아횡단철도(TSR)와 연결되면 한국은 명실공히 유라시아와 태평양을 연결하는 동북아 물류 허브로 발돋움하게 될 것입니다. 한국의 부산항이나 광양항에 들어온 물류가 철도를 통해서 이곳 파리에까지 도착하게 되는 것입니다. 세계 10위의 경제규모와 새로운 것을 추구하는 넓은 소비자층, 그리고 세계 선두권의 정보화 기반은 한국을 디지털 신제품의 시험장이자 IT중심의 첨단기술 R&D 허브로 만들어갈 것입니다. 또한 한국은 동북아의 금융 허브로 성장하기 위한 노력도 진행 중입니다. 풍부한 연·기금 자산을 토대로 자산운용업에 특화하면서 채권·주식·외환시장 선진화를 추진하고 있습니다.

프랑스 경제인 여러분,

한국 경제는 물론 도전도 안고 있습니다. 먼저, 여러분이 가장 우려하고 있는 북핵문제입니다. 결론부터 말씀드리면 이 문제는 6자회담을 통해서 평화적으로 해결될 것입니다. 북한에게 핵 포기 이외에는 다른 선택이 없을 것입니다. 핵무기로는 그 어떤 이득도 얻지 못할 뿐 아니라 핵 포기만이 세계의 도움을 받아 경제적 어려움을 타개할 수 있는 유일한 길이기 때문입니다. 북핵문제에도 불구하고 남북간 교류·협력은 꾸준히 증대되고 있습니다. 지금 북한은 대외무역의 3분의 1 이상을 우리와 하고 있으며, 남북이 함께 건설한 북한의 개성공단에서 올해 안에 제품이 생산됩니다.

그동안 외국인투자자들의 우려가 컸던 노사문화도 달라지고 있습니다. 대화와 타협을 배제한 강경 일변도의 투쟁방식은 더 이상 국민의 지지를 얻지 못하고 있습니다. 어떠한 경우에도 불법과 폭력은 용인되지 않으며, 법과 원칙에 따라 철저히 대응해 나가고 있습니다. 아마 여기 계신 한국 경제인들도 올해 노동쟁의의 강도가 작년에 비해 훨씬 줄었다는 데 동의하실 것입니다.

다음으로, 내수 부진과 고유가 등에 기인한 최근의 경기둔화 문제입니다. 소비를 위축시켜 온 주요 요인인 가계부채 문제는 지난 2년간의 조정기를 거쳐 이제 안정적인 국면에 들어섰습니다. 설비투자도 회복세를 보이고 있습니다. 정부는 적극적이고 유연한 재정·통화정책을 운용해서 경기둔화에 대응해 나갈 것입니다. 특히 사회간접자본 등에 앞당겨 투자하는 '종합투자계획'을 추진해서 경기를 활성화시키고 성장잠재력을 확충해 나갈 계획입니다. 나아가 인력양성과 연구·개발 투자확대로 서비스 산업, 지식기반 산업, 하이테크 산업과 같은 고부가가치 산업을 육성해서 새로운 성장동력을 창출해 나가고자 합니다.

양국 경제인 여러분,

한·불간 교역규모는 올해 50억 달러에 이를 것으로 전망됩니다. 프랑스의 한국에 대한 투자도 34억 달러에 이르고 있습니다. 현재 160여 개 기업이 한국에 진출해서 활발한 사업을 하고 있고, 까르푸나 르노는 우리 국민들에게 매우 친숙한 이름입니다. 그러나 여기에 만족해서는 안 될 것입니다. 두 나라의 경제규모와 상호보완성을 고려할 때 협력의 잠재력이 매우 큽니다. 일례로 과학기술·첨단산업 분야에서의 전략적 제휴를 통해 중국을 비롯한 동북아 시장, 나아가 전 세계 시장에 진출할 수 있을 것입니다.

프랑스는 생명공학·나노기술·항공우주·고속철도·원자력·방위산업 등의 분야에서 세계 최고수준의 기술력을 보유하고 있습니다. 한국도 정보통신·반도체·조선·자동차 분야에서 경쟁력을 갖추고 있으며, 거대한 중국 시장은 물론 극동러시아와 일본을 연결하는 역동적인 동북아 지역의 요충에 자리하고 있습니다. 이미 이러한 서로의 장점을 살려서 ST 마이크로 일렉트로닉스와 하이닉스, 생고뱅과 한-글라스 등이 중국 시장에 성공적으로 진출하고 있습니다.

프랑스 경제인 여러분,

이제 여러분 앞에 동북아와 그 관문인 한국이 열려 있습니다. 지금 한국에 투자하십시오. 한국을 거점으로 삼아 중국, 극동러시아, 일본으로 진출하십시오. 한국은 세계 경제의 새로운 중심 축으로 부상하고 있는 동북아와 동아시아로 진출하는 데 있어 유망하고 신뢰할 수 있는 파트너가 될 것입니다. 아무쪼록 오늘 이 자리가 양국 간의 잠재력을 확인하는 좋은 기회가 되기를 바라며, 이 시간 이후에 있을 최고경영자클럽 합동회의도 좋은 성과 거두시기 바랍니다.

감사합니다.

드브레 프랑스 하원의장 주최 리셉션 연설

2004년 12월 8일

존경하는 장루이 드브레 의장과 의원 여러분, 그리고 귀빈 여러분,

여러분의 따뜻한 환대와 의장님의 각별한 말씀에 감사드립니다.

오늘을 마지막으로 사흘간의 프랑스 방문을 마치게 됩니다. 이번 방문이 프랑스를 깊이 이해하고, 양국간 우호협력을 더욱 굳게 다지는 기회가 되었다고 생각합니다. 프랑스 각계 지도자와 국민 여러분께 사의를 표합니다.

의원 여러분,

프랑스가 인류 역사에 남긴 유산은 일일이 열거할 수 없이 많습니다. 그 가운데서도 나는 두 가지 위대한 업적에 주목하고자 합니다. 바로 18세기 프랑스 대혁명과 20세기 유럽통합입니다. 자유·평등·박애의 혁명정신은 인류의 보편적 가치가 되었고, '인간과 시민의 권리선언'에서

밝힌 권력분립과 국민주권의 원리는 민주주의의 근간을 이루고 있습니다. 지금의 유럽통합 역시 21세기 세계 질서가 나아가야 할 이정표가 되고 있습니다. 장 모네를 비롯한 많은 선각자들의 통찰력이 만들어낸 결과입니다. 나는 '하나의 유럽'을 이루고 있는 여러분을 보면서 동북아에도 화해와 협력, 통합의 질서가 구축될 것이라는 큰 희망을 갖게 됩니다.

의원 여러분,

한국은 2차 대전 이후 독립한 국가 가운데 가장 높은 수준의 민주주의를 이룩한 나라입니다. 혹독한 군사독재와 권위주의 정권을 물리치고 민주주의를 쟁취했습니다. 이러한 우리 국민의 민주주의에 대한 신념은 확고합니다. 앞선 정보화 수준 또한 투명한 정치와 국민의 참여를 높이는 토대가 되고 있습니다. 올해 출범한 17대 국회는 그 어느 때보다 모범적인 선거를 통해 탄생했습니다. 국민이 정치의 주인이 되는 진정한 국민주권의 시대를 열어 가고 있습니다. 나는 프랑스와 한국이 인권신장과 민주주의 확산에 기여하는 좋은 동반자가 될 것으로 확신합니다.

의원 여러분,

양국 의회간의 더욱 활발한 교류와 여러분의 건승, 그리고 프랑스의 큰 발전을 기원하는 건배를 제의합니다.

감사합니다.

2004 전국자원봉사자대회 축하 메시지

2004년 12월 3일

'2004 전국 자원봉사자 대회'를 축하드립니다. 도움이 필요한 곳마다 기꺼이 찾아가서 봉사하고 헌신해 온 여러분의 노고에 깊은 감사와 존경의 말씀을 드립니다. 자원봉사는 공동체를 공동체답게 만드는 사랑의 끈입니다. 나눔의 실천을 통해서 법과 제도의 공백을 메우며 우리 사회를 더 밝고 더 따뜻하게 만드는 힘입니다. 해를 거듭할수록 자원봉사자 여러분의 활동이 두드러지고 있습니다. 이웃돕기, 재해복구, 국제행사 지원은 물론 공정선거 관리와 정책평가에 이르기까지 손길이 미치지 않는 곳이 없습니다. 그만큼 시민사회가 성장하고 성숙한 민주주의 문화가 생활 속에 뿌리 내리고 있는 것입니다.

이제 자원봉사활동은 사회통합과 국가경쟁력 강화에도 중요한 요소가 되고 있습니다. 정부도 여러분의 활동이 더 큰 성과를 거둘 수 있도록 적극 뒷받침해 나가고자 합니다. 이미 지난달에 '자원봉사활동기본법안'을 국회에 제출했습니다. 앞으로 관계 부처와 민간이 함께 '자원봉사진흥기본계획'을 수립해서 더욱 전문적이고 체계적인 활동이 이루어질 수 있도록 지원하겠습니다. 특히 자원봉사자들이 보다 나은 환경에서 활동할 수 있도록 다각적인 대책을 강구해 나가겠습니다. 이번 대회가 자원봉사활동을 크게 활성화시키는 계기가 되길 바라며, 여러분의 건강과 행복을 기원합니다.

감사합니다.

숭산 큰스님 조의 메시지

2004년 12월 4일

숭산당 행원대종사의 원적을 애도합니다.

숭산 큰스님께서는 치열한 자기수행으로 선불교의 법맥을 잇고, 불교계의 화합과 개혁에 크게 기여하셨습니다.

또한 세계 32개국에 120여개 선방을 열어 한국 불교를 알리는 데 앞장서 오셨습니다. 벽안의 제자들이 한국 불교를 배우며 수행에 정진하는 모습이 낯설지 않게 된 것도 큰스님의 공적입니다. '오직 모를 뿐'이라는 가르침과 '세계는 한 송이 꽃'이라는 말씀은 인류의 화합과 세계 평화를 이루어 가는 소중한 교훈으로 남아 있습니다.

숭산 큰스님의 원적을 거듭 애도하며, 세계 지성을 일깨우신 높은 공덕을 기립니다.

희망 2005 이웃사랑캠페인 메시지

2004년 12월 4일

국민 여러분, 안녕하십니까?

벌써 12월입니다. 많이들 힘드시죠? 이런 때일수록 더욱 힘들어하는 분들이 계십니다. 소년소녀가장, 혼자 사는 어르신, 몸이 불편한 분들……. 돌아보면 우리의 도움이 필요한 이웃들이 참 많습니다. 이분들에겐 조그만 관심도 큰 힘이 됩니다. '사랑의 열매'는 우리가 함께할 수 있는 좋은 실천일 것입니다. 우리는 이웃의 어려움을 자기 일처럼 여기는 정 많은 국민입니다. 함께 희망을 만들어 갑시다. 어려운 이웃에게 힘과 용기를 줍시다. 이번 이웃사랑캠페인이 우리 국민 모두의 마음을 따뜻하게 하는 좋은 기회가 되길 바랍니다. 여러분, 모두 건강하고 행복하십시오.

감사합니다.

2004 전국새마을지도자대회 축하 메시지

2004년 12월 8일

안녕하십니까? '2004 전국새마을지도자대회' 진심으로 축하드립니다. 국가와 지역사회 발전을 위해 땀 흘리고 계신 여러분께 감사와 격려의 박수를 보냅니다.

새마을운동은 역동적인 대한민국을 잘 보여 주는 범국민운동입니다. 세계가 놀라는 경제성장의 바탕에는 새마을운동이 있었습니다. 어떤 어려움도 결코 숙명이 아니라 도약의 기회가 될 수 있음을 입증해 주었습니다. 지금 우리에게 꼭 필요한 것도 '하면 된다'는 희망과 자신감입니다. 여러 문제가 있지만 대한민국은 분명 희망이 있습니다. 우리 국민의 저력이 있기 때문입니다. 수출만 하더라도 올해 2,500억 달러가 넘습니다. 세계 11위의 경제강국이 바로 대한민국입니다. 2차 대전 이후 많은 나라가 독립했지만 우리보다 민주주의 잘하는 나라가 없습니다.

어려운 경제도 시간이 걸리겠지만 나아질 것입니다. 기술을 혁신하고, 성장의 튼튼한 토대를 쌓아 가고 있습니다. 하나하나 원칙대로 해 가고 있습니다. 이대로 가면 경제가 다시 살아나고 더 높이 더 오래 성장해 갈 수 있을 것입니다. 자신감을 가지고 도전합시다. 우리는 해낼 수 있습니다. 저도 혼신의 힘을 다하겠습니다. 여러분의 큰 성원을 바랍니다. 다시 한번 이번 대회를 축하드리며, 여러분 모두의 건승을 기원합니다.

감사합니다.

한국공인회계사회 창립 50주년 축하 메시지

2004년 12월 10일

안녕하십니까? 한국공인회계사회 창립 50주년을 진심으로 축하드립니다.

여러분은 건전한 시장경제를 실현해 가는 주역들입니다. 투명한 사회를 지키는 보루입니다. 여러분의 노력에 힘입어 지난 수년 동안 우리의 회계 투명성이 크게 개선되었습니다. 분식회계, 허위공시, 주가조작과 같은 불법행위가 점차 설 땅을 잃어 가고 있습니다. 그러나 아직도 국제기준에는 미흡합니다. 경영의 투명성과 책임성을 높이는 노력을 일관성 있게 추진해 가야 합니다.

이미 시장개혁 3개년 로드맵을 마련해서 착실히 추진하고 있습니다. 증권집단소송제가 도입되고 회계 선진화를 위한 법 개정도 이루어졌습니다. 이제 이러한 법과 제도를 실질적인 기업관행으로 정착시켜 가야 하겠습니다. 시장의 공정한 감시자로서 여러분의 더 많은 역할과 기여를 당부드립니다. 정부도 회계 서비스 분야가 더 높은 경쟁력을 갖출 수 있도록 국제적인 회계법인과의 업무제휴를 지원하고, 교육프로그램도 강화해 나갈 것입니다. 다시 한번 창립 50주년을 축하드리며, 여러분의 건승을 기원합니다.

감사합니다.

기독교선교 120주년 기념 한국 교회의 밤 축하 메시지

2004년 12월 13일

기독교 선교 120주년과 한국기독교총연합회 창립 15주년을 기념해서 열리는 한국 교회의 밤 행사를 축하드립니다. 한국 교회는 그동안 하나님의 공의와 그리스도의 사랑을 실천하며, 국가와 사회 발전에 크게 기여해 왔습니다. 많은 국민들에게 위로와 용기가 되어 주었습니다. 그만큼 한국 교회에 대한 기대가 큽니다.

지금 우리에게 필요한 것은 희망과 자신감입니다. 대한민국의 밝은 미래에 대한 확신을 가지고 힘과 지혜를 모아 가야겠습니다. 활력 있고 잘사는 나라, 더불어 사는 따뜻한 사회를 열어 가는 데 여러분의 많은 헌신과 기도를 부탁드립니다. 이번 행사를 거듭 축하드리며, 하나님의 은총이 여러분과 함께하기를 기원합니다. 감사합니다.

CBS 창사 50주년 기념식 축사

2004년 12월 14일

CBS의 창사 50주년을 진심으로 축하드립니다.

CBS야말로 참언론입니다. CBS야말로 믿을 수 있는 언론입니다. 그리고 우리 모두가 사랑하고 가꾸어 나가야 될 언론입니다. 언론의 사명은 우선 정의의 사도가 되는 것입니다. 정의의 파수꾼이 되고 정의의 횃불이 돼야 합니다. 세상엔 많은 불의가 있습니다. 그러나 언론은 큰 불의, 힘센 불의와 맞서야 합니다. 힘없는 사람들이 숨어서 저지르는 크고 작은 부정들은 국가권력이, 그리고 사회여론이 얼마든지 제어하고 바로잡아 나갈 수 있습니다.

그러나 권력이 저지르는 부정과 불의는 누구도 제어할 수 없습니다. 그것은 결국 살아 있는 시민정신에 의해서만 제어가 가능합니다. 시민들의 살아 있는 정신은 바로 올바른 정보와 올바른 공론에서부터 비롯될 수 있는 것입니다. 시민정신이 살아 있도록, 깨어 있도록 지켜 나가고 가꾸어 나가는 역할을 할 때 그 언론이 바로 정의의 횃불이 되는 것이요, 정의의 파수꾼이 되는 것입니다.

CBS야말로 50년 세월 이와 같은 역할을 그야말로 성실하게, 그리고 역량 있게 잘해 왔습니다. 아무리 뜻이 좋아도 능력이 없어서 제대로 못하면 무슨 보람이겠습니까? CBS야말로 시대에 잘 맞추어서 온갖 고난을 잘 극복하면서 결국 우리 사회의 민주주의라고 하는 큰 틀의 정의의 시대를 만들어 내는 데 횃불 노릇을 했습니다. 선도자의 노릇을 해 왔습니다. 이것은 누구도 부인할 수 없는 업적입니다. 진심으로 존경하고 감사드립니다.

그러나 또한 우리가 함께 주의하고 경계해야 될 일도 있을 것입니다. 언론은 강한 힘을 가지고 있습니다. 경우에 따라서는 스스로 권력이 될 수도 있지 않습니까? 언론은 날이 잘 드는 양날의 칼과 같아서 그것이 정의를 위해 쓰여질 때는 그야말로 역사를 진전케 하는 훌륭한 힘이지만 그것이 잘못 쓰여질 때, 그것이 권력에 결탁했을 때 그 폐해는 엄청날 수 있습니다. 권력의 시녀가 되고, 권력에 봉사하고, 힘없는 사람을 짓밟고, 정의를 짓밟을 때 누구도 감당할 수 없는 막강한 불의가 될 수 있습니다. 자기의 이익을 위해서, 경영자 이익을 위해서 그 막강한 힘이 남용됐을 때, 그것은 누가 제대로 제어할 수도 없는 불가사리 같은 존재가 될 수도 있다는 것을, 언론을 얘기할 때마다 또 항상 얘기하지 않을 수 없습니다. 그래서 많은 사람들이 언론의 혜택을 입었으면서도 때로는 언론을 경계하고 제어하려고 노력하고 있습니다. 그리고 언론은 과거

독재시절과 같은 그런 박해는 아니라 할지라도 불이익을 감수해야 하는 이런 고난 아닌 고난을 겪어야 할 수도 있습니다.

그런데 CBS는 결코 교만하지 않았습니다. 절제를 잃지 않았습니다. 이제 맞서 싸워야 될 불의의 권력이 어느 정도 극복되고 해소됐다고 생각할 때 새로운 공론을 찾아서 우리가 함께 힘을 모아 가야 될 새로운 방향을 모색했습니다. 말하자면 시대와 역사를 앞서가는, 그야말로 등불의 역할을 다시 찾기 시작한 것입니다. 아니 그 이전부터 해 왔던 일입니다만, 시대의 변화에 맞춘 언론의 역할에 아주 적절한 자리매김을 해 가고 있다고 저는 그렇게 생각합니다.

CBS는 보다 더 향상된 민주주의, 보다 더 많은 사람들의 자유와 평등이 누려지는 인권의 시대를 위해 지금도 노력하고 있을 것입니다. 우리 사회가 그늘진 곳 없이, 억눌린 곳 없이, 소외된 곳 없이 모두가 함께 행복한 삶을 누리는, 균형사회를 아마 추진하고 있을 것입니다. 아울러 세계적인 경쟁 속에서 우리 한국도 뒤떨어지지 않고 한 걸음 앞서가는 그런 선진국가가 되도록 응원하고 있을 것입니다.

CBS와 같이 눈을 바로 뜨고 있는 언론이 있기 때문에 우리 사회에 정의가 바로 설 것이라고 생각합니다. 신뢰도 바로 설 것이라고 생각합니다. 투명하고 공정한 사회가 이루어질 것이라고 굳게 믿습니다. CBS는 민족의 화해와 통일을 오래 전부터 노래해 왔습니다. 조금 전에 말씀드렸듯이 우리가 지금 안고 있는 몇 가지 과제는 시간이 걸리고 우여곡절이 있고, 또 때때로 갈등이 있지만, 저는 바른 방향으로 가고 있고 또 갈 수 있다고 확신하고 있습니다.

그러나 불안한 것은 우리가 관용의 시대를 열 수 있을 것인가? 과연 서로가 서로를 이해하고 상대방이 나와 다름을 용납하면서 대화하고 타협하고, 때로는 양보하면서 공존하는 사회를 만들어 나갈 수 있을 것인가 하는 데 대해서 많은 불안과 우려를 가지고 있습니다. 저는 CBS가 이 문제에 대해서도 이미 맞닥뜨리고 있다고 생각합니다. 이 시대적 과제를 함께 열심히 짊어지고 나가 주십사 부탁드리고 싶습니다.

바른 언론이 되자면 항상 바른 소리를 해야 합니다. 권력은 항상 바를 수가 없습니다. 정치는 올바른 목표가 있지만 때로는 전략을 위해서 둘러가기도 하고 또 넘어가기도 하는 곡절이 있습니다. 또 때로는 전술이 있어야 되고 술수까지도 필요하다고 용납해 주는 영역이 정치일 것입니다. 그러나 이 정치는 막강한 권력을 가지고 있습니다. 제어되지 않은 권력이 위험하기 때문에 언론이 깨어서 항상 견제하고 바른 소리로 자세를 가다듬게 하고 방향을 수정해 주어야 합니다.

저는 CBS가 가끔 쓴소리를 할 때 솔직히 말씀드려서 좀 섭섭합니다. 잘한다고 하는데 그 좀 지켜봐 주지 않고, 왜 가차없이 비판할까? 그러나 저는 그래서 더 좋습니다. 비판할 줄 모르는 언론이 무슨 의미가 있겠습니까? 짜지 않은 소금이 무슨 소금이겠습니까? 설사 그 비판이 내 진실한 뜻을 몰라 주고 내 전략을 몰라 주고 뭔가 좀 너무 속단이다 싶고 억울하다 싶어도 기꺼이 수용하겠습니다. CBS는 스스로를 정쟁의 도구로 내던지지 않았기 때문입니다. CBS는 스스로의 이익을 위해, 스스로의 권력을 위해서 자기 힘을 남용하지 않았기 때문입니다. 오로지 시대의 정의와 양심에 따라서 선의를 가지고 바른 정론을 펴고 있기 때문에 설사 때때로 틀릴 수가 있다 하더라도, 나와 다를 수 있다 하더라도 기꺼이 받아들이는 것이 우리의 도리다, 이렇게 생각합니다. 정말 크게 번창하고 성공하십시오. CBS도 사업이니까 청취율이 높아야 하지만, 그렇다고 품위를 잃는 것은 본 적이 없습니다. 품위를 지키면서 사업을 하는 이런 CBS의 자세에 대해서 다시 한번 찬사말씀 드리고 싶습니다. 국민들에게 희망과 용기까지 주십시오.

이번에 해외를 다녀왔습니다. 대한민국이 상당한 대접을 받고 있는 것을 발견했습니다. 나는 우리 국민들이 그야말로 올바른 방향만 잡아서 서로 협력하고 갈등을 극복하면서 이렇게 시대의 대의를 열어서 나가면 세계 어느 강대국에게도 그야말로 기 눌리지 않는, 누구에게도 부끄럽지 않은 당당한 국가를 만들 수 있고, 당당한 국민이 될 수 있다는 확신을 얻었습니다. 이제 희망을 만들어 갑시다. 대통령을 비판하는 것은 좋은데 대통령 밉다고 우리 국민의 희망을 훼손하는, 흠집 내는 일까지는 좀 하지 말아 주시기를 아울러 당부드리겠습니다. 밉더라도 대한민국은 다 같이 우리 함께 잘 되게 한 번 해 보십시다. 이 길에 CBS가 앞장서 주실 것을 당부드리고, 또한 기대를 겁니다. 그리고 지금까지 CBS를 만들고 지원하고 키워 오시고, 또 많은 풍파를 이기면서 CBS의 정신을 올바로 지켜 오신 많은 분들께 다시 한번 감사드리고 아울러 축하드립니다.

감사합니다.

중부내륙고속도로 개통식 축사

2004년 12월 15일

존경하는 경북도민과 충북도민 여러분, 그리고 이 자리에 참석하신 내빈 여러분,

얼마 전 대구~포항간 고속도로 개통에 이어 오늘 또 하나의 큰 경사를 맞았습니다. 중부내륙고속도로 충주~상주 구간 완공을 여러분과 더불어 기쁘게 생각합니다. 이로써 여주와 김천을 잇는 전 구간이 완전 개통되면서 경기와 충청, 영남권이 더욱 가까운 이웃으로 묶이게 됐습니다. 물류비 절감은 물론이고 관광산업을 비롯한 지역경제 활성화와 주민 여러분의 삶의 질 향상에 큰 몫을 할 것입니다. 나아가 지방화와 균형발전을 촉진하는 데도 크게 도움이 될 것입니다. 7년여의 대역사를 성공적으로 마무리해 주신 건설 관계자 여러분께 치하의 말씀을 드리며, 자치단체와 지역주민 여러분의 협조에 감사드립니다. 정말 수고 많으셨고 진

심으로 축하드립니다.

내빈 여러분,

충북과 경북 내륙지역은 수려한 자연경관과 훌륭한 문화유산을 잘 간직해 왔습니다. 문화의 시대, 지식기반 사회를 맞아 그 발전잠재력이 매우 크다고 할 것입니다. 국토의 중심에 위치한 지리적 여건 또한 큰 이점이 아닐 수 없습니다. 그럼에도 다른 지역에 비해 상대적으로 개발이 지연되어 온 것도 사실입니다. 서울과 대도시권을 중심으로 사람과 돈, 산업시설이 과도하게 집중된 결과입니다. 그러나 이제는 변하고 있고, 앞으로 더 큰 발전을 이루어 나갈 수 있을 것입니다.

정부는 중부내륙 지역이 혁신을 통해서 새로운 발전의 전기를 마련할 수 있도록 여러 가지 노력을 기울이고 있습니다. 지역특성에 맞는 산업을 육성하고 사회간접자본 투자를 확대해서 각기 자생력을 갖고 특색 있게 발전할 수 있도록 지원해 나가고 있습니다. 이곳 문경지역을 비롯한 안동·영주 등 경북 북부권은 자연생태와 지식문화 콘텐츠가 어우러진 관광과 생물산업, 첨단농업의 선도지역으로 집중 개발하고, 김천·구미·상주를 포함한 서부권은 디지털산업과 수출·물류의 중심지로 육성해 나갈 것입니다. 충북지역도 바이오·레저·정보통신 같은 미래형 고부가가치 산업을 적극 육성해서 혁신형 산업발전의 거점으로 발전해 나갈 것입니다.

시원스럽게 뚫린 우리 앞의 고속도로처럼 이들 지역이 빠른 발전을 통해서 대한민국의 새로운 도약을 이끌어 갈 수 있도록 확실하게 토대를 닦고 최선을 다해 뒷받침하겠습니다. 자치단체와 지역주민 여러분께서도 정부가 더 큰 확신을 가지고 과감하게 지원할 수 있도록 많은 성공 사례를 만들어 주시기 바랍니다.

존경하는 참석자 여러분,

지금 우리는 지방화와 균형발전 시대를 향해서 한 발 한 발 나아가고 있습니다. 이것은 누구도 거스를 수 없는 시대의 흐름입니다. 수도권과 지방이 함께 상생하는 길입니다. 반드시 해내야 하고, 또 성공할 수 있다고 확신합니다. 우리 다같이 힘과 뜻을 모아서 전국이 고루 잘사는 희망찬 미래를 향해 흔들림 없이 나갑시다. 오늘 개통을 다시 한번 축하드리며, 여러분의 건강과 이 지역의 큰 발전을 기원합니다.

감사합니다.

제1회 청소년 특별회의 참가자에게 보내는 서신

2004년 12월 31일

안녕하십니까?

지난 27일, 참 반갑고 즐거웠습니다. 돌아가서 가족과 친구들에게 자랑 좀 했겠지요?

정성스럽게 써 준 편지 한 통 한 통 잘 읽어 보았습니다. 여러분이 얼마나 다양하고 폭넓게 생각하는지 새삼 놀랐습니다. 우리나라 청소년이 왜 세계 최고의 평가를 받고 있는지 알 것 같습니다. 자신보다 남을 먼저 배려하고 공동체를 걱정하는 속 깊은 마음은 더욱 대견해 보였습니다. 특히 장애인을 비롯한 우리 사회의 소수자 문제나 소외지역에 대해서 관심을 가져 달라는 의견을 보면서 제 마음도 따뜻해졌습니다.

정말 힘이 납니다. 편지 속에 담긴 소망이 이뤄지도록 대통령도 열심히 노력하겠습니다. 이번에 청소년특별회의에서 상정된 의제들은 관심을 가지고 잘 검토해 보겠습니다. 나는 우리 청소년들이 이끌어갈 미래에 대해 기대가 큽니다. 큰 용기를 가지고 도전하십시오. 여러분은 대한민국의 희망이고, 나아가 인류의 희망입니다. 선량한 포부를 품고 매사에 최선을 다하는 여러분이 되기를 바랍니다.

2005년에도 알찬 계획과 실천으로 더욱 뜻깊은 한 해가 되기를 기원하며, 새해 복 많이 받으십시오.

1월

2005년 신년사

2005년 1월 1일

존경하는 국민 여러분,

2005년 새아침이 밝았습니다. 올해에는 여러분의 가정마다 기쁨과 축복이 가득하시기를 기원합니다.

지난 한 해 저와 정부는 원칙과 일관성을 가지고 열심히 노력했습니다만, 국민 여러분의 어려움을 다 풀어 드리기에는 여러 가지로 부족한 점이 많았습니다. 무엇보다 서민생활의 어려움을 속 시원히 풀어 드리지 못한 점, 매우 송구스럽게 생각합니다.

국민 여러분,

지금 우리 경제를 어렵게 하는 원인이 무엇인지는 분명히 드러나 있습니다. 그 중에서도 대기업과 중소기업, 첨단산업과 전통산업, 정규직과 비정규직, 수도권과 지방, 그리고 상·하위 계층간의 심화된 격차는 더 이상 외면할 수 없는 시급한 과제입니다. 여기에는 여와 야, 진보와 보수, 성장과 분배가 따로 있을 수 없습니다. 대한민국 공동체의 공존과 번영을 위한 협력이 필요합니다. 경쟁력을 갖춘 대기업과 첨단산업은 더욱 촉진시켜 성장을 앞서서 이끌도록 하고, 기술과 경쟁에서 뒤처진 중소기업과 서민계층에게는 폭넓은 지원을 해서 더불어 발전해 나가야 합니다. 바로 '동반성장'입니다.

대기업은 중소기업에게, 정규직은 비정규직에게, 수도권은 지방에, 중산층 이상은 서민계층에게 용기를 북돋우고 손을 잡아 이끌어 주어야 합니다. 상생과 연대의 정신, 그리고 양보와 타협의 실천이 절실히 요구되는 대입니다. 올해는 그 귀중한 기회로 삼아야 하겠습니다.

저는 어려운 때일수록 빛을 발하는 위대한 우리 국민의 저력을 믿습니다. 저와 정부도 최선을 다하겠습니다. 자신과 희망을 가지고 다시 한번 뜁시다. 2005년 새해를 우리 경제가 새롭게 도약하는 해로 만들어 나갑시다.

국민 여러분, 새해 복 많이 받으십시오.

2005년 신년기자회견 모두연설 및 질문·답변

2005년 1월 13일

존경하는 국민 여러분, 그리고 내외신 기자 여러분,

새해 복 많이 받으십시오.

지난 한 해 좋은 일, 그리고 궂은 일이 참 많았지만, 내내 경제 걱정만 한 기억밖에는 없습니다. 새해에도 여러 소망이 있겠지만 모두가 간절히 바라는 대로 우리 경제가 좀 좋아졌으면 좋겠습니다. 다행히 연초부터 많은 대기업들이 투자를 늘리겠다고 적극 나서고 있습니다. 정부도 기업들이 의욕을 가지고 투자를 확대할 수 있도록 기업하기 좋은 환경을 만드는 데 더욱 힘써 나가겠습니다. 정부 재정도 상반기에 집중투입해서 투자와 소비를 활성화해 나가도록 하겠습니다. 풍부한 민간자금을 공공투자로 끌어들이는 종합투자계획도 조기에 집행해나갈 것입니다. 이렇게 해 나가면 올 하반기부터는 우리 경제가 내수와 투자부진에서 벗어나 활력을 되찾고, 국민 여러분의 살림살이도 한결 나아지지 않을까 기대합니다.

국민 여러분,

문제는 서민생활입니다. 투자와 소비가 살아나더라도 서민들은 그 효과를 가장 늦게 느낄 수밖에 없습니다. 당장의 어려움을 덜어 줄 실효성 있는 대책들이 필요합니다. 기초생활 보호자와 생계형 영세자영업자 등을 대상으로 해서 도덕적 해이가 일어나지 않는 범위 내에서 3월 말까지 신용불량자 해소대책을 내놓겠습니다. 그동안 도덕적 해이가 두려워서 신용불량자 문제를 함부로 손댈 수 없었습니다만, 이제는 뭔가 대책을 내놓아야 될 때가 됐다고 생각합니다. 서민용 소형 임대주택에 대한 장기대출제도를 활성화하고, 중산층도 임대 아파트에서 안정적으로 생활할 수 있는 방안을 새롭게 강구하겠습니다. 그렇게 되면 임대주택 건설과 공급도 더욱더 활성화될 것입니다.

서민·중산층의 대학생 자녀 학자금도 저리로 최장 20년까지 상환하는 장기대출제도를 올 2학기부터 새롭게 도입하겠습니다. 적어도 학비 때문에 공부를 못하는 일은 없도록 하겠습니다. 또한 노인요양시설을 확충해서 치매·중풍 등으로 겪고 있는 서민들의 부담을 국가가 나누어 짊어지도록 하겠습니다. 사회안전망 전달체계를 개선해서 빈곤·소외계층이 곤경에 처했을 때 우선 보호조치를 먼저 하고, 나중에 법적 절차를 갖추어 나가는 '선 보호제도'를 적극 시행하여 나가겠습니다.

그러나 가장 중요한 서민복지는 역시 일자리가 늘어나는 것입니다. 올해에도 일자리 창출을 최우선 민생대책으로 추진해서 40만개의 일자리를 만들고, 직업 상담과 알선을 종합적으로 제공하는 전국적인 직업 안정망을 더욱 확충해 나가겠습니다. 어려운 때일수록 서민대책은 더욱 더 확실하게 다져가겠습니다.

국민 여러분,

우리 경제가 근본적으로 해결해야 될 과제도 있습니다. 경기는 시기와 속도가 문제일 뿐 반드시 살아날 것입니다. 그러나 경기회복 이상으로 더 중요한 것은 우리 경제의 구조적인 문제를 해결하는 것입니다. 바로 산업간, 기업간, 또는 근로자 상호간의 양극화 문제입니다. 지난해 수출이 30% 이상 증가하고 경제도 5% 가까이 성장했지만 어려움을 호소하는 사람은 이전보다 더 많아져 가고 있습니다. 특히 중소기업과 자영업자, 그리고 비정규직, 재래시장 상인들의 고통은 매우 큽니다. 심지어 중산층이 무너지고 있다는 말까지 나오고 있습니다.

수출은 늘어나도 중소기업 기반이 취약해서 필요한 부품은 해외에 의존하고 있는 실정입니다. 기술력이 뛰어난 첨단제품의 수출은 크게 증가했지만, 전통산업은 오히려 가격경쟁력에서 중국, 동남아 국가들에게 밀리고 있는 부분도 많이 있습니다. 또한 기업의 수익성이 대폭 개선되면서 순이익이 1조원을 넘는 우량기업이 늘고 있는 반면에, 영업이익으로 이자조차 감당 못하는 기업도 줄어들지 않고 있습니다. 경쟁력 있는 부문은 더 빨리 성장하고 그렇지 못한 분야는 더욱 어려워지는 현상이 심화되고 있는 것입니다. 여기에다 경기를 심하게 타는 자영업 비중이 선진국의 서너 배나 되는 것도 체감경기를 더욱 어렵게 하는 요인이 되고 있습니다.

이 같은 문제를 단기적으로 해결할 묘안이 있는 것은 아닙니다. 문제는 경기가 좋아져도 해결되지 않는다는 데 더 큰 심각성이 있습니다. 많은 노력에도 불구하고 지난 10년간 양극화는 더욱더 심화되어왔습니다. 더 이상 양극화 현상이 지속된다면 소득격차가 커지는 것은 물론 성장잠재력과 사회통합의 기반마저 크게 훼손될 우려가 있습니다. 양극화 문제 해결에 역량을 집중하는 동반성장 정책이 필요합니다. 기술을 혁신하고 인재를 육성해서 중소기업과 같이 뒤처진 분야는 조속히 따라붙도록 지원하고, 직업능력 향상을 통해서 근로자간의 소득격차를 해소해 나가야 합니다. 말하자면 고용과 성장이 함께 가도록 해야 합니다.

먼저, 중소기업을 경제정책의 중심에 두고 중소기업정책 자체를 혁신하겠습니다. 과거의 단순한 보호·육성 차원을 넘어 기술과 사업성을 철저히 평가해서 지원하는 방식으로 바꾸어 나가겠습니다. 3만개의 기술혁신형 중소기업을 육성해서 다른 중소기업과 소상공인의 성장을 이끌어 나가도록 하겠습니다. 신규창업이나 사업전환이 신속히 이루어질 수 있도록 제도적 장치도 마련하겠습니다. 대기업과 중소기업간 동반성장의 핵심인 부품·소재산업도 획기적으로 발전시켜 나가겠습니다. 이를 위해 범정부적인 핵심·원천기술 개발체제를 구축하고, 수요자인 대기업과의 협력관계를 더욱 강화해 나가도록 하겠습니다. 벤처기업은 이미 발표한 대책을 차질 없이 추진해서 우리 경제에 새로운 활력을 불어넣도록 하겠습니다. 지방 중소기업도 지역특성에 맞게 육성해 나가겠습니다. 각 지역의 대학과 연구소, 그리고 기업이 서로 협력하는 혁신체계를 구축하고, 신발·섬유·식음료 등 주로 지방에 많은 전통산업도 고부가가치화 할 수 있도록 힘쓰겠습니다.

영세 자영업자 문제는 정말 어려운 문제입니다. 그러나 결코 포기하지 않을 것입니다. 그동안 많은 고민을 해왔고, 상반기 중에는 이 부분에 관해서도 구체적인 대책을 내놓도록 하겠습니다. 농어민 여러분도 개방의 파고를 이겨낼 수 있도록 최대한 돕겠습니다. 쌀 농가 소득안정 대책을 적극 추진해서 피해를 최소화하도록 하겠습니다. 나아가서 농어민들의 연금과 건강보험료를 경감하고, 교육여건 개선, 지역개발 촉진 등을 포함하는 '농어업인 삶의 질 향상 5개년 계획'을 수립 중에 있습니다. 곧 확정해서 시행하도록 하겠습니다. 물론 지금까지 우리 경제를 이끌어온 대기업과 앞으로 더 큰 성장이 기대되는 첨단 분야는 세계무대에서 마음껏 뛸 수 있도록 열심히 뒷받침하겠습니다. 이를 통해 대기업과 중소기업, 수도권과 지방, 수출과 내수, 첨단산업과 전통산업이 균형을 이루면서 함께 성장할 수 있도록 전력을 다해 나가겠습니다.

국민 여러분,

관건은 기술혁신입니다. 그리고 그 바탕은 인재를 키우는 것입니다. 무엇보다도 대학이 바뀌어야 합니다. 1990년만 해도 33%에 불과하던 대학진학률은 지난해 81%로 대폭 증가해서 세계 최고를 기록하고 있습니다. 그러나 기업에서는 쓸만한 인재가 없다고 호소합니다. 더욱이 핵심기술인력은 턱없이 부족하다고 합니다. 대학의 혁신이 필요합니다. 현장의 수요에 맞게 교육과정을 개편하는 것은 물론 강점이 있는 분야는 중점 육성하고 취약한 부문은 스스로 구조조정해서 경쟁력을 높여 나가야 합니다. 최근 일부 지역에서 이루어지고 있는 통폐합 노력은 그 좋은 사례가 될 수 있을 것입니다.

국민 여러분,

앞서 말씀드린 산업간·기업간 양극화와 더불어서 또 하나 해결해야 할 큰 과제는 근로자간의 양극화 문제입니다. 이 문제의 궁극적인 해법은 개개인의 직업능력을 개발하는 데 있습니다. 중소기업 근로자와 비정규직, 영세 자영업자, 미취업자 등에 대한 직업훈련 지원을 확대해 나가야 합니다. 각자의 역량과 전문성을 강화해서 더 좋은 일자리나 취업의 기회를 가질 수 있도록 해야 합니다.

정부는 중소기업 근로자의 직업훈련 기회를 늘리기 위해 대기업의 훈련시설을 활용하는 방안과 중소기업을 직접 찾아가 훈련을 제공하는 '이동식 직업훈련 서비스'를 활성화해 나갈 것입니다. 이 밖에도 비정규직 근로자에 대한 훈련비 지원을 확대하는 등 누구나 뜻만 있으면 자신의 능력을 개발해서 보다 나은 미래를 개척할 수 있도록 하겠습니다.

그러나 비정규직 문제는 정부의 노력만으로는 부족합니다. 고용이 안정되고 근로조건이 양호한 정규직, 특히 대기업 노동조합의 양보와 협력이 절실합니다. 소수에 대한 두터운 보호보다는 다소 수준이 낮더라도 다수가 폭넓게 보호받는 것이 바람직합니다. 비정규직 근로자 여러분도 능력 개발을 통해서 스스로의 경쟁력을 높여 나가야 합니다. 국회에 계류 중인 비정규직 보호법안이 조속히 통과돼서 정규직과의 불합리한 격차를 해소할 수 있게 되기를 기대합니다.

존경하는 국민 여러분,

연초에 제가 선진경제, 선진한국에 대해서 말씀드렸습니다. 갑작스런 제안이라고 생각하신 분들도 많이 계실 것입니다. 그러나 그저 드린 말씀이 아닙니다. 그동안 우리는 선진국을 구호로만 내세우고 막연한 미래로 생각했을 뿐 구체적인 비전과 전략을 세울 엄두를 내지 않았습니다. 정부의 정책이나 기업의 경제활동도 역시 그런 수준에 머물러 왔던 것 같습니다. 그러나 이제 우리 경제도 선진경제를 얘기할 때가 되었습니다. 선진한국을 향한 분명한 목표를 내세우고 노력할 때가 됐다고 생각합니다.

우리는 경공업 시대를 지나서 자동차, 조선, 철강, 석유화학과 같은 중화학 분야에서 이미 세계적인 경쟁력을 확보하고 있습니다. 정보통신과 전자산업에서는 선진국도 부러워할 만큼 앞서가고 있는 분야가 많습니다. 우리 스스로 자각하지 못했을 뿐 어느새 선진국 문턱에 바짝 다가서 있는 것입니다. 이미 해외에서는 우리 대한민국을 선진국으로 대접하고 있었습니다. 이대로 가면 2008년경에는 국민소득 2만 달러 시대가 열리고, 2010년에는 여러 지표에서 선진경제에 진입하게 될 것입니다. 이르면 다음 정부가 출범할 때 선진한국호의 열쇠를 넘겨주는 일도 가능할 것입니다.

국민 여러분,

이를 위해서 지금부터 당장 준비해야 할 것이 있습니다. 먼저, 금융·회계·법률·디자인·컨설팅·연구개발과 같은 지식 서비스 산업을 집중적으로 육성해 나가야 합니다. 지식 서비스 산업은 그 자체로서 부가가치가 높을 뿐만 아니라 일류기업을 키우는 핵심적인 인프라입니다. 선진국들은 이러한 기업지원 서비스가 크게 앞서 있습니다. 그러나 우리의 경우 금융은 아직 신용평가 능력이 취약하고, 컨설팅·법률·회계 등도 국민경제에서 차지하는 비중이 선진국의 절반 수준에도 못미치고 있습니다. 앞으로 지식 서비스 산업 육성정책을 과감하게 추진해서 기업의 경쟁력을 높이고 산업구조를 선진화해 나가도록 해야 합니다. 또한 교육·의료 등 고도 소비사회가 요구하는 서비스도 선진국 수준으로 질을 높여서 국민의 삶의 질을 한층 끌어올리고 세계적 경쟁력을 갖춘 전략산업으로 만들어야 나가야 합니다. 우리 국민은 교육열과 성취동기가 높기 때문에 의욕을 갖고 달려들면, 이들 분야에서 선진국들과 겨루어도 충분히 승산이 있다고 생각합니다.

다음으로는 문화·관광·레저 서비스 산업을 발전시켜야 합니다. 이러한 서비스가 활성화되면 많은 일자리가 만들어지는 것은 물론 대중적인 소비가 살아나고 우리 사회가 새로운 활력을 얻게 될 것입니다. 정부는 문화·관광·레저가 어우러진 복합 소비산업에 대한 종합적인 청사진을 마련하고, 올해 중에 서남해안 등에 대규모 관광·레저단지를 선정해서 사업이 구체화되도록 해 나갈 작정입니다.

국민 여러분,

선진경제로 가려면 개방과 혁신 또한 필수적입니다. 우리는 세계 12위의 무역대국으로서 개방형 통상국가를 지향하고 있습니다. 적극적이고 능동적인 개방을 통해 경제의 체질을 강화해 나가야 합니다. 개방과 경쟁체제 아래서 학습과 혁신이 일상화될 때 경제의 선진화는 가속화될 것입니다. 자유무역협정 체결을 지속적으로 추진하고, 다자무역체제에서도 적극적으로 역할을 해 나갈 것입니다. 이러한 우리의 정책방향은 올해 부산에서 열리는 APEC 정상회의를 통해 세계 각국에 전달될 것입니다. 저는 임기 동안 서비스 산업 육성과 개방형 통상국가 전략을 적극적으로 추진해서 선진경제의 토대를 확실히 해놓겠습니다.

국민 여러분,

끝으로 선진한국에 대해 간략히 말씀드리겠습니다. 선진한국은 경제만이 아니라 제도와 의식, 사회 전반의 문화가 선진화됐을 때 비로소 이루어지는 것입니다. 무엇보다도 정치가 선진화되고 공정하고 투명한 제도가 정착되어야 합니다. 그리고 시민의식도 성숙돼야 합니다. 특히 그 중에서도 부패청산은 우리나라가 선진국으로 가기 위해 반드시 넘어가야 할 고개입니다. 역대 정부 모두 부패청산을 다짐했지만 크게 성공하지는 못했습니다. 참여정부 들어 정치부패를 근절하는 전기가 마련됐지만 아직도 우리나라의 투명성지수는 OECD 30개국 중에서 24위에 불과합니다. 부패도 문화입니다. 확실히 뿌리뽑기 위해서는 제도개혁과 함께 시민의 적극적인 참여가 있어야 합니다. 시민적 통제야말로 가장 강력한 부패추방의 원동력이 될 것입니다. 그런 점에서 최근 시민사회에서 제안하고 있는 '반부패 투명사회 협약'은 매우 바람직한 방안이라고 생각합니다. 이 밖에 선진한국의 필수요건인 국민의 안전과 환경문제 등을 챙기는 데에도 결코 소홀하지 않겠습니다.

존경하는 국민 여러분,

대한민국은 분명 희망이 있습니다. 자신감을 가지고 힘차게 나갑시다. 기업은 더 적극적으로 도전하고, 노동계와 정치권도 함께 힘을 모읍시다. 저와 정부도 최선을 다하겠습니다. 광복 60주년인 올해를 선진한국으로 가는 새로운 출발점으로 만듭시다. 남북관계나 북핵문제를 비롯한 국민 여러분의 다른 관심사에 대해서는 답변을 통해서 말씀드리도록 하겠습니다.

감사합니다.

질문과 답변

질문 : 남북관계와 북핵문제에 대해서 질문드리겠습니다. 현 시점에서 남북정상회담에 대한 대통령의 입장과 구상은 무엇인지 밝혀 주시기 바랍니다. 또 북핵문제의 돌파구를 마련하기 위한 방안을 생각하고 계신 것이 있다면 이 자리에서 밝혀 주십시오.

대통령 : 남북정상회담에 관해서는 필요성을 강조하는 분들이 많습니다. 저도 필요하다고 생각합니다. 그러나 그것은 우리의 희망일 뿐이지 상대가 있기 때문에 희망한다고 다 되는 것은 아니라는 데 문제가 있습니다.

제 입장은 분명합니다. 언제 어디서나, 말하자면 때와 장소를 가리지 않고 상대가 응한다면 주제에 관계없이 정상회담에 응할 용의가 있습니다. 또 가능성이 있으면 적극적으로 제안할 용의도 있습니다. 그러나 지금은 가능성이 좀 낮다, 이렇게 보고 있습니다. 자세한 이유를 설명드리면 너무 길 것 같고 여러 번 설명한 일도 있습니다. 흥정도 마찬가지듯이 가능성이 낮은 일에 자꾸 목을 매면 협상력이 떨어지죠? 물건도 자꾸 사자고 매달리면 값이 비싸지죠? 그런 점도 있습니다. 그래서 이런 것은 가능할 때, 그야말로 적절한 수준으로 대응해 나가는 것이 필요합니다. 희망사항이긴 하지만 협상에 별로 도움이 되지 않는 방향으로 분위기만 자꾸 띄우는 것은 결코 크게 좋은 일은 아니라고 생각합니다.

6자회담 안에서 저는 북핵문제가 해결돼야 하고 또 해결될 것으로 기대하고 있습니다. 우리는 지금 6자회담 안에서 최선을 다하고 있습니다. 여기에 대해서 부정적이거나 비판적인 전망은 전혀 하고 싶지 않습니다. 그리고 그 다음의 문제는 그 다음에 생각하는 것이 도리라고 생각합니다. 그래서 부정적인 전망도, 또 부정적일 경우에 대비하는 다음의 대비책에 관해서도 저는 언급하지 않으려고 합니다. 오로지 희망만 가지고 6자회담이 성사되도록 최선을 다하겠습니다.

질문 : 경제와 관련해서 질문드리겠습니다. 지난해 신년회견에서도 일자리 창출에 총력을 기울이겠다고 밝히셨지만, 그 성과에 대해서는 다소 미흡하다는 지적이 많이 있는 것 같습니다. 올해에도 일자리 창출과 더불어 중소기업을 지원하겠다고 하셨는데, 성과를 종합적으로 계량화해서 정책목표를 자체적으로 평가·발표하실 의향은 없으신지요?

다음으로 지금 경제성장이나 고용 면에서 정부의 노력만으로는 안되고 기업이 좀더 적극적으로 나서야 되지 않겠느냐 하는 요구나 필요성이 갈수록 높아지고 있는 것 같습니다. 대통령께서는 재계 총수들과 개별적으로 편하게 만나서 기업이 원하는 규제완화나 투자유치 문제 등에 대해서 논의할 의향이 없으신지 여쭙겠습니다.

대통령 : '경제살리기'가 대통령이 말해서 되는 일이면 얼마나 좋겠습니까? 그렇지 않은 데 저와 여러분의 고민이 있는 것입니다. 그러나 어떻든 대통령도 경제를 살리는 데 상당한 기여를 할 수는 있습니다. 최선을 다하겠습니다.

계량적 목표에 관해서 말씀하셨는데, 지난해 일자리가 42만개 정도 늘어났습니다. 그런데 그렇게 늘어난 것을 느끼지 못하는 것은 비정규직이 너무 많아지고 일자리의 품질이 나빠져서 실업통계상 일자리 안에 들어와 있는 사람도 자기가 일자리가 없다고 생각하는 사람이 많아졌기 때문입니다. 일자리의 내용이 나빠진 것입니다. 소위 비정규직의 문제, 그리고 일자리를 가진 사람들 사이의 격차 문제가 남아 있습니다. 그러나 어떻든 계량적으로 보면 지난해 목표 42만개를 달성했다는 것을 말씀드리겠습니다.

중소기업에 관한 것은 목표를 세울 수 있도록 우리도 노력하고 있습니다. 올 1월중으로 중소기업 정책을 최종적으로 종합해서 결론을 내려고 합니다. 이때 국민들한테 제시할 수 있는 계량적 지표가 있으면 제시하도록 하겠습니다. 그러나 계량적 지표를 제시하지 않더라도 중소기업의 생태계 자체가 지금과는 좀 달라지도록 중소기업 정책 자체를 혁신하겠습니다. 제가 모두에 말씀을 드렸듯이 꼭 해내겠습니다. 달라지게 하겠습니다. 그래서 피부가 아니라 머리로 이해할 수 있게 해드리겠습니다. 피부로 느끼는 것은 서민생활이면 좋고 중소기업 정책쯤 되면 그래도 머리로 이해하는 것이 순리라고 생각합니다.

다음 질문은 재벌 총수들을 만날 의향이 있느냐는 것인데 못 만날 이유가 없습니다. 또 가끔 만나서 고견을 들어 보고 싶습니다. 사업에서 큰 성공을 이룬 분들의 경륜이 그렇게 만만치는 않을 것입니다. 그래서 재벌 총수 뿐만 아니고 큰 성공을 이룬 사람들, 그런 분들의 얘기를 많이 들어 보려고 합니다. 그러나 지금 시중에서 흔히 얘기하듯이 '재벌 총수들을 만나서 투자를 독려하라.' 이런 차원의 만남은 저는 필요하지 않다고 생각합니다. 이미 관치경제의 시대가 아닙니다. 정부가 무슨 규제나 권력으로 기업을 좌지우지하던 시대는 지나갔고, 더욱이 금융을 통해서 간접적으로 기업에 자금압박을 가하던 시대도 이미 1998년 IMF 환경이 오면서 모든 것이 끝났습니다. 이제는 그야말로 공개되고 투명한 정책이 있을 뿐입니다.

여기에 한 번 만나서 등 두드려 줘서 사기 살린다는, 그래서 기업의 사기가 살고 투자가 늘어난다는 그런 사고는 이미 이 시대에 맞지 않다고 생각합니다. 그렇게 해서 살아나는 투자의지는 진정한 의미에서의 투자의지가 아닙니다. 아주 합리적인 투자의 계산, 그리고 판단에 있어서 어떤 도전적인 의지를 가질 수 있는 사회적, 제도적 환경이 중요한 것입니다.

그래서 지금 일부 경제단체의 간부들이 말하고 있는, 조용히 만나서 애로사항 들어 주고 투자를 독려하고 하는 그 방식은 과거 제왕 시대에 하던 일이지 민주주의 지도자 시대에 하는 일이 아니라는 것을 분명하게 말씀드리고 싶습니다. 그런 만남에서 제가 줄 것은 아무 것도 없습니다. 제일 큰 고민은 만나도 개별적으로 줄 것이 없다는 것입니다. 그래서 특별한 격려가 되지도 않을 것입니다.

질문 : 대통령께서는 지난 연말 열린우리당 지도부와의 송년만찬에서 국가보안법에 대해 "조급하게 굴지 말고 차근차근 해결해 나가자."라는 취지로 말씀하셨습니다. 또 올해 새해 첫 국무회의에서는 과거사 청산문제와 관련하여 "우리가 그동안 과거 청산을 위해 우리 스스로를 너무 부정적으로 평가해 왔다." 이렇게 말씀하셨습니다. 이 두 가지 사안에 대한 대통령의 입장변화가 있으신 것인지, 또 입장변화가 있으시다면 그 이유는 무엇인지 말씀해 주십시오.

대통령 : 큰 원칙을 선언했고 입장에 아무런 변화가 없습니다. 다만 대통령의 생각은 생각으로 받아 주시고, 대통령이 추진하는 정책은 정책으로 이해해 주시기 바랍니다.

국가보안법과 과거사에 대한 제 생각에는 변함이 없습니다. 그러나 이 문제에 관해서 대통령은, 생각은 표현하지만 정책을 추진하기 위해서 특별한 노력을 하고 있지 않다는 것을 거듭 확인해서 말씀드리고 싶습니다. 이 두 개 다 국회에서 토론과 의결을 통해서 결정될 문제이기 때문에 현재로서는 대통령이 정책 추진을 위해서 특별한 노력을 하지 않겠다, 않고 있다 하는 것이 제 입장입니다.

그 다음에 지난 연말에 열린우리당 지도부와의 만찬 때의 이야기는 그냥 덕담 차원으로 이해해 주시기 바랍니다. '포괄적으로, 당의 국회운영 전략은 당에서 모든 것을 결정하십시오. 일절 관여하지 않겠습니다. 단지 정부가 필요한 것이 있으면 그것도 역시 포괄적으로 요구하겠습니다. 이번 정기국회에서 민생경제를 위해서 이러이러한 법은 꼭 통과되도록 해 주시기 바란다고 하는 요청 그 이상으로, 그것을 통과시키는 과정에서 협상을 어떻게 하고 전략을 어떻게 하고 하는 문제에 대해서는 대통령이 간섭하지 않겠습니다.' 이렇게 말했습니다.

그와 같은 맥락에서 그동안 국회운영에 관해서 잘해 오신 것으로 생각합니다. 그렇게 덕담하고, 이어서 '어려운 문제가 많겠지만 좌절하지 말고 하나 둘씩 차근차근 풀어 갑시다. 그 당시 한꺼번에 다 되기가 좀 어려운 상황으로 예측이 되길래 너무 안 되더라도 지도부가 어렵게, 다급하게 생각하지 마시고 여유를 가지고 풀어나가자.'고 하는 격려, 포괄적 격려였습니다. 그렇게 이해를 해 주시면 좋겠고요. 앞으로도 이 문제에 관해서는 마찬가지입니다. 결국 저는 당이 국회에서 최선을 다해 줄 것으로 생각합니다. 그리고 국회전략에 관해서 이 시점에 언제까지 통과해야 한다, 언제까지 뭘 해야 된다라고 하는 그런 것을 대통령이 못박아서 당의 자율성에 영향을 끼치고 부담을 주는 일은 하지 않으려고 합니다.

과거사 문제에 관해서도 마찬가지입니다. 때때로 그 자리의 환경 때문에 덕담하고 또 격려하고, 이런 것의 필요에 의해서 표현이 약간씩 누그러지는 일은 있지만 과거사 문제는 제가 이 자리에서 이렇게 말하고, 저 자리에서 저렇게 얘기하고 그렇게 함부로 할 수 있는 문제가 아닙니다. 이것은 우리가 지향하는 가치의 문제이고 역사적인 과제입니다. 우리나라만 하고 있는 것이 아닙니다. 세계 어느 나라에서나 선진국으로 가기 위해서 또는 새로운 역사로 가기 위해서 과거의 문제들을 어떤 방식으로든 반드시 해결하고 넘어가고 있습니다.

세계 역사의 보편적 흐름을 우리 한국만 따로 거역할 수는 없을 것입니다. 왜냐하면 인류사회의 보편적 가치이기 때문입니다. 이 점에 있어서 제 생각은 변화가 없지만 문제해결에 관한 과정에 있어서는 국회에서 여러 가지 융통성 있는 해결이 가능하지 않겠느냐, 저는 그렇게 기대하고 있습니다. 그런 것을 표현한 것으로 이해해 주십시오. 큰 원칙을 함부로 좌지우지하지 않는다는 것, 그 점을 다시 한번 다짐하고 싶습니다. 과거사 문제는 국회에서 잘 처리될 것으로 기대하고 있습니다.

질문 : 국회는 금년 말까지 자이툰 부대의 파병연장을 승인하였습니다. 한국군이 승인된 기간 이후에 계속 이라크에 주둔할 가능성은 얼마나 된다고 보십니까? 또한 납치된 것으로 여겨지는 한국인 두 명에 대한 정보를 갖고 계신 것이 있습니까? 추가 질문은 북핵문제에 대한 것인데, 6자회담은 언제쯤 이루어질 것으로 생각하십니까?

대통령 : 한국인 두 명이 납치됐다는 얘기에 대해서는 아직 저도 확인을 하지 못했습니다. 우리 정부에서 계속 확인중입니다. 그 다음에 6자회담이 열릴 시기에 관해서는, 이제 6자회담이 열릴 수 있는 조건은 성숙됐다고 생각합니다. 장애사유는 지금 거의 없는 것 같은데, 그러나 구체적으로 그것이 어느 시점에 열리게 될지는 잘라 말하기가 어렵습니다. 자칫 틀리면 실수처럼 보이니까요. 그러나 부시 대통령이 취임한 이후 미국의 외교팀이 정비되면 바로 출발할 수 있지 않을까, 그렇게 기대하고 있습니다.

그 다음에 이라크에 나가 있는 우리 자이툰 부대가 언제까지 잔류하고 철수할 것인지 예측하기는 어렵습니다. 결국 우리의 계획은 항상 우리가 예측할 수 있는 범위를 크게 벗어나지 않는다면 그렇게 오래 가지는 않지 않겠는가, 그렇게 생각합니다. 다만 우리가 간 목적이 결국 이라크의 평화와 질서가 안정되는 것이고, 또 아울러 미국과의 협력에 목표를 두고 있습니다. 그래서 미국 또는 함께 참여하고 있는 여러 나라들이 참여하는 목적을 어느 정도 달성했다고 생각하는 시점, 그때까지가 우리 군대가 주둔해야 되는 시점일 것입니다. 말하자면 그와 같은 점에 있어서도 서로 협력해야 한다, 특별히 감당할 수 없는 새로운 상황이 발생하지 않는 한 우리가 지금 예측하고 있는 상황대로라면 끝까지 협력하는 것이 바람직하다. 저는 그렇게 생각합니다.

질문 : 대통령께서는 경제활성화 의지를 거듭 강조하고 계시는데, 이것을 주요 국정개혁과제, 소위 말하는 국가보안법 등을 포괄했을 때도 좀 우선순위를 두겠다는 뜻으로 해석해도 되는지 우선 여쭙고 싶습니다. 또 한 가지는 집권 3년차를 맞았지만 여전히 성장과 분배에 대한 논란이 있습니다. 그리고 출자총액제한제라든지 증권집단소송제를 놓고 당·정이 엇갈리는 견해를 낳았고, 당·정 협의사항이 번복되는 경우도 있었습니다. 그래서 역할과 권한을 좀 명확히 해서 시장에 하나의 시그널을 줄 필요가 있지 않느냐 하는 지적이 있는데, 이에 대한 대통령의 견해를 듣고 싶습니다.

대통령 : 경제와 비경제 분야의 정책을 서로 대립적인 것으로 또는 배타적 선택의 관계로 생각하는 것 자체가 저는 사실이 아니라고 생각합니다. 국가보안법을 경제법안에 걸어 버렸기 때문에 우리 여당이나 정부의 입장에서는 국가보안법 하려고 하다가는 경제법안도 안 되겠다라고 하는 관계가 발생해버린 것입니다. 국회에서 그렇게 걸고 싸우지만 않았더라면 경제법안과 국가보안법을 동시에, 이번에 통과시킨 법보다 몇 배로 더 많은 법을 효과적으로 통과시킬 수 있었습니다. 경제는 경제대로, 과거사는 과거사대로 조사하면 됩니다. 국정원에서 과거사 조사한다고 우리 경제가 나빠지는 것 있습니까? 국방부에서 과거 군에서 일어났던 몇 가지 의혹사건에 관해서 진상을 밝힌다고 해서 우리 경제가 안되라는 법 있습니까? 전혀 관계가 없는 것을 관계가 있는 것으로 묶어내고 하는 데 문제가 있는 것입니다.

결국은 경제를 내세워서 일부 개혁법안들 발목잡기를 하고, 그 발목잡기 때문에 경제법안까지 연말에 발목이 묶였고, 예산까지도 제대로 통과가 안 될 뻔했습니다. 예산은 적어도 12월 중순까지 통과시켜 줘야 지방에 보내는 예산을 책정할 수 있고, 지방의회에서는 지방예산을 편성하게 되고, 각 부처도 예산집행계획을 세우게 됩니다. 그런데 보름 이상이나 묶어서 정부가 연초에 예산 편성하느라 새해 계획도 제대로 세우지 못하고 많은 지장이 있지 않습니까? 경제라는 명분을 내세웠지만 사실은 경제살리기가 아니고 정치적 입장 살리기입니다. 보기에 따라서는 그렇습니다. 기득권 살리기 아닙니까? 성장과 분배의 문제도 마찬가지입니다. 성장이 중요합니까? 아니면 분배가 중요합니까? 여러분은 어느 쪽이십니까? 제게 그것을 물어보는 사람에게 되묻고 싶습니다. 지금 경제 잘하고 있는 나라에서 성장 소홀히 하는 나라가 어디 있으며, 분배 소홀히 하는 나라가 어디 있습니?, 잘하는 나라는 두 가지 다 잘하고 있습니다. 못하고 있는 나라는 두 가지 다 시원치 않습니다.

그리고 일부에서 '포퓰리즘'이라고 알려져 있는 라틴 아메리카의 한 국가도 성장과 분배문제 때문에 경제가 침체해 있는 것이 아닙니다. 포퓰리즘이라는 것도 사실이 아닙니다. 잘못된 경제이론이 한국에서는 마치 통설인냥 왜곡돼 있습니다. 아직 정설로 정립되지 않았고 논쟁이 많은 것인데, 그렇게 정파적 이해에 따라서 이론 자체를 왜곡해서는 안 됩니다. 분배로 중요하고 성장도 중요합니다. 이 두 가지는 두 마리 토끼의 관계가 아닙니다. 이것은 함께 가지 않으면 둘 다 성공할 수 없는 일입니다. 반드시 성공시켜야 한다고 생각합니다.

그 다음은 정책의 일관성과 통일성에 관한 질문이었지요? 이것은 희망일 뿐입니다. 영원한 숙제입니다. 정치가 아주 발전한 나라, 성숙한 나라에서도 정책의 조율과정은 시끄러울 수밖에 없습니다. 왜냐하면 사람 생각이 다 다르고 사람의 의견은 입을 열지 못하게 닫아 놓을 수 없고, 그리고 취재진 여러분의 취재를 막을 수도 없습니다. 그러니까 각자 취재를 하면 모든 정책의 출발점에서는 서로 다른 의견이 나올 수밖에 없습니다. 가면서 의견이 하나로 통일돼 나가는 것입니다. 마지막으로 통합돼 나가는 것이 국회 같은 데서 법으로 확정될 때입니다. 이 과정을 인정해 주어야 합니다. 정책의 발전과정 또는 조정과정입니다. 서로 다른 것이 이 조정과정을 거치면서 하나로 통합돼 나가는 정책의 발전은 지극히 자연스러운 것입니다.

이런 정책과정에 대해서 결론이 날 때까지 기다리는 사람은 안정된 사업을 하는 분들이고 결론이 나기 전에 미리 알아 맞추기를 하는 분들은 조금 모험적이고 투기적인 선택을 하는 분들이고, 이렇게 가는 것이 자본주의 사회의 시장경제 아니겠습니까? 처음부터 확정돼서 한 마디로 나오려면 다시 전제군주 시대로 돌아갈 수밖에 없습니다. 전제군주 시대로 돌아가면 대통령 입만 쳐다보고 있으면 됩니다. 대통령이 한 마디 딱 하면 그것은 진짜고 아니면 아닌 시대입니다. 지금은 그렇게는 안 되는 시대니까 자연스럽게 우리가 이 환경을 받아들이는 것이 옳다고 생각합니다. 다양한 의견을 조정해 가는 과정이 우리의 정책결정 과정이고 정치적 과정이다, 이렇게 이해해 주십시오.

질문 : 지금 일본에서는 '겨울연가'를 비롯하여 한류가 엄청난 인기를 얻고 있습니다. 한·일 관계를 한 단계 올리기 위해서 대통령께서 임기 중에 일본 천황 방한문제를 추진하실 생각이 있으신지요?

대통령 : 일본 천황 방한에 관해서, 우리 정부는 언제나 환영한다는 입장을 그대로 가지고 있습니다. 해결해야 할 것은 해결해 나가야 하지만, 또 몇 가지 문제가 있다고 해서 일본 천황의 방한 자체를 막아 버리는 것은 합리적인 처리가 아니라고 생각합니다. 우리 정부는 방한은 방한이고 또 처리할 문제는 처리할 문제로 병행해 나가겠다는 입장입니다. 그래서 언제든지 방한하신다면 최고의 예우를 다해서 환영할 준비를 갖

추고 있습니다.

질문 : 최근 대통령께서는 교육부총리 인사파동과 관련해서 대 국민 사과까지 하셨습니다. 그렇지만 정무적 책임이 있는 인사추천위원회의 의장인 김우식 비서실장에게는 책임을 묻지 않았습니다. 그래서 이것을 실용주의 노선과 연관지어 해석들을 하고 있는데, 그 배경을 직접 듣고 싶습니다. 그리고 대통령께서 모두말씀에서 동반성장 전략과 함께 그 관건으로 기술혁신과 인재육성, 특히 대학 혁신을 강조하셨는데 거기에 비추어서 이번 인사파동 때 말씀하셨던 이른바 '대학은 산업이다.' 이런 명제가 후임 교육부총리 인선에서도 그대로 유효한 기준인지 여쭙고 싶습니다.

대통령 : 솔직히 말씀드려서 저는 모두에서 낭독한 내용이 국민들에게 잘 전달되기를 바랍니다. 왜냐하면 올해 정책의 가장 중요한 부분을 말씀드린 것이기 때문입니다. 그러나 여러분은 이번 인사파동과 관련한 것이 또 궁금하고 많이 질문하고 싶을 것입니다. 여기에 대해서 성실히 제 입장을 답변하는 것도 좋은 기회이기 때문에 조금 더 넓게 질문하셔도 제가 답변드리도록 하겠습니다. 우선 먼저 질문하신 데 대해서 답변을 드리겠습니다. 책임을 누구에게 물을 것이냐? 최종적 판단은 제가 했습니다. 그래서 제가 책임을 져야 되는데 저에 대해서는 징계절차도 없고 참 난감합니다. 그래서 국민들께 우선 저의 사과를 먼저 하라고 했습니다. 제 잘못입니다. 민정비서실이 지금 검증절차를 맡고 있지만, 이 일

이 있기 전까지는 검증범위가 모호했던 것 같습니다. 검증해서 의문시된 사실, 문제된 사실만 제대로 적어서 올리면 그것으로 민정비서실의 역할은 끝난 것이고, 거기에 대한 판단은 대통령이 하는 것이라고 생각했습니다.

그러나 제대로 된 검증이면 경우에 따라서는 민정수석이 안 된다고 하면 임명이 불가능하게 처리할 수도 있겠고, 또 다른 절차를 엄격하게 할 수도 있지 않겠습니까? 판단까지를 하는 것이 검증이냐? 사실까지만 책임지는 것이 검증이냐? 사실까지만 책임지는 것이 검증이라고 하면 민정수석은 아무 잘못이 없습니다. 인사수석은 자기 소관이 아닙니다. 대통령이 잘못한 것인데 국민들이 매우 불쾌해 하고 누구에게 뭔가 책임을 물으려고 하는 분위기이기 때문에 그래서 부득이 책임을 물었습니다. 책임이 무거워서 책임을 지고 책임이 없어서 책임을 안지고 이런 것이 아니라 이번 인사처리는 국민들께 사죄하는 뜻으로 한 것입니다. 인사수석은 다행히 재임기간이 좀 길기도 했고, 민정수석은 부득이 해당 부서여서 그렇게 한 것입니다.

비서실장 문제를 놓고 자꾸 노선 얘기를 하는데 이번 문제는 노선하고는 아무 관계없이 처리하고 있습니다. 저는 노선문제를 한 번도 생각해 본 일이 없습니다. 그렇게 평가를 하니까, 그렇게 보면 또 그렇게 보이겠구나 하는 생각이 들어서 오히려 잘된 일 아닌가, 이렇게 생각합니다. 치우침이 없는 국정이 좋지 않겠습니까? 국민들이 저를 약간 개혁 쪽으로 치우친 사람으로 보기 때문에 비서실장은 조금 덜 치우친 사람이 좋지 않겠습니까? 듣고 보니까 잘 된 것이다, 이렇게 생각했습니다.

어떻든 이렇게 설명을 드렸지만 이번 문책조치는 국민들에 대해서 청와대의 도리를 다하기 위한 문책일 뿐이지 실제로는 대통령의 잘못이다, 이렇게 하고 너그럽게 양해해 주시기 바랍니다.

그 다음에 교육부총리 인선에 관해서 '대학은 산업이다.' 라고 하는 견해에 대해서 물으셨는데, 그 말은 전부터 많이 썼습니다. 교육은 그야말로 사람을 키우는 것입니다. 공교육은 그야말로 인간적 품성을 함양하고, 시민으로서의 자질도 함양하고, 또 직업인으로서의 창의성이라든지 역량도 길러내는 것입니다. 공교육 부문에 있어서는 인간교육과 시민교육, 그리고 기본적인 능력교육이 중요한 것입니다.

그러나 대학교에 가면 소위 국민교육, 과거에 말하던 공민교육 또는 요즘 말하는 시민교육이라고 하는 그런 차원의 교육은 아니라는 것입니다. 그래서 저는 국가가 정책을 세워서 공교육을 책임져 나가야 되는 중등교육까지는 공교육 색채가 아주 강하지만, 대학교는 이미 경쟁의 장이라는 관점에서 교육을 운영해야 된다고 그 전부터 많이 얘기해 왔습니다. 대개 크게 반론이 없어서 아직도 그렇게 여기고 있습니다. 그러니까 중등교육의 교육원리와 대학교육의 교육원리는 별개로 해야 한다, 별개의 원리를 적용해야 된다, 그래서 중등교육까지는 우리가 평준화 제도를 유지하고 있고 대학교육은 평준화 제도, 그것은 안 해야 된다, 이런 입장입니다. 물론 다양성은 있어야 되지만, 그런 점을 이해해 주시고요.

교육부총리 인선과 관련해서 아마 질문하신 것 같은데, 인사라는 것이 '신랑감 구하기'하고 같은 것입니다. 아니면 기업에서 '임원 구하기'하고 같은 것입니다. 다 좋으면 좋죠. 그런데 기업하는 분들 얘기 들어 보니까 마음에 쏙 드는 인재가 그리 많지 않다고 합니다. 딱 마음에 들면 어디 다른 데서 일하고 있거나 한다는 것입니다. 그러나 기업도 그때그때 처한 환경에 따라서 이번에는 기술개발, 연구개발을 중심으로 해야겠다 하면 그런 CEO를 영입하려 할 것이고, 이번에는 시장에서 브랜드 싸움을 해야겠다 하면 마케팅 전문가를 영입하려 하는 이런 차이가 있지 않겠습니까? 과제에 따라서 그렇습니다.

지금도 많은 부족함이 있지만 중등교육까지는 일단 제 임기 동안에 해야 하는 과제들의 체계를 이미 다 정했고 함부로 바꾸기가 쉽지 않습니다. 중등교육까지는 대개 이렇게 체계를 잡은 것으로 보고, 금년과 내년에 계속해서 집중해 가야 될 과제는 대학교육의 혁신이라고 생각합니다. 대학교육의 혁신을 강력하게 주장하거나 또는 대학교육이 우리 경제계의 요구를 좀 더 반영해야 된다는 뜻에서 어떤 사람은 신문에 '경제계의 요구를 잘 아는 사람을 기용하라.'는 내용의 기고도 했더군요. 이런 것이 이제 두루 반영되는 것입니다. 그래서 결국은 사람을 보고 이런저런 희망사항을 다 놓고 결정하게 되는 것입니다.

질문 : 앞으로 국무위원이나 청와대 참모진의 인선기준이나 원칙, 특히 검증체계에 어떤 새로운 제도나 시스템을 도입하실 의향이 있으신지요? 그리고 대통령께서는 최근에 국무위원에 대한 국회에서의 제한적인 인사청문을 제안하신 바 있는데, 아직도 유효한 것입니까? 전망도 함께 말씀해 주시기 바랍니다.

대통령 : 인선기준으로는 도덕성, 참신성, 능력, 그리고 전문성 이런 것이 그동안 신문에 계속 나왔습니다. 옛날에 작은 민주당 할 때 내놓았던 기준인데 아마 그게 보편화된 것 아닌가 싶습니다.

그런데 뭐가 도덕성이고 참신성이고 능력이냐고 물어 보면 설명이 복잡합니다. 크게 봐서 능력하고 품성 아니겠습니까? 사심 없이 일할 것이다, 이것을 품성이라고 봐야겠죠. 절대적으로 깨끗하다는 것보다는 공사를 분명히 하고 사심 없이 일을 할 것이다, 이것이 도덕적으로 요구되는 중요한 자세입니다. 옛날에 돈 좀 벌었다 안 벌었다라든가, 전국민들이 부동산 투기할 때 20년 전에 어디 가서 땅 한 필지 샀던 것이나, 공무원 퇴직해서 돈 생겼다고 땅 한 필지 샀던 것 가지고 검증한다고 하니까 어렵긴 참 어렵습니다. 그래서 기준이나 표적을 이러한 것에 좀 맞추면 좋겠습니다. 공사가 분명하냐, 사심 없이 앞으로 일할 것이냐, 그것이 흔히 말하는 도덕성이라는 것입니다.

참신성이라는 것에 대해서 저는 실체가 없는 것이라고 생각합니다. 그 점에 관해서는 별로 신뢰하지 않습니다. 저는 정치를 10여 년 한 사람이니까 이미 참신하지 않은 사람 아닌가요? 지금 국회는 매우 참신한 사람들로 채워져 있죠? 그렇게 참신성의 기준을 두면 안 됩니다. 자기의 명분에 성실하냐, 이것이 중요한 문제 아니겠습니까? 자기 명분에 충실한 사람이 우리가 말하는 참신한 사람일지 모르겠습니다. 말하자면 이해관계에 따라서 그때그대 상황에 따라서 원칙 없이 태도를 바꾸지 않는 것이지요.

능력은 매우 중요합니다. 그런데 각료들을 선임할 때 전문성을 요구하는 것은 좀 무리가 있습니다. 각료는 전문성과 더불어서 일반 관리를 포괄적으로 해 나갈 수 있는 능력이 있어야 합니다. 통합적 관리가 가능한 전문가라야 비로소 쓸모 있는 전문가이지 통합적 관리라 가능하지 않은, 그 부분에 있어서 역량이 떨어지는 전문가는 각료로서 적절하지 않습니다. 차라리 다방면에서 통합적 능력을 가지고 있는 사람이라면 전문가가 아니라도 각료의 직무는 충분히 수행해낼 수 있다고 믿습니다. 역대 각료들을 보면 그렇습니다. 능력이라는 것을 반드시 전문성과 같은 것으로 보는 데에 저는 찬성하지 않습니다.

말씀드렸다시피 원칙은 이러하지만 실제 적용은 참 어렵습니다. 검증에는 두 가지가 있습니다. 능력이 있는 사람이라는 것을 제도적으로 검증하기가 쉽지 않습니다. 그냥 물어 보고 여러 사람의 얘기를 들어보는 수밖에 없습니다. 같이 일해 본 사람들의 평가를 듣는 방법, 이런 것이 제일 좋습니다.

다음은 도덕성이라고 얘기하는, 도덕적 하자가 없는가 하는 문제에 관한 것입니다. 여기에 관한 검증이 일반적으로 검증이라고 말할 수 있을 것인데, 소위 장애사유에 대한 검증이라고 할 수 있을 것입니다. 이 부분에 대한 검증제도 개선은 지금부터 바로 착수할 생각입니다.

청와대 바깥의 다른 기관에 검증을 맡기는 쪽으로 제도를 개선할 생각입니다. 지금 이것을 맡을 만한 유사기관으로는 공직자윤리위원회가 있고, 또 하나는 부패방지위원회가 있습니다. 부패와 도덕성이라는 게 똑같이 가는 것은 아니지만 부패방지위원회에 이런 검증 권한을 주는 것입니다. 물론 공직자로서의 업적이나 징계에 관한 기록은 인사기록에 있는 것이고, 감사원은 감사원대로 감사결과를 기록하고 있고, 그 외 평가기관도 기록을 가지고 있습니다. 이것은 따로 가고, 말하자면 도덕성의 부적격에 관한 문제는 청와대에서 정보기관에 의뢰해서 하던 것을 바깥으로 맡기겠습니다. 좋은 방법이 없는지 고심하다가 그냥 지금까지 흘러왔지만 이번을 계기로 해서 바깥에 맡기겠습니다. 대개 부패방지위원회가 좋지 않을까 생각하는데, 이것은 실무적으로 연구해서 결정할 문제입니다. 국회 청문회를 해야 하는 사람의 폭을 좀 넓히자, 국무위원급은 국회 청문회를 거치게 하자는 방안도 그런 뜻으로 말했습니다.

부패방지위원회에서 사실조사만 할 것인지, 부적격 판단에 관한 의견까지를 낼 것인지, 의견을 내면 대통령이 거기에 구속될 것인지, 아니면 참고만 할 것인지 이런 검증제도를 세밀히 만들어서 국민들에게 대통령의 신뢰가 훼손되는 일이 없도록 제도화해 나가겠습니다. 이것을 입법까지 하는 데 얼마나 걸릴지 모르겠지만 최대한 빨리 해서 금년 중으로 제도화할 생각입니다.

질문 : 집권 3년차를 맞은 지금 상당수 국민들은 대통령께서 강조하신 지방분권과 국가균형발전을 피부로 실감하지 못하고 있습니다. 신행정수도 후속대책과 관련해서 정부가 제시한 세 가지 대안에 대해 충청도민들이 신행정수도 건설이 전제되지 않은 어떠한 대안도 받아들일 수 없다는 강경한 입장을 밝히고 있는 것으로 알고 있습니다. 대통령께서는 어떤 생각을 갖고 계신지 말씀해 주시기 바랍니다. 아울러 행정수도 이전과 맞물려 추진돼 온 공공기관 이전과 관련해서 각 지방자치단체들은

과열경쟁을 벌이고 있고, 국회에서는 관련 입법이 지지부진한 실정입니다. 이에 대해서도 말씀해 주시기 바랍니다.

마지막으로 대통령께서는 신년사에서 수도권과 지방, 대기업과 중소기업 등 격차 심화를 우려하시면서 동반성장을 강조하셨습니다. 지방의 경제가 지금 상당히 어렵습니다. 지방 중소기업은 특히 더 어렵습니다. 앞에서도 말씀하셨지만 지방경제의 활성화에 대한 구체적인 복안에 대해 말씀해 주십시오.

대통령 : 균형발전, 그리고 지방화 시대, 매우 의욕적으로 내걸었습니다. '아직 성과가 없지 않느냐.' 이렇게 질문하셨는데, 그것 당연하지 않습니까? 2년 만에 성과가 날 수 있는 문제라면 제가 그렇게 의욕적으로 내걸지 않았을지 모릅니다. 제 임기가 끝날 때까지 성과가 가시화될까 매우 걱정하면서 수립한 정책입니다. 성과가 5년, 10년, 그 이상 가야 나타날 수 있는 사업이기 때문에 더욱더 애착을 가졌고, 이것은 꼭 내가 사명감을 가지고 해야 된다, 이렇게 생각했던 정책이라고 이해해 주시면 고맙겠습니다. 제가 어릴 때 우리 집이 과수원을 했는데, 복숭아를 심어 놓으면 3년 만에 작지만 열매를 딸 수 있었습니다. 감은 첫 열매를 따는 데 7년이 걸리고, 제대로 수확하려면 15년이 걸립니다. 그래도 저희는 감나무를 심었습니다. 그 뒤에 수입이 좋았습니다. 지방화라는 것이, 균형발전이라는 것이 그런 사업이라고 생각합니다. 그리고 의욕적으로 정책을 채택하는 것만도 굉장히 어려운 일이 생각보다 많은 정책이 효과적으로 채택됐다고 말씀드릴 수 있겠습니다.

그 다음에 행정수도와 공공기관 이전문제는 지금 열심히 활발하고 밀고 당기고 이렇게 협상들을 하고 있기 때문에 제가 협상하고 조정하는 도중에 오늘 무슨 결론을 불쑥 내버리면 오히려 일에 지장을 줄 것 같습니다. 답답하시겠지만 조정 결과를 조금만 더 기다려 주시면 처음 행정수도 계획했던 것 못지않은, 실속에 있어서 못지않은 사업, 그리고 각 지방에서 기대했던 것과 크게 어긋나지 않는 대역사가 아마 결정되고 또 추진될 것입니다. 그렇게 이해해 주시기 바랍니다.

여러분, 수고 많으셨습니다. 새해 여러분 가정에도 하는 일이 전부 다 기쁨으로만 가득하기를 바라고, 우리 경제 잘 되고, 또 미래 한국에 대해서 우리 국민들이 좀더 자신감을 가지고 그렇게 함께 출발할 수 있는 좋은 한 해가 되기를 바랍니다. 새해 복 많이 받으십시오.

동북아 평화와 번영을 위한 국제 심포지엄 축하 메시지

2005년 1월 13일

안녕하십니까?

열린정책연구원의 첫번째 국제 심포지엄을 축하드립니다. 각국에서 오신 참석자 여러분을 진심으로 환영합니다. '평화와 번영의 동북아 시대'는 역내 국가들이 함께 이루어야 할 시대적인 과제입니다. 식민 지배와 냉전이라는 불행했던 과거를 극복하고 협력과 통합의 새로운 질서로 나아가야 합니다.

우리 대한민국은 이러한 질서를 만드는 데 주도적으로 참여하고자 합니다. 그럴 만한 자격과 역량도 있다고 생각합니다. 대륙과 해양을 연결하는 위치에 있고, 높은 수준의 인적자원과 IT, 물류기반을 함께 갖추고 있습니다. 무엇보다 한국은 주변국 모두로부터 경계의 대상이 아닙니다. 누구에게도 빚지지 않았고, 해를 끼치지도 않았습니다. 협력의 중개

자로서 상호신뢰와 공동번영을 이루는 데 중요한 역할을 수행할 수 있습니다.

또한 한반도 평화는 동북아 안정을 위한 핵심적 요건입니다. 남북 화해·협력의 진전과 6자회담을 통한 북핵문제의 해결은 동북아 지역이 평화와 공존의 질서로 나아가는 중요한 계기가 될 것입니다. 여러분의 지속적인 관심과 협력을 당부드리며, 이번 심포지엄이 큰 성과를 거두기를 기대합니다.

감사합니다.

2005 한·일 우정의 해 개막식 축사

2005년 1월 27일

먼저 한·일 우정의 해 개막식을 축하합니다. 이 행사를 축하하기 위해 참석하신 여러분 모두에게 환영과 감사의 인사를 드립니다.

한국과 일본은 오래 전부터 이웃입니다. 그러나 옛날 이웃과 지금 이웃은 사정이 많이 달라졌습니다. 통신사절 시절에는 서울에서 도쿄까지 다녀오는 데 6~7개월이 걸렸다고 합니다. 연락선 시대에는 6~7일이 걸렸습니다. 이제는 항공기로 하루 안에 왔다 갔다 하는 시대로 바뀌었습니다. 교통 뿐만 아니라 발달한 통신은 한·일 관계를 더욱 가깝게 만들고, 경제는 교류라고 말할 수 없을 만큼 긴밀하게 협력하고 있습니다. 그리고 양국은 마음만 먹으면 언제든지 실행할 수 있는 가공할 만한 과학기술을 갖고 있습니다. 옛날에는 좀 사이가 나빠도 불편할 뿐 죽고 사는 문제는 아니었다고 생각합니다.

그러나 지금 한국과 일본의 상황은, 양국 관계가 불편하면 생존 자체가 위협받을 만큼 긴밀한 사이가 됐습니다. 설사 좀 유감이 있어도 친구가 되지 않고는 살아갈 방법이 없는 관계가 되어 버렸습니다. 숙명적으로 친구가 될 수밖에 없는 관계가 되었습니다. 친구가 될 바에는 어쩔 수 없이 친구가 되지 말고, 미래를 향해 적극적으로 친구가 돼 갑시다. 손을 잡으면 불행을 피하는 데 그치지 않고 평화와 번영의 미래를 향한 새 관계를 만들 수 있습니다. 그렇게 하기 위해서 우리는 오늘 이 자리에 모였습니다.

양국 관계를 도로로 표현하면, 오래 전부터 경제도로는 고속도로 수준으로 열려 있습니다. 정치·안보 측면의 협력도로도 활발하게 개통되어 있습니다. 이제 문화의 도로가 넓게 뚫려 나가고 있습니다.

길을 넓힐 수 있는 데까지 넓힙시다. 길 위에 있는 장애물은 양국이 협력해서 치워 나갑시다. 한·일 관계를 고속도로처럼 환하게 뚫으려면 있는 장애물을 없다고 하지 말고, 있는 것은 바로 직시하고 치우는 데 양국 정부와 국민들이 적극적으로 노력해 나가야 합니다.

그렇게 하기 위해서는 우리들 가슴에 따뜻한 우정의 불을 지펴야 합니다. 오늘 이 자리가 그와 같은 우정의 불을 지피고 양국 국민 사이의 우정을 따뜻하게 엮어 가는 좋은 계기가 되기를 바랍니다.

이틀 전 도쿄에서 열린 한국 주최 행사가 성공하도록 성원을 보내주시고, 참석해서 격려해 주신 고이즈미 총리와 일본 국민에게 이 자리를 빌려 감사드립니다. 올해는 양국 수교 40주년을 맞이하는 해입니다. 어려운 일이 많을수록 양국의 우정으로 성공시킬 때 보람은 더 크다고 생각합니다. 올해는 이전보다 더 활발하게 양국 국민들의 교류가 이뤄지는 '국민교류의 해'가 되기를 바랍니다.

감사합니다.

지방공기업 경영혁신대회 축하 메시지

2005년 1월 28일

지방공기업 경영혁신대회를 진심으로 축하드립니다. 지역 발전과 질 높은 공공서비스의 제공에 힘써 오신 여러분께 격려와 치하의 말씀을 드립니다. 지방공기업을 보면서 공공부문의 혁신도 성공할 수 있겠다는 확신을 가지게 됩니다. 효율적인 경영 시스템, 새로운 노사문화, 고객만족 서비스 등에서 여러분이 이뤄낸 혁신성과는 참으로 값진 것입니다.

혁신의 성공사례가 쌓여갈수록 여러분에 대한 국민의 사랑과 신뢰도 그만큼 더 커갈 것입니다. 이제 혁신 없이는 경쟁력도, 더 나은 미래도 얘기할 수 없는 시대가 되었습니다. 전 세계가 혁신을 통해서 발전을 도모해 가고 있습니다. 특히 지방의 혁신역량은 선진한국을 열어가는 핵심동력입니다. 먼저 공공부문에 계신 여러분이 혁신에 앞장서서 다른 분야의 변화를 이끌어주어야 합니다. 그런 점에서 혁신의지를 다지고, 서로의 노하우를 공유하는 이번 대회는 매우 뜻깊습니다.

혁신에 성공하기 위해서는 무엇보다 열린 사고로 끊임없이 학습하고 연구해야 합니다. 작은 것부터 새로운 변화를 실천하면서 혁신을 일상적인 문화로 뿌리내려 가야 하겠습니다. 이 일에 여러분의 적극적인 동참을 기대합니다. 2005년이 혁신수준을 한 단계 업그레이드하는 해가 되도록 합시다. 이번 대회를 거듭 축하드리며, 지방공기업의 큰 발전을 기원합니다.

감사합니다.

대통령 노무현의 2년 : 민주주의 최후의 보루는 깨어있는 시민의 조직된 힘입니다

초판 1쇄 펴낸 날 2019년 6월 24일

엮은이 편집부
펴낸이 장영재
펴낸곳 (주)미르북컴퍼니
자회사 더휴먼
전 화 02)3141-4421
팩 스 02)3141-4428
등 록 2012년 3월 16일(제313-2012-81호)
주 소 서울시 마포구 성미산로32길 12, 2층 (우 03983)
E-mail sanhonjinju@naver.com
카 페 cafe.naver.com/mirbookcompany

(주)미르북컴퍼니는 독자 여러분의 의견에
항상 귀 기울입니다.

파본은 책을 구입하신 서점에서 교환해 드립니다.
책값은 뒤표지에 있습니다.